Tous Continents

Œuvres de Marie Laberge

Romans

Revenir de loin, Les Éditions du Boréal, 2010.

Sans rien ni personne, Les Éditions du Boréal, 2007.

Florent. Le Goût du bonheur III, Les Éditions du Boréal, 2001 ; Paris, Éditions Pocket, 2007.

Adélaïde. Le Goût du bonheur II, Les Éditions du Boréal, 2001 ; Paris, Éditions Pocket, 2007.

Gabrielle. Le Goût du bonheur I, Les Éditions du Boréal, 2000 ; Paris, Éditions Pocket, 2007.

La Cérémonie des anges, Les Éditions du Boréal, 1998.

Annabelle, Les Éditions du Boréal, 1996.

Le Poids des ombres, Les Éditions du Boréal, 1994.

Quelques Adieux, Les Éditions du Boréal, 1992 ; Paris, Anne Carrière, 2006.

Juillet, Les Éditions du Boréal, 1989 ; Paris, Anne Carrière, 2005.

Théâtre

Charlotte ma sœur, Les Éditions du Boréal, 2005.

Pierre ou la Consolation, Les Éditions du Boréal, 1992.

Le Faucon, Les Éditions du Boréal, 1991.

Le Banc, VLB éditeur, 1989 ; Les Éditions du Boréal, 1994.

Aurélie, ma sœur, VLB éditeur, 1988 ; Les Éditions du Boréal, 1992.

Oublier, VLB éditeur, 1987 ; Les Éditions du Boréal, 1993.

Le Night Cap Bar, VLB éditeur, 1987 ; Les Éditions du Boréal, 1997.

L'Homme gris suivi de Éva et Évelyne, VLB éditeur, 1986 ; Les Éditions du Boréal, 1995.

Deux Tangos pour toute une vie, VLB éditeur, 1985 ; Les Éditions du Boréal, 1993.

Jocelyne Trudelle trouvée morte dans ses larmes, VLB éditeur, 1983 ; Les Éditions du Boréal, 1992.

Avec l'hiver qui s'en vient, VLB éditeur, 1982.

Ils étaient venus pour…, VLB éditeur, 1981 ; Les Éditions du Boréal, 1997.

C'était avant la guerre à l'Anse à Gilles, VLB éditeur, 1981 ; Les Éditions du Boréal, 1995.

Mauvaise foi

Projet dirigé par Marie-Noëlle Gagnon, éditrice

Conception graphique : Louise Laberge
Photo en couverture : Marie Laberge

Toute ressemblance avec des personnes ou des faits réels
ne peut être que fortuite.

Québec Amérique
329, rue de la Commune Ouest, 3e étage
Montréal (Québec) Canada H2Y 2E1
Téléphone : 514 499-3000, télécopieur : 514 499-3010

Nous reconnaissons l'aide financière du gouvernement du Canada par l'entremise du Fonds du livre du Canada pour nos activités d'édition.

Gouvernement du Québec - Programme de crédit d'impôt pour l'édition de livres - Gestion SODEC.

Les Éditions Québec Amérique bénéficient du programme de subvention globale du Conseil des Arts du Canada. Elles tiennent également à remercier la SODEC pour son appui financier.

Conseil des Arts du Canada
Canada Council for the Arts

Catalogage avant publication de Bibliothèque et Archives nationales du Québec et Bibliothèque et Archives Canada

Laberge, Marie
Mauvaise foi
(Tous continents)
ISBN 978-2-7644-2556-5
I. Titre. II. Collection : Tous continents.
PS8573.A168M38 2013 C843'.54 C2013-941558-0
PS9573.A168M38 2013

Dépôt légal : 4e trimestre 2013
Bibliothèque nationale du Québec
Bibliothèque nationale du Canada

Éditions Québec Amérique inc. licenciée exclusive
pour l'édition en langue française en Amérique du Nord

Imprimé au Québec

Marie
Laberge

Mauvaise foi

roman

Québec Amérique

Tant d'hommes sont privés de la grâce. Comment vivre sans la grâce ? Il faut bien s'y mettre et faire ce que le Christianisme n'a jamais fait : s'occuper des damnés.

Albert Camus, *Carnets II*

À Robert Claing,
qui m'est si cher

Les villages de Sainte-Rose-du-Nord et de Saint-Basile-de-Tableau sont bien réels et habités. Là s'arrête la vraisemblance. Je tiens à préciser que ces endroits ne possèdent pas certains éléments que j'ai ajoutés afin de construire ce roman. Les gens n'y sont pas tels que je les décris dans ces pages, et même l'église et le presbytère ont subi des modifications.

Si vous les visitez, vous ne retrouverez donc pas exactement les lieux que j'ai inventés. Mais le paysage et le Saguenay, eux, y sont toujours aussi majestueux.

Pour que cette histoire demeure crédible, j'ai eu le plaisir de discuter avec des gens qui m'ont aidée à ancrer dans le réel des faits hautement imaginaires. Je tiens à remercier Laurette Michaud, René Laberge, Hélène Bergeron, Rodrigue Villeneuve, Jean-Michel Segall, le notaire Me Gabriel Dumont, la criminaliste Me Kathlyn Gauthier et Frédérick Laberge.

Si le cours de l'histoire dévie du plausible, croyez bien que ce sera dû aux libertés que j'aurai prises plutôt qu'à des conseils erronés. Je m'en excuse d'avance auprès de mes savants alliés.

M. L.

Automne 2007

En sortant de la prison, Jasmin inspire profondément. L'automne glorieux l'envahit. C'est plus fort que lui, cet instant où il se retrouve dehors, cet instant où la liberté qui est la sienne lui apparaît non pas comme un dû, mais comme un cadeau insensé, c'est la récompense qu'il espère de sa visite. Aussi soulageant que de se faire annoncer que la tumeur est bénigne.

Il marche lentement vers le stationnement. Même quand il pleut, même quand un vent féroce ou une neige opaque essaie de faire accélérer son pas, Jasmin ralentit pour goûter intensément cette conscience aiguë et si rare qui l'habite toujours entre la porte de la prison et sa voiture.

Depuis qu'il se rend à ce pénitencier fédéral, avec une exemplaire régularité une fois par mois, Jasmin Tremblay sait estimer à sa juste valeur la chance qu'il a. Au départ, cette condition liée à son engagement au musée lui semblait non seulement farfelue, mais indigne : obliger le directeur d'une minuscule entreprise culturelle à parcourir près de cinq cents kilomètres pour rendre visite à son patron dans une institution carcérale des environs de Montréal, c'était ridicule. Jasmin avait accepté parce qu'il avait un urgent besoin de gagner sa vie et que, en dehors de cette condition, l'emploi était idéal. L'envergure de l'entreprise lui convenait, la tâche n'était pas trop prenante, il pouvait demeurer dans la région où il était né, et personne ne viendrait contrecarrer ses décisions.

Jasmin dépose son attaché-case dans le coffre de la voiture et il se met au volant en desserrant son nœud de cravate. Trois heures pile. Le reste de la journée lui appartient. Il démarre en goûtant par avance le plaisir qu'il va s'offrir : café viennois et gâteau au chocolat sur la terrasse d'un café de la rue Laurier. Ensuite, une pause cinéma, suivie d'un excellent repas dans un restaurant près de son hôtel. Et tout cela, remboursé par son employeur !

Finalement, cette clause discutable de son contrat, il ne pourrait plus s'en passer.

***

La cuisine est en pagaille et l'odeur, divine. Martin ajoute les tomates coupées en dés à l'ail qui cuisait en douceur, et il baisse le feu. Les pâtes sont plongées dans l'eau bouillante. Il effleure la nuque de Vicky d'un baiser : « Tu veux que je m'en occupe ? »

Vicky fait non en remuant les grosses crevettes qui macèrent dans un jus parfumé à la lime et au vin blanc. Vêtue d'un long t-shirt, pieds nus, elle est l'incarnation du mot « congé », et même son agaçante belle-mère ne lui donnerait pas les quarante-neuf ans bien sonnés qui sont la source de leurs conflits. Vicky se rend sur la terrasse et jette un œil au barbecue : « Quand tu voudras, Martin ! C'est prêt.

— Encore deux minutes et tu peux… »

La sonnette lui coupe la parole. Vicky sursaute et revient à la cuisine. Alors qu'elle chuchote « On répond pas ! », Martin demande : « T'attendais un messager, quelque chose ? »

Tout à coup, dans la cuisine odorante, il n'y a plus que les sons amicaux des plats qui mijotent. La sonnette qui retentit de nouveau en a l'air d'autant plus stridente… et elle est immédiatement suivie de la sonnerie du téléphone.

Vicky se penche pour lire sur l'afficheur : « Appel privé… au moins, c'est pas le bureau.

— On fait quoi ? On prend une chance ?

— Non ! Non ! Si on travaillait, y en aurait pas de réponse. »

Le silence qui suit est soulageant. Vicky enlace Martin en poussant un « ouf! » à peine audible. Martin hoche la tête, l'air accablé : « Ça ressemble à ta mère, ça… ou à Brisson.

— Raison de plus pour pas répondre ! O.K. pour les crevettes ? »

Un autre coup de sonnette retentit. Ils se regardent, hésitants. Du menton, Martin l'incite à retourner sur la terrasse. Quatrième coup, nettement plus appuyé cette fois.

« Bon, ça va faire ! » Martin va ouvrir.

Patrice Durand se tient devant lui, souriant, détendu. Il tend une bouteille de vin rouge, comme s'il était attendu : « Eh ben dites donc, vous en mettez du temps ! Je n'interromps rien d'important ?… Vicky est là ? »

Surpris, Martin recule d'un pas, ce que Patrice interprète comme une invitation à entrer. De la cuisine, ils entendent Vicky crier : « Martin ! Les pâtes, ça déborde ! »

Martin se précipite.

Patrice ferme la porte et le suit, très à l'aise.

***

Expliquer à Patrice ce qu'est le congé de l'Action de grâces et la légère extension qu'ils y ont ajoutée est assez simple. Comme il le dit si bien, « faire le pont » est une tradition française à laquelle il cède avec délectation. Le regard du commissaire est plutôt moqueur. Il ne dit rien à propos de son arrivée impromptue. Vicky se demande un peu comment justifier ce repas copieux pris aux alentours de seize heures. Elle n'a aucune envie de révéler que Martin et elle se sont offert une intense matinée de luxure qui a pris fin sous la douche il y a une heure à peine.

Elle tend un verre de vin blanc à Patrice : « Je vous manquais, Patrice ? Il faisait trop froid à Paris ? Êtes-vous en route pour les Îles ? »

Ironique, Patrice lève son verre et déguste une première gorgée : « Excellent ! Vos crevettes… »

Vicky s'absorbe à retourner les crevettes sur le gril, ce qui lui permet de réfléchir à cette visite-surprise. Elle n'est pas mécontente de le revoir, quoiqu'elle aurait préféré être prévenue. Elle espère que c'est cette liaison qu'il avait amorcée avec une suspecte lors de leur enquête qui lui vaut ce « détour montréalais ». La jeune femme habitant les Îles de la Madeleine, il doit obligatoirement faire un arrêt à Montréal depuis Paris. Le silence de Patrice ne lui indique rien de bon. Il est plutôt loquace, d'habitude.

À travers la porte-moustiquaire, Martin demande s'il ajoute un couvert. Patrice s'empresse de refuser en levant son verre : « Le temps de prendre de vos nouvelles et je rentre à l'hôtel. »

Vicky retire les crevettes : « Ben voyons donc ! Voir si vous êtes venu de Paris pour prendre de nos nouvelles ! Franchement ! »

Il sourit, ravi de la retrouver, d'entendre cette manière un peu abrupte et cet accent : « Vraiment, Vicky, une petite bricole mise à part, je suis venu admirer votre fameux été indien. »

Vicky se doute bien que l'été des Indiens – qui n'est même pas arrivé – ne pèse pas lourd à côté de la « bricole ». Elle le connaît, son commissaire : sous des dehors séduisants, cet élégant qui ne fait pas sa bonne cinquantaine est un acharné qui obtient généralement ce qu'il veut. De courte mémoire, il y était bel et bien parvenu le printemps dernier en la forçant à reprendre une enquête qu'elle jugeait inutile. « Martin, sors une assiette quand même ! »

S'il y a une chose dont elle est certaine, c'est que Patrice va ouvrir la bouteille de rouge qu'il a apportée.

***

« Tu vas le faire ? »

Martin tend le bras pour qu'elle vienne se blottir contre lui. Il est très tard et ils ont bu davantage que la bouteille de Patrice. Vicky ne comprend d'ailleurs pas comment leur invité fait pour résister aux ravages du décalage horaire : il est parti à minuit, ce qui équivaut au petit matin pour lui. Elle éteint: « Réfléchir? Oui, c'est ce que je vais faire. »

Martin n'est pas dupe: « C'est presque un oui, ça...

— Non: c'est un "je vais réfléchir", comme j'ai dit à Patrice. On dort, O.K.?

— O.K. ... T'es déjà allée, toi, à Sainte-Rose-du-Nord?

— Martin...

— Non, mais je veux juste dire que je connais pas ce coin-là du Saguenay.

— Bon, ben on est deux. Bonne nuit!

— Si jamais tu décides de le faire, je pourrais vous conduire.

— Ben oui: t'as pris deux jours de congé de plus pour me servir de chauffeur. C'est tellement le fun!

— Tu lis pas ton dossier tout de suite?

— J'ai-tu l'air de lire? On dort, O.K.?

— O.K. »

Vicky fait même semblant de s'endormir. Le souffle de Martin s'approfondit alors qu'elle essaie d'évaluer les chances qu'ils auraient de résoudre la bricole de Patrice.

C'est le retentissement de l'affaire des Îles de la Madeleine qui a tout déclenché. Au moment où les meurtres de Marité ont été élucidés, trente-cinq ans après le début de l'affaire, les médias ont fait grand cas de Patrice Durand et de l'équipe des *cold cases* de la Sûreté du Québec dont fait partie Vicky. Évidemment, Rémy Brisson, le directeur de l'escouade, a « ramassé le *spotlight* » comme toujours et comme cela convient à Vicky. Elle ne tient absolument pas à devenir une vedette. Au contraire, l'ombre lui plaît beaucoup plus. Mais l'ombre a aussi eu pour résultat que la demande de Jasmin Tremblay ne lui est jamais parvenue pour la bonne raison que Brisson l'a écartée, la jugeant incompatible avec leur mission. Il est certain qu'à proprement parler, une affaire classée n'est pas du ressort de l'escouade. Ce sont les crimes non résolus dont ils s'occupent. Mais, même jugé, même avec un coupable dûment emprisonné, ce cas contient plusieurs zones grises. Assez pour l'estimer mal résolu?

Elle ne sait pas. Vicky soupire, elle ne dormira pas ! Elle se lève avec précaution, allume dans le salon et s'empare d'un calepin neuf et du mince dossier laissé par Patrice. Elle inscrit les faits selon sa méthode habituelle : les faits secs, sans fioritures ni explications. Dans le doute, un gros point d'interrogation ou d'exclamation.

Le 9 octobre 1985, jour de ses dix-huit ans, Paul Provost part de Chicoutimi où il étudiait pour se rendre chez sa mère à Sainte-Rose-du-Nord. Celle-ci lui préparait une fête pour son anniversaire.

À seize heures ce jour-là, il trouve sa mère assassinée.

La pièce est dans un grand désordre, la collection de poupées qu'elle contenait est éparpillée et massacrée.

Sous le choc, Paul retire la hache enfoncée dans le dos de sa mère morte. Il nettoie l'arme du crime et la range contre le mur de la pièce. Il s'assoit ensuite par terre et berce sa mère contre lui. Au bout d'un certain temps, il ramasse les poupées brisées, les rassemble en groupes précis suivant le démembrement de chacune, il nettoie la pièce et il va ensuite reprendre sa mère contre lui pour continuer à la bercer.

À dix-huit heures, les parents de la victime – Émilienne Provost – qui étaient également conviés à la fête trouvent Paul maculé de sang, toujours assis sur le plancher et berçant le cadavre dans ses bras.

Le temps que les enquêteurs arrivent, la pièce contenait plus de traces de pas qu'on ne pouvait en analyser et la scène de crime n'avait absolument pas été préservée : impossible de discerner des éléments de preuve ou des empreintes inconnues. Par contre, celles de Paul étaient partout, y inclus sur l'arme du crime.

L'analyse de la hache n'a fait que confirmer le récit de Paul Provost à ses grands-parents. Seules ses empreintes se trouvaient à l'endroit où la prise aurait été nécessaire pour tuer Émilienne Provost, puisqu'il avait retiré la hache.

Le principal suspect, Paul, n'a plus ouvert la bouche.

Pratiquement catatonique pendant des mois après le meurtre, les experts ont toutefois jugé le jeune homme apte à subir son procès et ont attribué sa réaction mutique au choc du passage à l'acte.

Dans le dossier laissé par Patrice, les photos de la scène de crime témoignent d'une extrême violence et d'une lutte désespérée. La victime semble s'être défendue sauvagement.

L'arme du crime, une hache commune, était dans l'appentis du jardin, derrière la maison.

Le débat central du procès – très court, le choix des jurés ayant représenté l'étape la plus longue – a davantage tourné autour de la santé mentale de l'accusé plutôt que de sa culpabilité qui, elle, ne semblait faire de doute pour personne. L'absence de traces de voiture autres que celles de l'accusé ou des personnes arrivées sur les lieux après le crime ne contribuait pas à le disculper, l'endroit étant très éloigné et pratiquement inaccessible à pied.

Toute l'accusation reposait sur la réaction psychique de Paul et sur l'attachement presque démesuré qui le liait à sa mère.

Émilienne avait élevé son fils seule, son mari étant décédé quand l'enfant avait cinq ans. Elle l'avait adopté à sa naissance et ne le lui avait jamais révélé. En fait, selon un témoin, elle comptait le lui apprendre ce jour-là.

La complicité qui unissait le fils et sa mère, leur passion mutuelle pour l'immense collection de poupées d'Émilienne, leur entente hors du commun avaient joué contre Paul. Pour les experts appelés à la barre, l'attachement avait été jugé excessif et le choc d'apprendre qu'Émilienne n'était pas sa véritable mère avait pu provoquer une sorte de réaction violente, une psychose brutale que le silence de Paul après le meurtre avait quasiment confirmée. Son attitude indifférente et presque absente lors du procès avait également contribué à l'accabler.

Déclaré coupable, il a été condamné à vie avec un minimum à purger de vingt-cinq ans de prison. Le seul commentaire de Paul avant le prononcé de la sentence avait été un refus net de reconnaître son crime. Il avait provoqué une réaction très sévère du juge lorsqu'il l'avait accusé de ne rien faire pour sa mère ou pour la justice.

En 1995, après avoir lourdement insisté, les grands-parents de Paul avaient obtenu des deux policiers qui avaient initialement mené l'enquête de revoir leurs conclusions et de tenter de réviser les éléments de preuve, dont celle de l'ADN. Le résultat n'avait pas été probant : en majeure partie, c'est l'ADN de Paul Provost qui avait été retrouvé sur la scène de crime. Malgré la lutte acharnée qui s'était déroulée dans cette pièce, l'assassin – si ce n'était Paul – n'avait perdu ni un cheveu ni un bout d'ongle. Ou alors, personne ne les avait retrouvés, ce qui semblait hautement improbable aux yeux des autorités compétentes. L'ADN ne condamnait ni n'aidait Paul, la scène de crime ayant été beaucoup trop brouillée avant l'arrivée des policiers. De leur propre aveu, les enquêteurs avaient évité de creuser puisque les réponses des témoins réinterrogés confirmaient le verdict. Comme ils étaient à cette époque à quelques mois de leur retraite, ils avaient clos le dossier sans aller plus loin dans la tentative de réouverture du procès espérée par les Villeneuve.

Au bout de quelques années passées dans un pénitencier à sécurité maximum, Paul avait été transféré dans un établissement à sécurité moyenne.

Toute l'affaire avait entraîné de sérieux problèmes dans la petite municipalité de Sainte-Rose-du-Nord. Les tenants de la culpabilité de Paul s'étaient opposés à ceux qui le défendaient et les discussions avaient empoisonné la vie sociale à un point tel que le curé avait dû intervenir en chaire pour calmer les ardeurs belliqueuses. La communauté avait eu beaucoup de mal à se remettre de ce procès.

Les parents d'Émilienne, des gens très riches de la région, avaient transformé la maison de leur fille en musée. Déjà, en 1985, sa collection de poupées méritait le détour : elle possédait plus de trois cents éléments, dont certains très rares, et elle en prenait un soin maniaque. Paul partageait cette passion et l'aidait à agrandir sa collection. C'est d'ailleurs pour sauver la santé mentale de leur unique petit-fils que les grands-parents avaient investi dans ce musée. Selon la charte de la compagnie, Paul Provost était le PDG du musée, nommé à vie, et c'est à lui que revenait la moindre décision concernant la collection. Toutes les acquisitions devaient recevoir son approbation. L'entretien, la préservation, les soins, tout lui était soumis. Et cela, même s'il était en prison.

Grâce à cette initiative, Paul avait finalement retrouvé un peu d'allant et une raison de vivre. Le petit musée Provost était son univers et toutes ses études et son énergie lui étaient vouées. Jamais les parents d'Émilienne n'avaient baissé les bras ou douté de l'innocence de leur petit-fils. Selon eux, il s'agissait d'une terrible erreur judiciaire et ils avaient tout fait pour tenter de le disculper.

La personne qui a écrit à Patrice pour demander son assistance s'appelle Jasmin Tremblay et il est le directeur du musée depuis douze ans, soit depuis que la réouverture du procès a été écartée. Après avoir reçu un refus catégorique de Brisson, Tremblay a écrit une lettre bien tournée à Patrice, lui offrant de réparer une erreur judiciaire « que les autorités québécoises refusent de seulement considérer ».

De quoi appâter Patrice, quoi ! Ce redresseur de torts ne pouvait résister à un tel appel. Vicky soupirc. Ellc voudrait bicn connaître le mobile profond du commissaire, et elle se doute qu'il l'ignore probablement lui-même. Entre l'envie de revoir le Québec, de montrer à Brisson qu'il n'a pas de discernement ou de se rapprocher des Îles de la Madeleine, son cœur doit balancer. Quoique, pour ce qui est de la liaison des Îles, la différence d'âge entre la jeune beauté et Patrice lui semble tout de même un obstacle de taille. Elle sourit : c'est la mère de Martin qui serait contente de la voir se ranger à ses arguments, elle qui trouve scandaleuses les treize années qui séparent Vicky de son fils adoré. Elle s'endort sur ces bonnes pensées.

***

« Je ronfle ou t'as décidé de faire chambre à part ? »

Le café qu'il lui tend tempère la question. Elle s'aperçoit qu'il a ramassé les feuilles du dossier et l'a recouverte d'un jeté. « Quelle heure ?

— T'as le temps. »

Elle doit rencontrer Patrice à son hôtel à huit heures trente. C'est là que Jasmin Tremblay viendra les rejoindre pour une entrevue.

Martin s'installe au bout du sofa, l'œil vif, curieux : « Alors ?...

— Sais pas. »

Martin déguste son café sans rien ajouter. Il la connaît, elle était déjà appâtée hier soir, quand Patrice a brièvement décrit le cas.

« Tu ferais quoi, toi ? »

Martin se garde bien de répondre. D'abord, il n'en sait rien, et ensuite ce n'est pas à lui que la question est posée. Vicky précise sa pensée : « Je veux dire, si j'y allais, tu ferais quoi ? »

Il se lève, agacé. Voilà exactement le genre de réaction qu'il ne supporte pas : « Je m'arrangerais, Vicky. C'est pas moi, ton problème !

— Penses-tu que tu pourrais les rejoindre ?

— Vicky… »

Le ton est clairement menaçant, Martin saisit ce qu'elle essaie de faire : comme ils ont refusé d'accompagner leurs amis pour une excursion de marche en montagne dans les Hautes-Gorges de Charlevoix afin de se consacrer plutôt au plaisir d'être deux, elle va maintenant lui trouver une raison de revenir sur leur décision. Et tout ça parce qu'elle a envie d'accepter l'enquête de Patrice !

« Tu pourrais les rejoindre, non ? Ils sont pas encore tous partis ?

— Organise-moi pas, O.K. ? Si tu décides que tu pars, laisse-moi tranquille avec ton plan de secours. J'ai pas besoin d'un animateur de camp de vacances. J'ai besoin de savoir ce que tu fais, point.

— Je le sais pas, Martin. Je vais le savoir tantôt, quand j'aurai vu le gars, là, monsieur Tremblay. Peux-tu attendre à dix heures ?

— Je peux même attendre toute la fin de semaine ! »

Vicky se lève et va sous la douche, exaspérée.

Évidemment qu'elle a mauvaise conscience : c'était leur fin de semaine, leur « rencontre au sommet » de cinq jours arrachée aux horaires contraignants, aux dossiers envahissants. Évidemment qu'elle se sent mauvaise joueuse. Ils ont discuté des heures tellement ils hésitaient à partir avec leurs amis marcher en montagne. Julie et Éric avaient loué un chalet « grand confort » et l'idée de s'aérer dans les splendeurs de l'automne leur plaisait énormément. Mais ils avaient aussi envie de ce tête-à-tête amoureux… et ils s'étaient choisis.

Vicky s'essuie énergiquement : elle ne devrait même pas aller à cette rencontre. Elle devrait refuser dès maintenant. Appeler Patrice et lui dire qu'elle ne peut pas.

Au lieu de ça, elle fait la seule chose à éviter. Elle s'arrête dans le salon et interrompt Martin qui lit son journal : « Stéphane avait pas une réunion ? Me semble qu'il partait aujourd'hui, lui ? »

Martin baisse le journal si doucement qu'elle n'a pas besoin d'entendre sa réponse : « O.K. ! O.K. ! Je reviens à dix heures ! »

Le cœur gros, déçue d'elle-même, elle ferme la porte.

Il a raison, Martin, et elle le sait très bien.

***

Elle arrive en courant à l'hôtel, à l'heure précise du rendez-vous. En traversant le hall, elle entend l'homme qui lui a gentiment tenu la porte demander Patrice à la réception. Elle se hâte vers la salle à manger.

Rasé de frais, impeccable comme toujours, Patrice sourit et se lève pour l'accueillir. Elle indique le hall d'un mouvement vif : « Il est là. On parlera après ! »

Patrice prend le dossier qu'elle lui tend : « Café ? Vous semblez à la bourre.

— Café, oui. »

C'est tout ce qu'elle a le temps de dire avant que Jasmin Tremblay ne s'approche de leur table.

Raffiné. Voilà le qualificatif qui vient tout de suite à l'esprit de Vicky. Raffiné et intimidé. Il serre la main de Patrice et s'étonne de la présence d'un membre de la Sûreté du Québec. Patrice encense Vicky et déclare que sans elle, l'affaire des Îles et de Rimouski serait toujours un mystère opaque. Vicky résume en déclarant qu'elle est là à titre privé et non pas en tant que membre de l'Escouade des crimes non résolus.

Jasmin Tremblay se montre catégorique : il n'a aucun doute que le véritable assassin d'Émilienne Provost n'a pas été arrêté. Paul doit sortir de prison. Depuis vingt-deux ans qu'il y est, personne à part ses grands-parents n'a fait l'effort de chercher le vrai coupable.

« Permettez ? Il y a tout de même eu une révision du dossier… qui s'est soldée par un fiasco. Rien n'avait été négligé lors de l'enquête, semble-t-il. »

La remarque de Patrice ne calme pas du tout Tremblay : « Si l'assassin n'a pas laissé d'ADN, c'est pas la faute de Paul, quand même ! C'était chez lui, c'était sa mère ! Évidemment que son ADN était partout. Personne ne peut comprendre qu'il était en état de choc et qu'il a fait ce qu'elle aurait fait ? Il a nettoyé et rangé les poupées. C'est là-dessus qu'ils se sont tous mis à dire que ce n'était pas une réaction normale, que c'était pour effacer des indices qu'il l'a fait. Comment est-ce qu'ils font pour voir ça ? Le pauvre était tellement secoué qu'il a arrêté de parler, de manger, presque de respirer pendant des mois ! Et comme il ne pleurait pas, ils ont dit que c'était une preuve de plus ! C'est quoi, ces rapports de psy là ?

— De la foutaise, je vous l'accorde. Vous avez connu la victime ?

— Non. J'étais à Jonquière dans ce temps-là… pas très loin.

— Fort bien, nous vérifierons. Mis à part le fait que vous réfutez les conclusions des psy, détenez-vous un élément qui nous inciterait à enquêter en vue de prouver l'innocence de Paul Provost ? »

Stupéfait par le ton et par la question, Jasmin Tremblay hésite, consulte Vicky du regard, revient à Patrice qui attend sa réponse, impassible et sévère.

« Ben… si j'avais une preuve, je ne vous aurais pas fait venir. Je l'aurais donnée à un juge. Ça prendrait de quoi de solide parce qu'après l'échec de 1995, Paul veut rien faire, rien essayer. Il est fragile, vous comprenez ?

— Fragile ?

— C'est quelqu'un de marqué… de… brisé. En 1995, quand les enquêteurs n'ont rien trouvé pour rouvrir le procès, ça a été très dur. Et puis, deux ans plus tard, ses grands-parents sont morts. Ensemble. Le pauvre perdait tout, d'un seul coup. Là, ça a été pire : de 97 à 99, je suis venu deux fois par mois au lieu d'une seule.

— Monsieur Tremblay, puis-je vous demander ce qui vous lie précisément à Paul Provost ?

— C'est mon patron.

— Mais encore ?…

— Ben… c'est sûr qu'on est devenus amis avec le temps. C'est un patron sur papier, mais on travaille ensemble, sans qu'il y ait d'autorité, si vous voulez. Paul est quelqu'un de sensible. C'est un érudit pour ce qui est des poupées. En regardant une photo, il peut donner la provenance de n'importe quelle poupée et même l'année de sa création. Il a dénoncé une fraude que Christie's n'avait pas vue. Il est tellement ferré, cultivé… il étudie sans arrêt. Laissez-moi vous dire que personne au Québec n'en sait plus que lui.

— Sur les poupées.

— Oui, effectivement, sur les poupées.

— Vous l'admirez sans réserve, à ce que je vois.

— Pourquoi pas ? C'est quelqu'un de courageux, quelqu'un qui ne se plaint jamais, qui ne fait endurer ses doutes à personne… pourquoi posez-vous cette question, monsieur ?

— Parce que si votre requête a une raison d'être qui relève de… d'intérêts privés, je veux dire d'un sentiment quelconque qui outrepasse l'intérêt de justice, je ne pourrai pas vous aider. »

Vicky est aussi stupéfaite que Tremblay. Elle fixe Patrice, muette. Déjà que le ton de l'entrevue virait à l'aigre… Elle comprend tout à coup que l'homosexualité évidente de Jasmin Tremblay suscite un doute quant à ses intentions véritables. Dans l'esprit de Patrice, du moins.

« Voyons donc, Patrice, ça a rien à voir ! Au contraire : il faut beaucoup aimer quelqu'un pour venir le visiter de si loin et pour le soutenir sans arrêt. Ses grands-parents l'aimaient, eux, et c'est bien pour ça qu'ils ont insisté pour faire rouvrir son dossier ! »

Patrice regarde toujours Tremblay en attendant sa réponse.

Très digne, Tremblay se lève, reprend son attaché-case. Il est ébranlé, insulté, et ça lui donne une certaine fébrilité. Posément, sans hausser le ton, il met les points sur les « *i* » : « Vous voulez savoir si je suis amoureux de Paul ? La réponse est non. Je suis en couple depuis longtemps. Et avant que vous le demandiez et même si cela ne vous regarde pas, c'est d'un homme que je suis amoureux. Paul est mon patron et mon ami. Je n'ai pas besoin de coucher avec lui pour m'y attacher. C'est quelqu'un de bien. C'est quelqu'un qu'on a mal traité. Injustement traité. Et je ne le dis pas parce que mon contrat l'exige. Je suis capable de discerner les gens bien sans qu'on m'y oblige par contrat. Maintenant, si le fait que je suis homosexuel vous dérange au point de vouloir renoncer ou de douter de moi, vous le dites, je vous rembourse vos frais sur présentation de factures, et on arrête ça là. Je vous redonne ma carte, vous pourrez m'aviser par courriel, si vous préférez ne pas me parler. »

Il pose la carte sur la table et se tourne vers Vicky en lui tendant la main : « Désolé de partir comme ça. »

Il s'éloigne sans avoir tendu la main à Patrice. Soudain, il revient vers eux : « Si vous n'avez pas l'intention d'aller rencontrer Paul, il faudrait me le dire. Parce qu'il vous attend à onze heures. Et que c'est un homme qui pourrait être blessé qu'on le laisse tomber. Même si ça lui est déjà arrivé souvent. Vous avez mon numéro de cellulaire, vous me laisserez un message. »

Cette fois, il quitte la pièce.

Vicky n'en revient pas : « Vous excuser, ça vous a pas tenté ?

— Avouez qu'il est tout de même essentiel de connaître les mobiles profonds de chacun.

— C'est quoi, votre mobile profond, Patrice ? Êtes-vous homophobe ?

— Du tout ! Mais s'il en pince pour ce type, il peut nous cacher des faits ou faire obstruction pour épargner son protégé.

— Et si vous êtes homophobe, vous pouvez faire obstruction vous-même et être incapable de discerner ce qui vous concerne ou non.

— Mais enfin, Vicky, cet homme n'est pas net !

— Vous pensez qu'il vous a fait venir de Paris parce qu'il voulait baiser ? Vous pensez vraiment qu'il essaie de faire sortir un coupable après vingt-deux ans parce qu'il veut avoir sa liaison ? J'ai des petites nouvelles pour vous, Patrice : le mariage gai, ça existe chez nous. Ça existe même en prison. Et on peut consommer son union dans une jolie roulotte ou un appartement surveillé. On est modernes, han ? Alors, si Jasmin Tremblay vous a dérangé, c'est pas parce qu'il se mourait d'amour. Vos préjugés vont vous faire pas mal de torts dans cette affaire-là, Patrice, parce que je mets un vingt que Paul Provost est gai. Bonne chance !

— Attendez ! Ne me dites pas que vous…

— J'ai pris deux jours de congé spécialement pour être avec Martin. Pensez-vous que je vais sacrifier notre longue fin de semaine pour courir un *cold case* avec vous ? Et surtout, trompez-vous pas, Patrice, ce n'est pas des homosexuels que je refuse d'aider, c'est un homophobe.

— Mais enfin, je ne suis pas… »

Elle est déjà loin.

Contrarié, Patrice ramasse le dossier en maugréant : « Mais qu'est-ce qu'ils sont susceptibles… »

***

L'appartement est trop tranquille.

« Martin ? »

Elle sait déjà qu'il n'est pas là. Elle va à la cuisine et prend son mot, là où les messages sont toujours laissés.

« Avant que tu m'organises ma fin de semaine, j'ai décidé de bouger. J'ai pensé que tu n'aurais pas besoin de la voiture puisque Patrice en a loué une. Je serai là lundi, en soirée. »

Pour toute signature, une drôle de face, mi-figue, mi-raisin, une face déçue d'amoureux pas content.

Vicky prend le téléphone, compose une partie du numéro et renonce : le moins qu'elle puisse faire, maintenant qu'elle lui a gâché son congé, c'est de le laisser tranquille. Il a choisi avant qu'elle le fasse, c'est tout. Et elle sait pourquoi. Il déteste quand elle veut se mêler de ses décisions. Et il a raison, bien sûr. Ce n'est pas parce qu'elle a mauvaise conscience qu'il doit à tout prix s'amuser et faire comme si ses choix ne changeaient rien à leurs projets. Le seul fait qu'elle hésite, qu'elle lise le dossier, c'était déjà une décision. Elle aurait pu avoir l'honnêteté de l'admettre au lieu de l'énerver avec la déception qu'elle s'apprêtait à lui offrir. Elle se trouve très ordinaire. Et elle ose donner des leçons aux autres ! Vraiment, elle se battrait.

Dépitée, elle se laisse tomber sur le sofa.

Quand le téléphone sonne, elle se précipite, ravie que Martin lui laisse une chance.

C'est Patrice. Le ton est repentant et les excuses sont complètes. S'il savait comme elle le comprend de regretter son attitude ! Il a le bon goût de ne lui demander qu'une chose : par la suite, il promet de la laisser à son congé bien mérité. Peut-elle l'accompagner à la prison pour rencontrer Paul Provost ? Comme elle a moins de préjugés que lui, ça lui rendrait un fier service. Ils en auraient pour une heure, tout au plus. Après, elle disposera de tout son temps libre. Promis.

***

Paul Provost est de taille moyenne, svelte, presque malingre. Délicat de stature, il l'est aussi à tous les égards. C'est un émotif dont le système nerveux est mis à rude épreuve. En parlant de sa mère, de ses grands-parents, ses yeux se remplissent d'eau. Il répond du mieux qu'il peut à leurs questions, même si l'évocation du jour du crime lui est toujours difficile après vingt-deux ans.

Il étudiait en arts à Chicoutimi. Ce jour-là, une magnifique journée d'automne encore chaude, il avait emprunté la Datsun d'un copain pour faire la route de quarante-cinq kilomètres. Ce qui lui avait permis d'arriver en avance. Il se souvient de la porte avant de la maison laissée entrouverte, et ça ne l'avait pas étonné : Émilienne était aimée de tous et elle n'était pas craintive. En entrant, il avait tout de suite su que quelque chose d'anormal était survenu. À cause de l'odeur. Selon ses propres mots, Paul avait senti le sang et la peur.

« La sueur de la peur. » Le désordre était effroyable. Dans le corridor, un guéridon et la lampe étaient renversés. Il s'est précipité vers le solarium, à gauche, celui qui donne sur l'ouest, pour y trouver Émilienne gisant dans une flaque de sang, au milieu du saccage des poupées. Elle était morte, les yeux grands ouverts, l'effroi marqué sur le visage.

« Je ne pouvais pas la prendre dans mes bras pour la rassurer, il fallait que j'enlève ce qu'elle avait dans le dos, avant. C'était pas facile. Je ne voulais pas lui faire mal. Je savais bien qu'elle était morte, mais je ne voulais pas qu'elle en endure encore. C'était rien qu'à ça que je pensais. Ramener de l'ordre partout et la soulager. C'est pas facile, fermer les yeux. C'est pas comme au cinéma : y s'ouvrent quand même… Je l'ai cachée contre moi et je l'ai bercée. »

Il ne sait plus le temps que ça a duré. Il ne sait plus quand il s'est mis à laver la pièce. Il ne se souvient que d'une seule action : réparer le désordre pour apporter un peu de paix à sa mère. Il ne se souvient même pas de l'arrivée de ses grands-parents. Il sait que sa grand-mère a négocié avec lui pour qu'il lâche Émilienne. Il se souvient qu'elle a nettoyé ses mains, son visage maculé. Et il précise que les policiers le lui ont amèrement reproché. Ils ont même parlé de complicité, à un certain moment.

« Ils nous ont demandé de nous déshabiller et de leur donner tous nos vêtements. Les miens étaient trempés. »

Vicky se rappelle avoir lu dans le rapport qu'aucune trace de giclées dues aux coups de hache n'avait été décelable lors de l'analyse des vêtements ou même sur les murs. La preuve ne pouvait être liée au sang trouvé. L'heure présumée du meurtre, elle, était cruciale. Et le coroner était formel : entre quinze heures trente et seize heures trente.

« Vous êtes sûr de l'heure où vous êtes arrivé ? Ça ne peut pas être plus tard ? »

Désolé, Paul hoche la tête : « Sûr et certain. Les nouvelles commençaient à la radio. C'était le thème musical. Il était quatre heures pile.

— Vous savez que vous avez probablement croisé l'assassin ? »

Les yeux de Paul la fixent, incrédule : « Non ! J'ai vu personne. Même sur le chemin, quand on monte vers la maison, c'est étroit, j'aurais remarqué s'il y avait eu une auto. Ça mène chez nous, seulement. Y est passé avant moi d'au moins dix minutes!

— À moins qu'il ait été à pied ou à bicyclette.

— Ça serait trop loin, à pied. Peut-être à vélo… mais ça m'étonnerait. Il fallait être en forme. Ça monte raide.

— Vous n'avez aucun souvenir d'un bruit bizarre, d'un moteur au loin? Il aurait pu camoufler sa voiture dans le bois?»

Concentré, Paul essaie de se souvenir. Il soupire, ouvre les mains dans un geste d'impuissance: «Même les oiseaux, je les entendais plus. Une fois rentré dans la maison, on aurait dit que ma vie s'était tue.»

Ce qui semble l'exacte vérité à Vicky. «Votre mère vous avait adopté…

— Je ne le savais pas. C'est eux, c'est la police qui me l'a dit!

— Mais maintenant que vous le savez…

— Ça n'a aucune importance. Y ont tellement essayé de me faire dire que ça m'avait fâché, que j'avais pas voulu l'entendre, l'accepter. C'est à cause de ça que je suis ici. Parce que je suis supposé avoir tué ma mère que j'aimais quand elle m'a appris qu'elle m'avait adopté! Comme si elle n'était plus ma mère, mais une menteuse. Maman m'aurait dit qu'elle m'haïssait et je l'aurais pas crue. Vous comprenez? Je pouvais pas demander une meilleure mère. Je pouvais pas rêver de quelqu'un de mieux. Elle m'a adopté parce qu'elle me voulait, parce qu'elle me choisissait, pensez-vous que je trouve ça choquant? Je trouve ça admirable. Et si je ne m'en suis jamais douté, c'est parce que c'était elle, ma mère, personne d'autre. Je le sais pas comment je l'aurais pris si elle me l'avait dit, mais ça a été long avant que je croie l'enquêteur qui me l'a appris. Je me suis débattu. Je l'ai même frappé. Je disais pas un mot, j'avais l'impression d'être soudé, pris d'un pain. Je voulais juste que ça arrête. Les questions, les sous-entendus, les façons détournées de m'écraser. Je voulais que ça arrête. J'aimais mieux être enfermé que de les entendre me dire des horreurs et prétendre que j'aurais pu frapper maman. Ils m'ont traité de violent difficile à contrôler. C'est pas qu'elle m'ait adopté qui me rendait violent, c'est qu'y me disent que je le prenais pas alors que j'ai jamais douté d'elle. Jamais! C'était déjà assez incroyable qu'elle m'ait pas mis au monde… Même aujourd'hui, j'ai du mal à le croire, imaginez dans ce temps-là… après l'avoir trouvée comme je l'ai trouvée… maman méritait pas ça. »

Il dit « maman » avec une telle affection qu'il est difficile de douter de sa sincérité.

Vicky est toute douceur quand elle lui demande s'il se souvient des mois entre la mort d'Émilienne et son procès.

« J'étais à l'hôpital. Psychiatrie. Une sorte de prison, mais un hôpital.

— Quelqu'un est venu vous voir? Vous avez des souvenirs de cette période? Je suis certaine qu'on a essayé de savoir si vous aviez été témoin de quelque chose…

— Non. Ben… beaucoup de spécialistes, mais personne du dehors. Mes grands-parents, c'est tout. Ils m'apportaient des poupées. Mes préférées. Celles que maman me donnait à chacun de mes anniversaires. J'aime mieux pas parler de ce temps-là.

— C'était pire que la prison?

— Pire que tout. Je voulais mourir. Tout le temps. Je pensais à maman et à mourir. Rien d'autre.

— Et maintenant? »

Paul hausse les épaules pour répondre à Vicky. Ses longues mains si délicates demeurent posées sur la table, immobiles. Il y a en lui une tristesse profonde à laquelle il ne résiste pas. Ce n'est pas de l'indifférence, mais du consentement. Vicky l'observe, le cœur serré devant tant de résignation. Il a l'air d'un enfant inoffensif… et il va célébrer ses quarante ans dans quelques jours. Elle trouve Patrice bien silencieux. Il prend des notes, lève les yeux vers Paul: « Il faut bien qu'il y ait une cause à un meurtre aussi violent. Puisque ce n'est pas vous, qui en voulait à votre mère?

— J'y ai pensé, vous vous en doutez bien. Tout le monde aimait maman. Tout le monde.

— Alors quoi ? L'hypothèse du voleur pris sur le fait et qui se débarrasse du témoin vous semble plausible ? »

Vicky l'arrête : « À la hache ? Un voleur avec une hache ?

— Effectivement, ce n'est pas une arme usuelle. À moins que… elle traînait peut-être quelque part, à portée de main ? Près de la cheminée ? Ou sur la véranda ? »

Paul fait non, il est certain que la hache était dehors, dans la remise. C'était le genre de précaution que sa mère prenait, justement. Et aucun voleur ne pouvait avoir été surpris, puisque c'est sa mère qui l'avait été : le gâteau qu'elle cuisinait avait été laissé en plan sur le comptoir de la cuisine. Les œufs étaient sortis. La théière était remplie et la pochette de thé Red Rose était par terre.

Paul décodait les moindres gestes de sa mère, incluant cette habitude qu'elle avait de boire du thé l'après-midi et de mettre l'eau avant le sachet dans la théière. Le gâteau était son préféré : le chocolat pour le glaçage était déjà sur le comptoir. Il est formel : quelqu'un est arrivé et l'a interrompue. Volontairement.

« Dans ce cas, quelqu'un avait pris l'arme dans la remise : donc, préméditation. Qui savait qu'il y avait là une hache ? »

Paul fait les yeux ronds, déboussolé par une telle question : « N'importe qui ! C'était pour le bois, pour les cordes de bois qu'on avait livrées. Peut-être même que la hache était dehors : le bois était pas encore cordé…

— Votre mère se chargeait d'une tâche aussi ardue ?

— Non, c'est… ben, c'est probablement Aimé. Aimé Dion, l'homme à tout faire de maman.

— Bon ! On avance… Et ce monsieur a pu en vouloir à votre mère ?

— Lui ? Jamais ! Il l'adorait. Il y avait eu une histoire dans le temps avec sa femme malade. C'est mon père qui était médecin qui était intervenu. Je sais plus si c'était un œil, un bras ou une jambe, mais il lui avait sauvé quelque chose. Moi, je me souviens pas, j'étais trop petit quand papa est mort. Mais Aimé Dion aurait jamais fait de mal à maman. Elle passait avant tout le monde pour lui. Surtout quand elle s'est retrouvée veuve, toute seule pour m'élever. »

Patrice inscrit « liaison » et soupire. « Et si c'était vous, la cible, y avez-vous réfléchi ?

— Moi ? Pourquoi ? J'ai jamais rien fait à personne ! J'avais même pas d'argent à l'époque.

— Et maintenant ?

— J'ai hérité de mes grands-parents... beaucoup d'argent. Sans être pauvre, maman était pas riche. Toute sa fortune était dans les poupées. Y en a qui valent des prix fous, vous pouvez pas imaginer. Mais si c'était l'argent qui intéressait l'assassin, il aurait volé les poupées, il les aurait pas massacrées. Pour faire ça, il fallait qu'il veuille faire très mal à maman.

— Et à vous.

— Oui, à moi aussi. »

Le silence s'installe. C'est Vicky qui le brise : « Je sais que vous n'étiez pas au courant pour l'adoption, mais, malgré tout, maintenant que vous le savez, avez-vous cherché à connaître l'identité de votre mère biologique ? »

Paul hoche la tête, hausse les épaules, complètement indifférent. Vicky insiste : « Je sais que dans votre esprit, vous n'avez qu'une mère, et c'est Émilienne. Mais il y a au moins deux autres personnes qui partagent une partie de votre ADN : votre mère et votre père biologiques. Vous avez peut-être aussi des frères et des sœurs. Et on ne sait jamais, votre mère biologique a pu être forcée de vous donner en adoption et en vouloir à Émilienne. Je dis ça parce que le crime est haineux, violent. Ou le père a pu l'apprendre trop tard et en vouloir à celle qui vous a eu. Il y a des circonstances entourant votre adoption qu'il faut connaître.

— J'ai demandé des preuves. J'en ai jamais eues.

— Que voulez-vous dire ? On ne vous a pas montré votre acte d'adoption ?

— Y en a pas, ça l'air… Le croyez-vous, vous ? Peut-être qu'y ont dit ça pour me faire avouer, pour me décourager ?

— Mais enfin, c'est absolument invraisemblable ! Les policiers qui vous ont informé du fait ont quand même obtenu leur info quelque part !

— Pourquoi vous pensez que je l'ai jamais cru ? Y ont même raconté que maman m'avait peut-être kidnappé ! J'ai toujours pensé qu'ils avaient inventé l'adoption pour me mettre le meurtre sur le dos.

— Et c'est bien le résultat, non ? Au final, vous en écopez bel et bien, de ce meurtre. Vicky ? »

Elle ferme son calepin, sort une carte où elle griffonne un numéro : « On a de quoi essayer d'y voir clair. Beaucoup de questions, trop de questions ont été laissées sans réponses. Si le plus petit détail pouvant nous éclairer vous revient… appelez, d'accord ? »

***

Dès qu'il a allumé sa cigarette, Patrice jubile : « On ! Vous avez dit "on" ! C'est donc que vous acceptez de poursuivre ?

— Vous le croyez coupable, vous ?

— Impossible ! Je ne sais pas s'il a beaucoup changé en vingt ans, mais vous avez vu ses poignets ? Les attaches sont trop fines pour qu'il puisse manier une hache.

— Pas seulement ça, Patrice : cet enfant-là adorait sa mère. Il n'avait aucun mobile.

— Là, je vous arrête : quand on idolâtre sa mère à ce point, quand on préfère jouer à la poupée avec maman plutôt que de faire les quatre cents coups avec ses potes, et ce, même à dix-huit ans, avouez que c'est louche. Qu'il ait disjoncté en apprenant que maman n'était pas maman, ça ne me surprendrait pas des masses. Je conçois que, assommé par une telle nouvelle, il ait pu tuer. L'ennui, c'est qu'il ne l'a pas su. Elle ne le lui a pas dit. Elle était morte. Les mecs ont sauté aux conclusions les plus simplistes. Qui plus est, ils l'ont achevé avec cette nouvelle alors qu'il était manifestement choqué. Je comprends les psy d'avoir flairé le gros coup. Mais il n'y a ni raison ni mobile dans tout cela.

— Donc, c'est pas lui ! Pourquoi ils ont refusé de rouvrir le dossier un peu plus tard ? Son ADN était peut-être partout, mais ils auraient pu revoir les données, non ?

— Encore un laxisme… Remarquez, les policiers ont procédé à quelques vérifications supplémentaires, mais c'était pour calmer les grands-parents qui regimbaient, pas de quoi ébranler un juge. Et puis ces deux types étaient non seulement les mêmes qu'au départ, mais ils étaient à quelques mois de toucher leur retraite. Alors bien sûr, prouver qu'ils avaient merdé au départ, et cela, juste avant la remise de la montre en or pour bons et loyaux services, ça ne les excitait qu'à moitié. L'affaire était classée à leurs yeux, et bien classée. Vous savez, chez nous, quand c'est politiquement stérile, la justice ne se magne pas volontiers. Ce menu fretin n'intéressait personne, de toute évidence. C'est le bout du monde, son patelin, non ?

— Oui, c'est loin. Et c'est petit. Alors, les secrets de famille sont extrêmement bien gardés.

— Sans compter que, déjà, l'histoire avait foutu le bordel dans la paroisse à l'époque… »

Patrice jette son mégot et regarde Vicky : « Sans vouloir vous mettre la pression, quel est le plan ?

— Vous avez faim, vous ?

— Du tout.

— Alors, on se dépêche de prendre la route. J'en ai pour quinze minutes chez moi. Je propose d'arrêter à Québec pour manger et de se rendre à Chicoutimi où on dormira.

— Nickel !

— Attendez, Patrice : quoi qu'il arrive, quel que soit le déroulement de l'enquête et même si on ne trouve pas d'issue, je vous donne trois jours. Lundi midi, je prends l'avion si vous n'avez pas encore terminé, et je reviens à Montréal. J'y tiens. C'est ma condition. Je dois être à Montréal lundi après-midi. Sans faute.

— Négociations conjugales ardues ? »

Elle lui jette un regard sévère et il la boucle vite fait : il connaît les limites de Vicky et il sait quand il est temps de se taire. « C'est quand même chic de la part de Martin. Vous le remercierez.

— Sûr ! Je voulais aussi vous demander de tenir votre langue avec Brisson... Comme il a refusé le dossier quand Jasmin l'a sollicité, j'aimerais mieux qu'il ne sache pas que j'y ai travaillé pendant un congé.

— Et si on arrive à des résultats, comme j'y compte bien ? Ça se saura...

— Et ce sera votre exploit. Vous pouvez vivre avec ça ?

— J'essaierai.

— Pour les frais, Patrice...

— Vous avez entendu notre mignon monsieur Tremblay ce matin : il s'engage à payer sur présentation de factures. Je lui présenterai tout ce dont il aura besoin.

— Et des excuses, peut-être ?

— Peut-être... Pour l'heure, je vous charge des communications avec lui. Si vous n'y voyez pas d'inconvénient.

— Que c'est surprenant !

— N'est-ce pas ? Allez, en route ! Je conduis, si ça vous va. De plus, le temps est superbe, on en a de la veine ! »

Il est aux anges et elle n'est pas fâchée de quitter sa solitude montréalaise.

***

Jasmin Tremblay a bien fait les choses. Méticuleux, il a veillé à ce qu'ils ne manquent de rien, malgré son absence momentanée de la région. Les chambres réservées sont en fait des suites où ils pourront travailler à leur aise. L'accès Internet, le fax, même la cafetière : ils ont tout ce qu'ils peuvent souhaiter. De plus, l'hôtel est central, tout à côté de la cathédrale et de la rue principale.

Vicky a constaté que le directeur du musée était aussi soulagé que Patrice de la voir se joindre aux recherches. Au téléphone, il s'est montré affable et disponible, et il s'est arrangé pour qu'à leur arrivée à Chicoutimi une copie complète du dossier soit placée dans sa chambre. Il y a joint une carte routière avec un tracé pour se rendre à Sainte-Rose-du-Nord et deux listes : celle des restaurants à proximité de l'hôtel, agrémentés d'une cote, et une autre de noms – avec leurs coordonnées complètes – des gens susceptibles de les intéresser dans leur enquête. Il a même ajouté les dates importantes pour chacun des témoins potentiels. Puisqu'elle est « chargée des communications », elle l'appelle pour le remercier : « Vous avez un don d'ubiquité ? Je ne pensais pas trouver tout ça dans ma chambre. »

Il a un réseau, comme il le dit. Il savait que Patrice voulait s'adjoindre une assistante. Il sait maintenant qu'il s'agit plutôt d'une détective chevronnée. Le dossier était tout prêt, il a demandé à quelqu'un de le déposer. Son conjoint. « Je vous le présenterai, si on a le temps. Je peux vous demander comment vous avez trouvé Paul ?

— Fragile.

— Monsieur Durand l'a ménagé ?

— Oui, il s'est montré beaucoup plus poli avec lui qu'avec vous.

— Ouf ! En tout cas, merci d'être là. Vous nous facilitez la tâche.

— Monsieur Tremblay, je voudrais vous demander… Pourquoi ? Pourquoi maintenant ? Paul va pouvoir demander une libération conditionnelle dans trois ans maximum. Ce qu'on peut trouver ne changera rien ou presque pour lui. Pourquoi dépenser cet argent alors que la peine est quasiment purgée, alors qu'il est trop tard pour lui épargner du temps ?

— Pour qu'il puisse revenir chez lui, madame. Pour que sa vie d'après la prison ne soit pas une autre prison. Les gens qui l'ont cru coupable vont le croire encore coupable si on ne trouve pas la vérité. Me semble qu'il a assez payé pour quelque chose qu'il n'a pas fait.

— Vous pensez que les gens lui en voudraient encore ? Après tout ce temps ? Après la prison ?

— Les gens sont pires que la justice. Ils peuvent nous condamner à vie sans pardon possible. Je ne veux pas prendre de chances. Lui non plus. Lui, vous savez, il tient beaucoup à savoir qui a fait du mal à sa mère.

— On ne trouvera peut-être pas.

— Mais on aura essayé. Je reviens demain. Je suis désolé de n'avoir pu être à l'hôtel pour vous accueillir. Mais je dois absolument assister à cet encan. Si on rate une poupée, Paul va en faire une jaunisse.

— J'ai vraiment tout ce qu'il me faut, ne vous inquiétez pas. Je vous tiens au courant. À demain, monsieur Tremblay. »

***

« Alors là, s'il n'en tient qu'à moi, ce resto deviendra notre cantine. C'est à tomber ! »

La déception de n'avoir pas reçu la liste cotée des restaurants s'efface, maintenant que Patrice est attablé devant son gigot. Jasmin Tremblay a du répondant, Vicky le constate sans déplaisir : aucun des documents utiles n'a été acheminé à Patrice.

Elle lui tend la liste de noms rédigée par Jasmin. Patrice fronce les sourcils. « Quelqu'un a procédé au dépouillement du dossier ? Vous n'en avez quand même pas eu le temps ?

— Non. C'est votre préféré, Jasmin Tremblay.

— Vraiment ? Comme il est chou, ce garçon ! Voyons ce qu'il nous révèle… »

Il chausse ses lunettes, étudie le feuillet, prend le temps de déguster une deuxième bouchée : « Il se voyait déjà détective adjoint, non ? Il sera déçu.

— Patrice… avouez que c'est bien fait.

— Justement, il en fait trop. Il essaie d'orienter l'enquête, c'est douteux.

— Vous là, quand vous prenez quelqu'un en grippe, vous lâchez pas.

— Voilà ce qui fait mon succès ! Plaignez-vous, tiens ! Et vous comptez respecter gentiment son planning ?

— Il reste deux jours, Patrice. On n'a pas le temps de faire les vaniteux. Sa liste est séparée en deux : les pour, les contre. Tout le monde qui se retrouvait dans le dossier de l'enquête a été recensé. C'est assez bien partagé pour que je m'y fie. Alors oui, je vais suivre son programme. Gentiment. Et demain matin, dès neuf heures, nous serons à la porte du Centre d'interprétation des battures et de réhabilitation des oiseaux de Saint-Fulgence, là où madame Sylvie Saint-Hilaire est directrice. C'est sur notre route vers Sainte-Rose.

— Saint-Hilaire… et c'était ?…

— La première directrice générale du musée de poupées.

— Ah oui ! Celle qui a été virée à la suite de son témoignage en 1995. Vous avez raison, ça risque d'être intéressant.

— Dites plutôt que Jasmin Tremblay avait raison.

— Bien sûr, volontiers, je vous l'accorde… mais c'est ce qu'il n'a pas cru bon d'inscrire qui m'intéresse. Voyez comme je suis… »

Et il sourit, le monstre ! Il se trouve comique. Elle lève les yeux au ciel : « Mangez ! Je veux plus entendre un mot sur Tremblay ! »

Il se conforme scrupuleusement à cet ordre.

***

Le temps est splendide et la vue, époustouflante. Les couleurs déclinantes de l'automne, le fjord du Saguenay, l'âpreté du paysage arrachent des commentaires stupéfaits à Patrice. À un détour de la route, il se permet même d'arrêter pour prendre des photos. Mais le Saguenay et la sauvagerie des montagnes ne se laissent pas capter aussi facilement. Les photos sont bien en deçà de ce que Patrice admire.

À neuf heures précises, ils se rangent dans le stationnement désert du Centre d'interprétation de Saint-Fulgence. Patrice sort fumer et se dégourdir les jambes pendant que Vicky revoit le témoignage de madame Saint-Hilaire en 1995. Elle est si absorbée qu'elle n'entend pas l'auto arriver. C'est une petite voiture sport décapotable, conduite par une jeune femme sanglée dans un tailleur du même rouge que son véhicule. Elle s'engage dans le chemin réservé sans un regard pour eux.

En ouvrant la portière, Patrice fait sursauter Vicky. Il indique la voiture qui s'éloigne, l'œil brillant. « Allez, venez ! Voilà ce qu'on appelle une belle plante ! On ne s'embêtera pas ! » Il s'empresse de rejoindre le bâtiment principal et il arrive juste à temps pour admirer la panthère qui sort de la voiture et qui y replonge pour y prendre son sac en exhibant une paire de jambes interminables. Elle s'éloigne rapidement en verrouillant les portières à distance dans un « wouip ! wouip ! » des plus distingués.

« Qu'est-ce qu'on fout dans une bagnole grise ? Avouez que cette nana a le sens de l'harmonie ! Elle en connaît un bout pour customiser sa tenue !

— Ben oui, Patrice. Et l'hiver, elle a une voiture blanche et un manteau d'hermine. Je la trouve quand même une coche trop chic pour l'endroit.

— La jalousie ne vous mènera nulle part. Venez qu'on se régale ! »

Et pour se régaler, il est tout à fait là. Vicky le voit exécuter son tour complet de paon satisfait et se montrer digne spectateur des manœuvres aguichantes de Sylvie Saint-Hilaire. Parce qu'elle ne ménage pas sa peine, la dame en rouge. Elle se dit ravie de les voir et toute disposée à parler. Surtout à Patrice puisqu'elle ne rate aucun de ses regards appuyés. Une fois le café offert, la description du Centre et de ses services effectuée, Sylvie s'assoit face à eux et croise lentement ses jambes. Sa jupe est si étroite qu'elle ne laisse rien perdre de la plastique remarquable de la dame. Vicky se dit qu'elle doit arpenter tous ses sentiers régulièrement pour avoir une ligne pareille. Les yeux aussi sombres que ses cheveux, l'air aimable, Sylvie attend de savoir ce qui les amène « dans un si beau coin du Québec ».

Patrice ne tarit pas d'éloges sur les beautés inespérées qu'il découvre. Voyant que l'entrevue risque de s'éterniser en détours inutiles, Vicky attaque carrément : « Nous enquêtons sur certains aspects du meurtre d'Émilienne Provost... Vous avez été la première directrice du musée, n'est-ce pas ? »

Sylvie se fait un plaisir de fournir des détails. Rien ne l'embête, elle peut leur dire tout ce qu'elle pense de cette histoire. Elle précise que sa franchise lui a déjà coûté son emploi et qu'elle ne regrette rien : travailler pour des gens malhonnêtes ne l'intéresse pas. Elle est droite comme un « I » et elle ne se laissera jamais intimider. Si son opinion ne convient pas à ceux qui l'emploient, elle ira ailleurs. Elle parle avec passion et son accent saguenéen est juste assez coloré pour que Patrice ne perde rien. « Vous estimez avoir été congédiée pour cause d'opinion divergente ?

— Évidemment ! Bon... c'est pas ce qu'ils ont dit, y ont été prudents. Imaginez-vous donc que j'ai pas de diplôme en muséologie ou en art. Pour administrer, de toute façon, c'est pas ça que ça prend. Et puis, faut pas virer fou, c'est un musée de poupées, rien à voir avec des œuvres d'art. Et je pouvais rien faire sans que l'autre s'en mêle. Il fallait sa signature, toi !

— L'autre ?

— Le meurtrier ! Paul Provost. Pensez-vous que c'est plaisant de travailler pour un gars en prison ?

— Vous croyez à sa culpabilité ? »

La jeune femme fixe Vicky avec stupéfaction : « Vous êtes pas en train d'essayer de prouver le contraire ? Vous perdez votre temps ! C'est sûr que c'est lui. Et je l'ai dit quand on m'a interrogée. De toute façon, on est obligé de dire la vérité, même si ça risque d'avoir des conséquences.

— Vous n'avez pas hésité à témoigner ?

— J'avais-tu le choix, vous pensez ? C'est en 95, quand les vieux ont voulu faire rouvrir l'enquête qu'on m'a demandé mon avis sur lui. Moi, j'étais pas dans le coin au moment où c'est arrivé. Je l'ai connu en prison, ce gars-là. Pas autrement. Sa grand-mère l'a couvé comme on couve nos oisillons ici. Ça s'appelait : touchez-y pas ! Alors, quand y ont su que j'avais dit ma façon de penser... »

Elle fait un geste non équivoque du tranchant de sa main contre sa gorge. Ce qui semble émouvoir Patrice, qui s'exclame : « Ils vous ont virée ?

— Pas sur le coup, mais pas longtemps après. De toute façon, ça m'intéressait plus. Avez-vous une idée que j'avais rien à y dire, à Paul Provost ? Ça devrait être interdit d'obliger une directrice à aller rencontrer un assassin en prison une fois par mois. Parler de poupées avec un gars qui s'excite à regarder des catalogues remplis de catins, moi…

— Ah oui ? Sans blague ? Des prostituées sur catalogue ?

— Non, non, des poupées. On appelle ça de même, ici. Pis quand on joue avec, on dit catiner.

— Ce qui, de toute évidence, n'est pas votre truc… Vous avez sûrement mieux à faire de vos loisirs…

— Disons, oui. »

Le regard non ambigu qu'elle lui offre lui coupe la parole. Ils semblent absorbés par leur fascination réciproque et Vicky se permet de briser la magie : « Vous dites "l'assassin". Vous habitiez La Baie au moment du meurtre… qu'est-ce qui vous a convaincue de sa culpabilité ?

— J'ai des oreilles. Qu'est-ce que vous pensez que les gens venaient voir au musée quand ça a ouvert ? C'était le musée du meurtre ben plus que celui des poupées ! Tout le monde venait voir où ça s'était passé. Tout le monde parlait rien que de ça. Le solarium de l'ouest, là où on avait trouvé la vieille, c'est tout ce qui les intéressait ! Y a pas un chat qui regardait les catins ! Le monde voulait rien que voir ça. J'en ai entendu, des histoires ! Le Paul, là, y était pas très normal. Y a déshabillé pas mal plus de poupées que de femmes dans sa vie. Ça, c'est si y en a déshabillé une seule. »

Elle se tourne vers Patrice, certaine d'être comprise. « Les grands-parents, ceux qui ont financé le musée, ils savaient plus quoi faire pour lui. Y a capoté après le meurtre. Y parlait rien que de se tuer. Si c'est pas une preuve, ça… En plus, j'ai entendu pas mal d'histoires sur ses vrais parents. Je dis pas que c'est de sa faute, là, mais ça aide pas quand t'as pas toute ton génie. De naissance, que je dirais. Quand y a su que c'était pas sa mère, c'est sûr qu'il l'a pas pris pis qu'y a sauté dessus. Tout le monde le pensait, j'ai juste répété ce qu'on disait. La grand-mère Villeneuve me l'a jamais pardonné. Le bonhomme non plus, d'ailleurs. Ben polis, tous les deux, ils m'ont juste dit qu'y voulaient un directeur avec des compétences muséales. Aye ! Un musée de poupées. Un musée pour occuper le petit en prison pour qu'y arrête de se couper les poignets… faudrait pas charrier ! Pis comme par hasard, ça arrive après que j'ai rencontré les enquêteurs. C'est pas pour me faire taire qu'y m'ont payé six mois de salaire quand ils m'ont montré la porte ?

— Juste pour être bien claire : Paul ne vous a jamais avoué qu'il avait commis le meurtre ?

— Ben là ! Y est fou, mais pas à ce point-là ! C'est juste que… c'était pas normal, leur affaire. Passer son temps avec sa mère pis des catins, ça peut pas être normal. Même quand tu l'es pas, je veux dire ça finit par te crochir dans tête. Élevé tout seul, presque dans le bois avec sa mère pis des poupées, je sais pas si vous allez au cinéma, mais ça leur en prend moins que ça pour virer sus le top. Pis l'idée de la bercer pis de nettoyer la place, c'est-tu assez sans-dessein ?

— Pensez-vous qu'il s'est plaint de vous à ses grands-parents ? Après vos visites forcées…

— Lui ? Non, y a rien dit. C'est le genre bonasse qui parle presque pas. Y doit aimer mieux le grand frais chié qui m'a remplacée, ça c'est sûr… il l'a le diplôme pis la compétence muséale, lui ! Ça, pis l'orientation sexuelle qui a pas dû nuire. Téteux ! »

Vicky glisse un regard à Patrice : il avait bien besoin de ce commentaire qui ne peut qu'enrichir ses préjugés. À son grand étonnement, Patrice s'essaie à la tolérance : « Tous les goûts sont dans la nature. Dieu merci, cette orientation nous laisse le champ libre pour les très belles femmes… »

Et elle roucoule, l'idiote ! Vicky est atterrée par tant de stupidités. Elle ferme son calepin d'un coup sec. Patrice prend le relais : « J'aimerais revenir sur un point : les ragots concernant les parents véritables de Paul… Lequel vous apparaît le plus digne de foi ? Vous qui connaissez l'âme humaine… »

Et ça marche ! Elle s'humecte les lèvres en réfléchissant et elle finit par avancer que deux hypothèses lui semblent crédibles pour la simple raison qu'elles revenaient très souvent. Ou le mari d'Émilienne avait engrossé la femme d'Aimé Dion, l'homme qui était si reconnaissant, ou c'était le curé et une paroissienne. Cette dernière hypothèse était le résultat direct de la prise de position du curé qui ne croyait pas du tout à la culpabilité de Paul et qui avait milité fortement pour que cessent les calomnies dont Paul avait été victime. Ami très proche d'Émilienne, on le soupçonnait même d'avoir caché des pièces à conviction, puisqu'il avait été l'un des premiers arrivés sur les lieux du crime.

« Attendez un peu : les agents n'ont pas interdit l'accès dès leur arrivée ?

— Je le sais pas, moi ! J'étais pas là. Demandez au curé, y est encore dans paroisse. Tout ce que je sais, c'est que c'était du monde ben catholique et que le curé était ben, ben proche…

— Nous ne manquerons pas de l'interroger, rassurez-vous. Et pour vous joindre, ce week-end… vous pourriez nous confier un numéro perso ? »

La demande est faite avec tant de sous-entendus qu'on dirait un rendez-vous formel. La directrice se lève et se dirige vers son bureau. Au lieu d'en faire le tour, elle s'incline et s'étire vers son sac à main, ne laissant planer aucun mystère sur la fermeté de son postérieur rebondi.

Patrice adore.

Elle revient en chaussant des lunettes aussi rouges que son ensemble et lui tend sa carte : « J'ai ajouté le numéro de cellulaire. Quand vous voudrez, n'hésitez surtout pas, je suis disponible. »

Elle le fixe rêveusement en agitant ses lunettes qu'elle tient par une branche. Patrice lui tend sa carte à son tour : « Et si quoi que ce soit vous vient à l'esprit… n'hésitez pas à me joindre à n'importe quel moment.

— Certain. Vous voulez visiter le Centre ?

— Ce n'est pas l'envie qui manque, mais... »

Vicky interrompt leur petit jeu en formulant ses remerciements et en entraînant Patrice.

***

« Qu'est-ce qu'elle doit s'emmerder dans son bled ! Il a mis le paquet, notre Petit Chaperon rouge, non ?

— Et ça a marché : vous aviez presque un peu de bave sur le menton.

— Vous croyez ? Ce serait mal me connaître. J'ai donné le change, voilà tout. Pour la mettre en confiance et la faire parler. Du reste, ça a fonctionné. Vous me voyez vraiment croquer ce genre de nanas ? Vous me prenez pour un queutard ou quoi ? Je les aime plus rétives, moins ouvertement allumeuses. Dans votre style, quoi ! Vous n'aviez pas remarqué ?

— Ben non, c'est-tu fou ! Est-ce qu'on a perdu notre temps avec elle ?

— Au contraire : on a tout intérêt à connaître les ragots... et à être rancardés sur ceux qu'ils ciblaient. De toute évidence, Paul faisait tache dans la communauté. Son attachement déraisonnable à sa mère et aux poupées soulevait des doutes. Et le curé, comme toujours, est soupçonné d'avoir une sexualité débridée.

— Comme toujours ?

— Je ne suis pas porté sur la religion, mais j'ai cru remarquer que les croyants les plus fervents ont toujours un peu de mal avec le fameux vœu de chasteté.

— Faut dire que l'Église a pas aidé sa cause dernièrement avec tous les scandales de pédophilie... bref, c'est rien, ce qu'elle nous a donné !

— Outre son numéro de femme fatale assez réjouissant, en effet, c'est mince. Quoique...

— Oui ?

— Il est toujours bon d'apprendre que les grands-parents ont fait preuve de dignité avec celle qui a déblatéré contre leur petit. Ils l'ont payée grassement, ils ne lui ont fait aucun reproche, et ils ont veillé à ce qu'elle ne trouve rien à redire à son renvoi puisqu'elle ne possédait pas ce foutu diplôme. Pour une pie avide de ragots et animée de sentiments douteux, voilà une sortie plus qu'honorable. Un point pour eux. »

Vicky constate qu'elle a encore des choses à apprendre sur son collègue : pas une seconde il n'a été dupe du Chaperon rouge ! Un point pour lui et un de moins pour elle qui a fait preuve de préjugés à son tour.

***

Le chemin qui mène au Musée de poupées est effectivement isolé et étroit. Situé derrière le village, en pleine montagne, il traverse un épais boisé et la pente est raide, très raide. Tout en haut, il aboutit à une clairière au fond de laquelle la maison est nichée.

En ce matin d'octobre, le petit stationnement est encore inoccupé et le sol est couvert d'une épaisse couche de feuilles jaunes. Les couleurs sont magnifiquement distribuées : des arbres d'un rouge feu entourent la maison alors que la véranda et les alentours tendent vers le doré. La vue est dégagée et ils admirent en silence l'eau bleue du fjord qui luit au soleil, encastrée dans les bords abrupts des caps. Une porte claque derrière eux. Un son sec répercuté par l'air automnal. Ils se retournent pour apercevoir une femme qui les observe, appuyée contre le pilier central de la galerie. Immobile, les bras croisés sur son chandail mince qui ne la tient pas assez chaud, elle les fixe avec un air buté. Malgré son attitude inhospitalière, ils ne peuvent s'empêcher d'admirer son visage d'une beauté fanée, lassée. Une madone vieillissante, le genre de madone qu'on ne peint pas parce que les artistes choisissent toujours d'illustrer son extrême jeunesse. Ses cheveux sont tirés en un chignon sans recherche, elle n'est ni grande ni élancée, mais ce visage fermé sans aucun maquillage, ce visage au teint pâle impressionne les visiteurs.

Patrice éteint méticuleusement sa cigarette et ils s'approchent de la maison. Vicky murmure : « Tremblay m'a dit que quelqu'un nous attendrait. C'est celle qui le remplace, d'habitude. »

Sans broncher, la femme les regarde monter les marches. Elle ne sourit pas quand Patrice s'empresse de l'inviter à rentrer pour ne pas prendre froid. Elle parle bas : « Il m'a dit de vous attendre et de vous laisser faire. » Là-dessus, elle se dirige vers la maison. Sa démarche est surprenante, elle se déplace en boitant lourdement, comme si l'une de ses jambes était beaucoup plus courte que l'autre. Ils la suivent en observant ses chaussures orthopédiques.

Ce n'est ni de l'ennui ni de l'indifférence que Vicky lit sur les traits de cette femme, mais de la peur. Patrice a beau déployer tout son charme, il n'obtient que des demi-réponses. Elle s'appelle Paulette et elle répond « ben sûr » à presque tout.

Une fois établi qu'elle habite la région depuis toujours, qu'elle connaissait Émilienne et Paul et qu'elle ne sait rien et n'a aucune opinion sur le meurtrier, ils n'en tirent plus un son. Ils demandent à faire le tour de la maison. Elle retire le cordon qui barre l'accès à l'escalier et, du geste, les invite à monter. Sitôt qu'ils sont passés, elle remet le cordon et clopine vers la cuisine. Les escaliers ne sont pas ses amis.

L'étage est ensoleillé et la poussière, tout à fait visible. Les chambres sentent le renfermé. Celle d'Émilienne est grande et la coiffeuse est toujours munie d'un ensemble ancien de brosses et miroir, comme si elle était encore attendue. Dans la chambre de Paul, un joli lit de cuivre est soigneusement fait avec un couvre-pied en chenille bien tiré. La bibliothèque, le pupitre, la commode, tout est en ordre… et encore rempli de vêtements, de livres, d'effets personnels. Vicky referme les tiroirs en frissonnant : « On dirait qu'ils sont morts tous les deux ! »

Patrice s'approche de la fenêtre donnant sur la cour arrière : « Regardez, Vicky, voilà la remise. C'est tout près de la porte arrière qui doit mener à…

— … la cuisine, là où Émilienne faisait un gâteau.

— Le type arrive, il va chercher un objet contondant dans la remise. Il pense marteau et il n'y a que la hache. Il – j'y tiens, il n'y a qu'un homme pour perpétrer ce genre de meurtres – donc, il entre, prêt à s'en servir si… si quoi ? Que lui voulait-il à cette pauvre femme ? Il n'a même pas chopé son porte-monnaie. Il détruit les poupées, fout le bordel et la tue… »

Vicky lui montre la photo voisine du crucifix : le couple qu'Émilienne formait avec son mari. « Même jeune, c'était pas une beauté. C'était une femme ordinaire, sans attrait spécial. Il n'y a rien de sexuel dans cette attaque, l'autopsie l'a démontré.

— Alors quoi ? Si on n'en veut ni à son corps ni à son argent, si elle n'a aucun ennemi…

— Et son seul secret a l'air d'avoir été l'adoption de Paul. Elle devait pourtant en avoir un autre, bien gardé celui-là.

— Et ce n'est pas ici que nous allons le découvrir. Tout a été scrupuleusement inspecté cent fois plutôt qu'une.

— En tout cas, c'est pas la Paulette d'en bas qui va nous éclairer.

— Vous la croyez déficiente, vous ?

— Disons que c'est pas une lumière. Ce qui n'est pas une nécessité pour garder un musée où il y a une poignée de visiteurs par année.

— En effet ! »

Ils sortent et, par acquit de conscience, ils ouvrent la dernière porte, celle qui côtoie la salle de bains.

La pièce donne sur l'ouest et elle doit être magnifiquement éclairée en fin de journée. Contrairement au reste de l'étage, c'est un bureau réaménagé avec un goût très sûr et dans un style diamétralement opposé à toute la maison. L'ameublement est moderne, les lampes splendides. Tous les objets dans cette pièce sont raffinés, coûteux, et ils forment un ensemble d'une grande élégance. Ça donne envie de s'asseoir dans la causeuse et de réfléchir en admirant les tableaux qui ornent les murs. Il règne même une subtile odeur de verveine-citronnelle.

« Eh ben ! Dis donc ! Nous voilà au XXIe siècle ! Il ne se prive de rien, notre obligeant directeur. »

D'un même mouvement, ils s'approchent du mur où un immense tableau éclate de vie. « Vous connaissez ce peintre, vous ? »

Vicky hoche la tête : « Jamais vu. Et je ne peux pas lire cette signature… C'est beau…

— Beau ? Ne soyez pas mesquine, c'est géant ! »

Ils redescendent, inspectent les trois pièces du rez-de-chaussée accessibles au public, celles où les poupées sont exposées. Souvent mises en situation, en train de faire la dînette ou étendues dans de petits lits, elles sont de toutes les couleurs et époques. Certaines ont des yeux perçants, rendus réels par l'éclairage. D'autres sont si délicates et fragiles qu'elles occupent des vitrines fermées à clé. Les chevelures sont tressées, peignées, bouclées et vont du roux flamboyant au blond capiteux. Dans le solarium de l'est, une rangée de poupées très anciennes les fixent de leurs regards inquiétants : elles forment une classe d'élèves extrêmement sages et apprêtées. Un tableau noir, où l'année d'origine de chacune d'elles est inscrite, est accroché au-dessus d'elles.

« On dirait qu'elles attendent… ou qu'elles nous reprochent quelque chose… Vous pensez que ce sont les mêmes qu'à l'époque du meurtre, Patrice ?

— Si c'est le cas : voici nos témoins… et ils resteront muets comme des carpes ! »

***

À la cuisine, Paulette se lève dès qu'ils se montrent. Elle leur offre du thé sans amabilité particulière, et quand ils refusent, elle attend sans rien ajouter.

Vicky essaie de savoir si elle a une opinion sur Paul, sur les évènements. En vain. Ses réponses sont si brèves qu'elles en ont l'air suspectes. Quand Patrice s'y met lui aussi, Paulette s'effraie de son insistance et répète qu'il faut demander à Jasmin, à sa sœur aînée, Corinne, ou alors au curé Gauthier. Eux, ils savent.

« Ils savent quoi ?

— Je sais pas. »

Devant ce dialogue de sourds, Patrice annonce qu'il va inspecter la remise. Dès son départ, Paulette se précipite à la fenêtre pour surveiller ses faits et gestes. Vicky s'efforce de l'interroger en douceur : « L'homme qui aidait Émilienne, celui qui faisait des travaux…

— Aimé. Aimé Dion.

— Il appréciait beaucoup Émilienne…

— Ben sûr.

— Pensez-vous qu'il y avait quelque chose d'autre entre eux ? »

De toute évidence, Paulette ne comprend rien à ce qu'elle insinue. Elle la regarde, l'œil vide, et se détourne vers la fenêtre.

« Ça vous inquiète, ce que fait monsieur Durand ?

— Ben sûr.

— Pourquoi ?

— On n'est pas supposés aller là.

— Les visiteurs, non. Mais on est de la police. On est venus essayer d'aider Paul.

— Ben sûr.

— Monsieur Dion, vous savez où on peut le trouver ? »

Le regard surpris de Paulette n'est accompagné d'aucun commentaire. Vicky la trouve exténuante et elle ne jurerait plus du tout de son intelligence : « Vous ne savez pas ? »

Paulette hausse les épaules : « Au cimetière. »

La pauvre femme s'étire pour tenter de voir où en est Patrice. C'est une anxiété sur deux pattes. Vicky renonce : « On va y aller. Vous n'avez pas peur de rester toute seule ici ? »

Paulette n'a même pas l'air de comprendre de quoi elle parle : « Je remplace ?

— Oui, mais il y a eu un meurtre ici.

— Ben sûr.

— Vous étiez où quand c'est arrivé ? »

Alors là, Vicky est étonnée : Paulette la fixe avec terreur, comme si elle venait d'être formellement accusée : « Je remplaçais pas. »

Comme s'il était question de ça ! Patiemment, Vicky répète sa question. Paulette semble avoir atteint sa limite d'anxiété : « A… A… ailleurs. »

Vicky n'est pas certaine de devoir insister. Paulette répète qu'il faut demander à Corinne. « … Ou au curé Gauthier, oui, je sais ! Mais c'est vous qui savez où vous étiez, quand même ?

— Ben sûr. »

Comme s'il s'agissait d'une option de réponse ! Vicky n'en peut plus. Elle s'essaie encore, mais sans gentillesse cette fois, pour tester la réaction de Paulette davantage que pour obtenir une réponse : « Croyez-vous ce qu'on dit, vous ? Que le père véritable de Paul serait le mari d'Émilienne ? »

La pauvre ne prend même pas la peine de se retourner pour ânonner son « ben sûr ». Elle n'écoute pas, Vicky en est persuadée. « Avec la femme d'Aimé Dion, ce serait elle, la mère de Paul… »

Les épaules de Paulette se détendent, elle pivote vers Vicky, transformée par le sourire qui lave son visage de toute inquiétude : « Ben voyons…

— Vous le croyez pas ?

— Paul-Émile, c'est un bon docteur. »

En rentrant dans la cuisine, Patrice fait sursauter Paulette qui se retourne brusquement, affolée, tout sourire enfui.

« Pardon ! Je ne voulais pas vous effrayer… »

Quand Vicky entend encore cette souris d'église murmurer son « ben sûr », elle se tourne vers Patrice, tendue : « On y va ?

— Quand vous voulez. Il n'y a rien à voir ici. Au revoir et merci, madame. »

Paulette ne prend pas la main qu'il lui tend. Elle regarde Vicky, comme si elle devait lui donner une permission. Découragée, Vicky se dirige vers la porte avant, suivie de Patrice. Paulette ferme la marche avec son pas inégal. En s'arrêtant brusquement, Patrice provoque un sursaut d'angoisse chez la pauvre femme qui met la main sur son cœur.

« Pardon, voilà que je vous fais encore sursauter ! Une petite question : comment êtes-vous venue, ce matin ? Je ne vois pas de voiture... »

Paulette jette un regard inquiet à sa montre, comme si elle était en retard : « Quelqu'un, quelqu'un m'a amenée.

— Bien évidemment ! Vous n'êtes pas montée à pied, ce serait beaucoup trop pénible. »

Vicky est dehors avant d'entendre l'inévitable « ben sûr ».

Boitant avec lourdeur, Paulette demeure sur la galerie et les regarde s'éloigner comme elle les a regardés arriver.

***

Dès que les portières de la voiture sont fermées, Vicky pousse un cri d'exaspération : « Je sais pas si elle est complètement folle, mais elle est pas reposante, elle !

— Belle matinée, non ? Nous avons eu la bêcheuse et la boiteuse. Jolie société ! Que pouvons-nous espérer de mieux ?

— La boiteuse terrorisée... qu'est-ce qu'elle avait, vous pensez ?

— Vous n'en avez rien tiré ?

— Zéro. Sauf que j'ai presque réussi à la faire rire avec l'idée du mari d'Émilienne qui fait un enfant à la femme d'Aimé Dion. C'est vous dire à quel point ça se peut pas. La remise ?

— D'une propreté étincelante ! Aucune trace de la hache. Il y a une tondeuse à gazon, un arrosoir et trois boulons. Rien pour nous.

— On perd notre temps !

— Quoi ? Vous piquez du nez ? Déjà ?

— C'est pas un *cold case*, Patrice. C'est même pas un dossier solide. Et maintenant que j'ai vu l'endroit, c'est pas non plus un meurtre non prémédité ou dû au hasard. Pour monter là, il faut une raison. Et regardez le temps que ça nous prend en voiture : ça veut dire qu'un assassin à vélo ou à pied, c'est presque impossible.

— Presque, oui. Et c'est bien ce "presque" qui devient intéressant.

— Pourquoi ? C'est une femme sans histoire, une mère un peu spéciale qui élève son fils sans lui révéler qu'il est adopté et qui possède une fortune… en poupées qu'on détruit au lieu de les voler.

— Donc, ni le vol ni le viol. Reste à voir si cette femme est vraiment sans mystère et d'où venait cet enfant. J'ajouterai la violence gratuite. Je suggère un survol des crimes perpétrés dans le secteur à cette époque. Parce que s'il s'agit de violence aveugle, il y a eu répétition.

— Je regarderai ça ce soir, à l'hôtel, mais laissez-moi vous dire que nos chances sont minces. La moindre répétition aurait fait jaser et on le saurait déjà. Le Chaperon rouge en aurait parlé et celle qu'on vient de voir serait terrorisée… ben sûr ! Pourquoi vous arrêtez ici ?

— Pour voir le temple du curé Gauthier… le père putatif de Paul Provost. Elle a dit quoi, la boiteuse, quand vous avez rapporté cette histoire ?

— Appelez-la Paulette, voulez-vous ? J'ai pas eu le temps de lui offrir le deuxième ragot, vous êtes arrivé.

— Dommage !

— Non : elle aurait dit "ben sûr", je peux vous le garantir.

— Vous n'aimez vraiment pas qu'on vous résiste. »

Il coupe le moteur, ce qui empêche Vicky de répondre ou de réfléchir à cette assertion dangereusement vraie.

***

L'église est particulière. Toute petite, comme le village, elle est à la fois rustique et intime. Située en contrebas, quasiment au bord de l'eau, la structure est humble, tout en donnant une impression de point central. Le village semble s'être construit autour d'elle. Il s'éparpille vers l'eau et la montagne, et il s'en dégage une puissante paix. Vicky est étonnée de trouver la porte ouverte : d'habitude, les églises sont fermées, sauf aux heures des offices. Ils en font vite le tour et observent les œuvres de bois qu'elle contient.

Patrice est charmé : « Pas de grandes orgues… je préfère. C'est plus sympa, non ?

— Est-ce que c'était votre minute touristique, Patrice ?

— Du tout : le curé Gauthier semble la clé de bien des questions, si on en croit Paulette.

— Vous le trouverez pas ici : c'est samedi et y a pas de mariage. La messe est en après-midi, c'était inscrit à l'… »

Une voix forte les fait se retourner : « Ah ! On m'avait bien dit que j'avais des visiteurs ! »

Un athlète à la tête blanche et aux yeux attentifs s'approche. Il est souriant et tout en lui inspire confiance. Il indique l'autel : « Ou plutôt que nous avions de la visite. Bienvenue à Sainte-Rose. Vous venez de passer au musée, c'est ça ? Paulette m'a bien dit qu'elle vous envoyait ici. Yvan Gauthier, le curé de la place. »

Il leur serre la main et se montre enchanté. Sa bonne humeur est revigorante. Il leur épargne d'expliquer les raisons de leur présence : il sait tout des efforts de Jasmin Tremblay pour redorer l'image de Paul Provost.

« Et vous êtes partant ? Je veux dire d'accord avec cette initiative ? »

S'il est d'accord ! L'idée est géniale, selon le curé. Paul pouvant espérer être bientôt libéré, il faut absolument faciliter la réinsertion. « La paroisse est petite. Cinq cents âmes à peine. Alors, chacun a son idée, chacun tire ses conclusions. Que Paul ait payé toutes ces années ne fait aucune différence pour ceux qui sont convaincus de sa culpabilité. Pour les autres, évidemment, c'est un scandale de l'avoir laissé en prison.

— Et vous, monsieur le curé, dans quel camp êtes-vous ?

— Celui de Dieu, celui du pardon et de la miséricorde. Le meilleur bord !

— Donc, vous le croyez coupable ?

— Jamais dans cent ans ! Cet enfant-là n'a rien fait de mal à part se trouver au mauvais endroit au mauvais moment. J'ai parlé du pardon en général, pas de celui qu'il mérite. »

Vicky sort son calepin et indique un des bancs : « Vous permettez ? On aurait quelques questions.

— Et si je vous invitais à passer au presbytère, plutôt ? J'ai une soupe de gourganes sur le feu. Vous avez jamais mangé ça, vous, en France, j'en suis certain. C'est une spécialité du coin. Venez-vous-en ! »

Difficile de résister à tant de bonne volonté. Ils suivent le curé qui marche d'un pas vif. Sans cérémonie, il ajoute les couverts sur la table de la cuisine. La salle à manger aux meubles sombres et lourds semble réservée aux repas plus officiels, et cela convient parfaitement à ses convives. L'endroit est méticuleusement propre et chaleureux.

Yvan Gauthier tranche un gros pain de miche : « C'est pas de la baguette, mais c'est fait ici, au village. Asseyez-vous ! Asseyez-vous ! »

Il les sert généreusement et arrête tout pour dire le bénédicité… ce qui oblige Patrice à poser sa cuiller, sous l'œil amusé de Vicky. Une fois le moment de recueillement passé, Yvan Gauthier s'attaque au repas joyeusement.

« Alors ? Qu'est-ce que vous en dites ? C'est pas bon, ça ?

— Ça s'apparente à la garbure, non ? C'est délicieux.

— Je sais pas c'est quoi, votre garbure, mais si c'est bon, je veux bien que ça y ressemble ! »

Devant les félicitations de Vicky, il précise quand même qu'il est mauvais cuisinier et que la soupe est l'œuvre de sa ménagère. « Si j'avais cuisiné, je ne vous aurais jamais invités. C'est pas un coup à faire à personne. Vous êtes de Montréal, à ce que j'ai compris ? Jasmin m'a appelé ce matin, pour me mettre au courant. »

Volubile, sympathique, il s'informe d'eux, de leur plan, de leur façon de procéder, et il offre son aide. Témoin privilégié des évènements, c'est surtout de sa version des faits qu'ils ont besoin, et Vicky le lui dit. Il lève ses deux mains pour demander une pause. « Avant qu'on s'y mette, encore un peu de soupe ? J'ai pas de dessert, mais vous aurez de la tarte à farlouche avant de repartir chez vous, promis !

— Volontiers. Vous transmettrez mes compliments à la dame qui… votre ménagère ?

— Oui, c'est comme ça qu'on dit. Avant, on disait la servante du curé. C'était souvent des religieuses, d'ailleurs. Mais plus maintenant : y en a plus assez ! Je sais pas comment ça marche dans les presbytères en France, mais ici on est bien traités. Les prêtres ont toujours des gens très compétents qui les aident pour ces tâches.

— Et vous êtes ici depuis ?…

— Oh ! Ma belle enfant, depuis longtemps. Presque depuis toujours. J'ai été ordonné à vingt-cinq ans et j'ai fait un peu de ministère à Baie-Saint-Paul, dans Charlevoix. En 1966, on m'a demandé de venir ici dépanner le curé qui souffrait d'une sévère anémie. Je suis devenu vicaire et mon vicariat s'est prolongé jusqu'à la mort de ce pauvre curé qui avait une leucémie, finalement. C'est un concours de circonstances qui m'a fait curé avant l'âge de trente ans. Quand je suis arrivé ici, j'ai tout de suite eu un coup de foudre pour l'endroit et pour les gens. À l'époque, une paroisse de quatre cents âmes, c'était parfait pour mon peu d'expérience.

— Et vous êtes resté ? Vous n'êtes jamais parti ?

— C'est ma famille, ici. C'est beaucoup plus important que les honneurs ou les promotions ecclésiastiques. Ça ne m'a jamais rien dit de devenir évêque. Je laisse ça à ceux que ça contente. Et puis… je suis un sportif, j'aime la pêche, le kayak, l'escalade, la marche en montagne. Où est-ce que je pourrais trouver mieux qu'ici ? J'ai tout ce qui me fait rêver… un vrai paradis.

— Vous êtes donc un curé heureux ? Paisible, peinard…

— Dans mon humble ministère, c'est exact. Et je n'envie pas l'archevêque de Chicoutimi. Pour être très franc, ici, je me sens compétent… d'adon, comme on dit. J'ai l'humilité de savoir que chercher plus ou mieux, ce serait risquer de devenir incompétent. Péché d'orgueil, finalement, je devrais faire pénitence ! Café ? »

Il se lève et moud le café prestement, sort les tasses. Vicky l'observe et évalue son âge à partir de ce 1966 dont il a parlé… ça lui fait la soixantaine, et même la soixantaine bien entamée. Elle ne sait pas si c'est l'élan, la charpente ou la bonne humeur, mais elle ne lui donnait pas cet âge.

« Vous avez bien connu Émilienne, alors ?

— Émilienne et aussi Paul-Émile, son mari. Du bon monde. Aidant, généreux, pieux. Et je le dis au sens noble du terme. Pas des mangeux de balustre ni des faiseux, c'était des gens qui se souciaient des autres, qui avaient le cœur sur la main. Des gens irréprochables. Imaginez le choc qu'on a eu devant la fin épouvantable d'une femme aussi bonne. Et le jour de l'anniversaire de Paul, en plus !

— Attendez, voulez-vous ? Avant d'arriver à sa mort, j'aimerais que vous nous disiez ce que vous savez de ce couple-là. Et surtout, comment ils ont adopté Paul.

— Je ne pourrai pas vous aider beaucoup pour ça.

— Pourquoi ? C'est pas une adoption ?

— Oui pis non. Je vais vous dire ce que je peux, mais ça fera pas votre affaire. C'est une… irrégularité que j'ai commise. Les papiers officiels, c'est moi qui les ai signés. Ils viennent d'ici, du presbytère. Faites pas les yeux ronds, je vous explique. Paul-Émile et Émilienne n'arrivaient pas à avoir d'enfant. C'était leur drame. Je ne pourrais pas vous dire ce qui clochait, je l'ai jamais su. Mais c'était un couple stérile. Paul-Émile était médecin. Il couvrait un territoire qui allait jusqu'à l'embouchure ou presque. Y allait partout : Saint-Ambroise, Saint-Fulgence… des fois, y partait deux, trois jours d'affilée. Pis un jour, y est venu me trouver avec une demande spéciale : quelqu'un allait mettre au monde un bébé… en cachette. Pas une petite cachette, là, une vraie de vraie. Personne n'était au courant. Pas besoin de vous dire que le bébé devait être déclaré ailleurs qu'à l'endroit où il naissait et d'une autre mère que la sienne. Paul-Émile voulait l'adopter et le déclarer comme leur enfant à Émilienne et à lui. Né ici. J'ai dit oui, pensant rendre service à cet enfant-là, à cette mère-là, et aussi à mes amis. À l'époque, le registre de l'église, c'était le même que celui de l'État. Paul a été déclaré le fils légitime de Paul-Émile.

— Mais enfin ! Ne venez pas me dire que la paroisse a gobé une pareille arnaque ! C'est insensé, le couple stérile qui enfante soudainement. Ça a fait jaser, non ?

— Pas tant que ça, parce qu'y se sont organisés. Émilienne est partie pour Chicoutimi, chez ses parents, sous prétexte de s'assurer qu'elle ne serait pas seule et que tout irait bien. Pour ne pas prendre de chances et avoir des bons soins. Paul-Émile a fait courir le bruit d'une neuvaine à Sainte-Anne qui aurait porté fruit… L'affaire, c'est que la vraie mère était désespérée et que Paul-Émile l'a suivie pour éviter qu'elle fasse une erreur fatale.

— Qu'elle avorte ?

— Non ! Ça avait plutôt l'air d'un suicide, à ce que j'ai compris. La pauvre était affolée et Paul-Émile l'a tout de suite rassurée : personne ne saurait jamais rien. Mais j'en sais pas tant là-dessus. Sûrement que Corinne, la meilleure amie d'Émilienne, va pouvoir vous aider. Vous lui demanderez son avis.

— La sœur de Paulette ?

— Exactement ! Si y a quelqu'un qui en sait plus que moi sur cette adoption, c'est elle.

— Pourquoi ne pas le faire dans les règles ? Pourquoi éviter le canal officiel ? »

Yvan Gauthier sourit : « J'ai ma petite idée. Ça vaut ce que ça vaut… je pense que l'enfant était le fruit de l'inceste. Dans ce temps-là, vous savez, y a personne qui veut être identifié, surtout pas le père. Si j'ai bien deviné, le père aurait demandé le service d'un avortement clandestin à Paul-Émile… et c'était un crime en 1967, ici. Paul-Émile aurait été interdit de pratique. De toute façon, sa foi lui interdisait de faire une chose pareille. Il a essayé d'aider du mieux qu'il a pu. Et j'ai donné plus que mon absolution. Peut-être à tort, je le sais pas. Mais la seule personne qui pourrait me le reprocher, c'est Paul.

— Mais, monsieur le curé…

— Appelez-moi Yvan, voulez-vous ?

— Avez-vous jamais pensé que ça pouvait être le père ou la mère biologique de Paul qui est venu tuer Émilienne en 1985 ?

— Non. Pourquoi est-ce qu'ils auraient fait ça ? C'est un service qu'on leur a rendu ! C'est pas comme si le bébé avait été désiré. La mère voulait se tuer ! Personne en voulait, de ce bébé-là !

— À moins que Paul-Émile ne vous ait menti délibérément… afin d'obtenir votre collaboration.

— Non… vous n'avez pas connu Paul-Émile, monsieur, ça paraît. Jamais il n'aurait volé un enfant. Jamais ! Il a rendu service et il s'est occupé de Paul comme si c'était son fils. C'était son fils. Et c'est la même chose pour Émilienne. Vous me ferez pas changer l'idée.

— Et le stratagème a parfaitement réussi ? Rien n'a coulé ? Personne ne s'est douté de quoi que ce soit ?

— Personne ! Comment voulez-vous ? À part les parents d'Émilienne, Corinne ou moi, personne l'a su… jusqu'au meurtre. Les histoires que j'ai entendues ! Le bruit que ça a fait ! Rien que ça, ça prouve que le secret avait été drôlement bien gardé. Et que l'accroire avait bien marché.

— À ce moment-là, est-ce que vous avez entendu parler de la mère biologique ? A-t-elle essayé d'intervenir ? D'ajouter son grain de sel, voire de vous disculper ?

— Jamais.

— On vous a reproché vos actes ?

— Ça ! J'ai eu ma dose de reproches du côté ecclésiastique et du côté juridique. Je me suis fait sonner les cloches et j'ai bien failli tout perdre.

— Votre cure ?

— Plus que ça : j'aurais pu être emprisonné. Dieu merci, je n'avais aucune intention coupable, même si mon geste l'était. J'ai agi de bonne foi, au meilleur de ma connaissance. Et j'ai convaincu les autorités. J'ai quand même ébranlé la confiance des gens d'ici. J'ai été menacé de poursuites par la police. Les bonnes intentions, ça ne constitue pas une justification, vous savez. Mais moi, je ne voulais pas qu'on retrouve un bébé noyé ou étouffé parce que j'avais refusé une solution qui me semblait digne et respectueuse pour tout le monde.

— Ne vous bilez pas : au regard de ce que l'Église a camouflé comme scandales, votre méfait paraît minime.

— En tout cas, je suis certain d'une chose : la mort d'Émilienne a rien à voir avec l'adoption de Paul.

— Vous écartez donc l'hypothèse des avocats : apprendre ses origines aurait provoqué le meurtre ? »

Vicky sursaute et interrompt Yvan qui s'apprêtait à répondre. Elle lui demande comment les enquêteurs ont pu découvrir un secret si bien gardé. Puisque aucun papier n'officialisait l'adoption, puisque personne n'avait rien su, comment les policiers avaient-ils trouvé ce qui était devenu le principal mobile du crime ?

C'est un homme désolé qui se contente de répondre que, sous le coup de l'émotion, le père d'Émilienne, monsieur Villeneuve, avait lui-même révélé cette information… pour s'en repentir amèrement par la suite. Il répète avec une assurance inébranlable : « Paul n'a pas tué sa mère.

— Vous semblez bien convaincu.

— Je le suis. C'est épouvantable qu'il soit encore en prison. C'est impossible, je veux dire physiquement impossible qu'il ait pris une hache pour la massacrer. J'en démords pas. J'ai vu la hache, j'ai vu l'état de la maison, le désordre : jamais Paul n'aurait touché à sa mère, jamais il n'aurait arraché un cheveu à ses poupées. C'est pas très normal, c'est même peut-être un peu bizarre, cet attachement, mais ça n'a pas été meurtrier. Ça se peut pas. Ça se peut pas ! »

Le poing qu'il frappe sur la table est si puissant que les tasses vibrent. Vicky pose une main calme près du poing fermé : « Alors, qu'est-ce qui s'est passé ? Qui l'a fait et pourquoi ? »

Un énorme soupir lui répond. Yvan Gauthier la regarde, bien désemparé : « Si j'avais une idée, même petite, je vous la donnerais. Je suis rendu à me dire que c'est un passant ou un fou… mais un fou dans une paroisse de la grandeur de la nôtre, on l'aurait vu ! Je le sais vraiment pas et, si vous le trouvez, je vous en serai éternellement reconnaissant. »

Le silence qui suit n'est interrompu que par les feuilles du calepin que Vicky tourne : « Essayons de faire le tour. Émilienne a perdu son mari en…

— … 1972. Crise cardiaque en sortant de sa voiture pour aller chez Rosaire. Y avait eu une épidémie de rougeole, Paul-Émile courait partout et Rosaire s'était amoché le bras en tombant d'une échelle. Ça a l'air que Paul-Émile est sorti de l'auto, il a mis la main sur son cœur en grimaçant pis y est tombé en pleine face. Trois secondes. Fini. Rien à faire. À cinquante-quatre ans, ça pardonne pas.

— Émilienne avait de la famille ? Des frères, des sœurs ?

— Fille unique. Mais ses parents vivaient. Ils se sont toujours occupés de Paul. Beaucoup.

— Oui, on sait pour l'histoire du musée. Ce que je cherche, c'est quelqu'un de la famille qui aurait trouvé dommage qu'un enfant arrive si tard… je pense à l'héritage.

— Ah, pour être riches, ils étaient riches, les parents. Millionnaires. Je ne me rappelle pas des oncles ou des tantes d'Émilienne. Faudrait que je repense aux funérailles de Paul-Émile ou aux siennes… Mais les deux fois, j'étais tellement bouleversé. Non, va falloir demander à Corinne.

— Du côté de Paul-Émile non plus ? Pas de mémoire ?

— Grosse famille. Mais il venait de Shawinigan, lui. C'est pas à côté.

— Et les parents d'Émilienne sont morts comment ?

— Un accident dans le Parc. Ils ont frappé un orignal… Morts sur le coup. Dans ce temps-là, la route du Parc était à deux voies seulement. Ils ont frappé l'orignal et un camion qui venait en sens inverse. Ils s'en allaient voir Paul à la prison, comme d'habitude. C'est moi qui a dû l'annoncer à Paul. Il est venu blanc comme un drap. Il perdait toute sa famille d'un coup en les perdant. Après tout ce qui était arrivé… ça n'a pas été facile. Notre chance, c'est d'avoir eu Jasmin. Il a été dévoué, il s'en est occupé comme si c'était son frère.

— Ce qui n'est pas exactement le profil de celle qui l'a précédé à la direction du musée, si je ne m'abuse ? »

Le sourire d'Yvan Gauthier est franc et réjoui : « Hou ! Non… celle-là, elle avait le diable au corps. Une seule de ses confessions devait bien valoir toute une vie de mes paroissiennes. Je ne sais pas à quoi ils ont pensé en l'engageant, mais les poupées ne l'intéressaient pas vraiment.

— C'est une bien jolie poupée en soi, si vous voulez mon avis... elle ne déparait pas l'ensemble. Vous la connaissiez bien ? Vous avez eu le loisir de la fréquenter ?

— Je l'ai connue et je me suis battu contre elle, vous voulez dire. Cette femme-là était une vraie machine à rumeurs. Une calomnie n'attendait pas l'autre. Et comme elle n'était pas du coin, ça ne la dérangeait pas de faire du tort.

— Elle avait un homme dans sa vie du temps où elle administrait le musée ?

— Un ? Non, elle n'était pas mariée. Et toute la jeunesse du coin l'a... disons fréquentée. C'est une femme très occupée.

— Revenons-en aux ragots : qui visaient-ils ?

— Tout le monde ! Personne n'échappait à son jugement. Même ses patrons, les Villeneuve, Paul évidemment, mais aussi Paulette, Corinne, les notables du village, tous ceux qui avaient un peu d'argent et de pouvoir.

— Vous y compris.

— Moi y compris. – Il sourit, égayé. – Elle m'a fait une réputation de dom Juan ! Toutes celles qui passaient par le presbytère étaient en danger, selon elle.

— Et c'est entièrement faux, assurément ? »

Le regard d'Yvan Gauthier se fait lointain alors qu'un silence tombe. Il hésite, considère ses deux interlocuteurs avant d'ajouter : « Non. Je vais être franc avec vous, je ne vous ferai pas perdre votre temps. J'ai eu des tentations solides dans ma vie de prêtrise et je ne suis pas sans péchés. Je vais même vous avouer que je ne suis pas certain que ce vœu de chasteté ne soit pas une aberration de l'Église. Mais ça, c'est de la théorie. Ma vérité, c'est que j'ai eu une quarantaine difficile. Vieillir a du moins l'avantage de calmer le corps. Je ne pense pas aller plus loin dans ma confession.

— Excusez-moi de le demander, mais votre quarantaine, c'était quelles années exactement ?

— Les années 80. J'ai soixante-huit ans.

— Et vos… tentations…

— … ne concernaient pas la jeune directrice entreprenante du musée, non. J'ai peut-être même payé un peu pour mon dédain de ses si belles offres.

— Que voulez-vous dire ?

— Que les rumeurs concernant le presbytère se sont multipliées au moment où j'ai carrément refusé ses avances. Et ne me demandez pas qui était visé : ça allait du bedeau au marguillier en passant par les dames dévouées de la paroisse.

— Et tout cela sans réel fondement ?

— Je vous l'ai dit : je ne suis pas sans péché. Permettez-moi de ne pas vous donner de noms.

— Sauf s'il s'agit d'Émilienne ou de sa mère, madame Villeneuve. »

Yvan Gauthier éclate de rire avec une telle bonhomie qu'il leur est difficile de douter. Il aborde même ce que Vicky n'a pas demandé : « Ou avec Paul dans le temps où il servait la messe pour moi. Les rumeurs ont été jusque-là, vous savez. Mais les soutanes ne m'ont jamais attiré, ni celles des enfants de chœur, ni celles des prêtres.

— Puisqu'on y est, soyons nets : les enfants et vous, ce n'est pas compatible sexuellement, quoi ?

— C'est ça. Les péchés que Dieu a eu à me pardonner n'étaient pas commis avec des enfants ou des hommes.

— Voilà qui a le mérite d'être clair. »

Vicky tourne une page de son calepin et explore avec le curé toutes les avenues possibles pour identifier d'autres suspects que Paul.

L'ennui – et c'est bien ce qui a divisé la population – c'est qu'il n'y a pas d'autres candidats potentiels. Émilienne avait une vie exemplaire. Pas de squelettes dans le placard, pas de conflit avec qui que ce soit. La bonté même.

« Et Paul ? Il avait des conflits ? Comment était-il considéré par vos paroissiens ? »

Le désir d'être franc rivalise avec celui de ne pas accabler Paul dans le regard désolé du curé. Finalement, pour ne rien cacher aux enquêteurs, il décrit ce que Paul a vécu quand il était jeune : les enfants le harcelaient, bien sûr, ils rejetaient la différence, comme tous les enfants. « On l'a traité de tapette, de catineux, de mémère, de fif... c'était dur pour lui. Il a été élevé avec une grande tendresse, mais une fois à l'école, c'est beaucoup de rejet qu'il a vécu. Imaginez ce que les enfants pouvaient dire sur ce garçon entouré de poupées et auquel sa maman ne refusait rien. Même sans les poupées, sa petite constitution, son côté sensible et ses résultats scolaires auraient été une bonne cible. J'ai été bien content qu'il parte pour Chicoutimi pour ses études supérieures. J'avais dit à Émilienne de l'envoyer encore plus loin. À Québec ou même à Montréal, là où "avoir des tendances" ne provoque personne.

— Elle savait pour la sexualité de son fils ?

— Je ne sais pas. Je ne lui en ai jamais parlé directement. On disait qu'il était sensible et délicat, ça résumait bien Paul.

— Et il en est ou pas ?

— Vous voulez dire ?...

— Il veut dire : est-ce qu'il est homosexuel ?

— Je le croirais, oui.

— Vous n'en êtes pas sûr ? »

Yvan Gauthier se lève et marche dans la cuisine. Il ne sait plus trop quoi faire. Il farfouille dans sa tignasse, indécis. Vicky se dit que bien des paroissiennes ont dû inventer leurs péchés pour avoir le plaisir de le troubler à confesse. Elle s'écrie : « Ah ! C'est ça ! Vous ne voulez pas parler de ce que les confessions contenaient !

— Que je vous avoue mes péchés, ça me regarde. Ceux que les autres m'ont confiés, c'est sacré pour moi. Paul ne m'a jamais dit s'il était ou non homosexuel. Je l'ai déduit par moi-même. Probablement influencé par les autres, d'ailleurs. Je ne le sais pas. Vraiment. Est-ce que c'est si important ?

— S'il a décidé de passer aux aveux le jour de ses dix-huit ans, oui. S'il a pris son courage à deux mains pour y arriver, oui. Et si sa mère a eu une réaction si brutale, si opposée à ce qu'il annonçait qu'ils en sont venus à massacrer les poupées pour ensuite se sauter dessus – encore oui. La lutte, les traces de lutte, de courses effrénées indiquent clairement qu'il y a eu un échange musclé entre le meurtrier et cette femme. Un échange violent. Il ne serait pas idiot de penser que si Paul avait résolu de sortir du placard ce jour-là, ça risquait de s'envenimer, non ?

— Vous raisonnez comme ceux qui étaient contre Paul. La même affaire ! Les mêmes maudits arguments ! Peut-être que Paul avait décidé de lui dire, mais moi je vous jure que jamais Émilienne n'aurait réagi comme ça. Jamais ! Excusez-moi, mais ceux qui pensent comme ça font de la projection. C'est leur problème avec l'homosexualité qu'ils décrivent, pas celui d'Émilienne ou de Paul.

— Et si on regardait ça autrement ? Si Paul lui-même avait eu du mal à s'accepter et qu'au lieu de s'attaquer à Émilienne, c'est aux poupées qu'il s'était attaqué ? Qu'est-ce qu'elle aurait fait, sa mère, si Paul avait brisé sa collection ? Un peu comme si c'était la cause de son homosexualité problématique ou mal vécue. »

Le curé hésite, cette fois. Vicky a des arguments qui le surprennent. Il ne sait plus du tout. Il ouvre les deux bras et les laisse retomber, défait : « Je peux pas dire. J'ai jamais pensé que ça pouvait s'être passé de même. Je suis désolé, mais je n'ai pas de réponse à ça. Seigneur ! Je pensais que vous étiez de son bord.

— La vérité, monsieur le curé, c'est du côté de la vérité que nous nous plaçons. »

Mais le pauvre homme est bien abattu. Il murmure : « La vérité, oui, elle a bon dos, la vérité. »

Ils passent encore une heure à l'interroger, à essayer de découvrir de nouveaux suspects. Ils sont bredouilles. Même Aimé Dion, l'homme engagé par Émilienne, est blanchi de tout soupçon avec le témoignage du curé. Le jour du meurtre, il n'était pas monté chez Émilienne, il était à l'église en train de réparer la cloche qui s'était coincée. Un « malavenant » avait joué avec la corde. « Pour mal faire… y en a toujours qui passent le sermon à s'inventer des mauvais coups. » La cloche de l'église s'était tue pendant deux jours, Aimé étant occupé à repeindre la grande galerie d'Émilienne avant que le froid arrive. Yvan se montre formel : jamais rien de douteux ou de tendancieux n'a existé entre Aimé et Émilienne. Et non, le service rendu par le médecin à l'époque ne concernait aucun enfant illégitime qu'Aimé aurait pu semer aux alentours. Le curé va chercher un album de photos dans son bureau et leur désigne l'homme qui avait travaillé à reconstruire l'église après l'incendie de 1982. Court sur pattes, moustachu, Aimé Dion n'était pas une beauté.

« Fait fort, mais rien pour séduire les veuves. Aimé, je pourrais en répondre sans hésitation. Émilienne, c'était pas loin d'être la Sainte Vierge pour lui. Si ça m'a pris deux jours à le faire venir à l'église pour réparer la cloche, imaginez comme il en prenait soin d'Émilienne ! Je peux pas vous dire à quel point il s'en voulait de ne pas être allé la voir ce jour-là. Il se l'est reproché le reste de ses jours. »

Il confirme que Dion est mort de sa belle mort en 1993, à l'âge de soixante-dix-sept ans.

« Sa veuve s'en va sur ses quatre-vingt-dix ans. Tous les enfants sont partis travailler en ville. C'est une personne très seule. Elle vous apprendra rien de plus, mais ce serait charitable d'aller lui rendre visite, ça la distrairait. »

Il écrit l'adresse. Patrice jette un regard impatient à Vicky qui constate que « l'heure d'en griller une » est passée depuis trop longtemps.

Le téléphone qui sonne leur donne l'occasion d'accélérer. Ils s'empressent vers la sortie en promettant de lui faire signe à la moindre découverte. Patrice inspire avec volupté sa première bouffée de cigarette. Vicky l'envie presque.

« Ce n'est pas ce qu'il est convenu d'appeler un témoin réticent. Sympa. Belle carrure. Vous le croyez, vous ?

— Il dit la vérité… mais je ne suis pas sûre qu'il la dit toute.

— Et vous pensez à quoi, précisément ?

— Venez, on va marcher un peu vers le quai. Par exemple, je pense qu'il aurait très bien pu faire un enfant à une jolie paroissienne.

— Et cet enfant serait Paul ?

— Ce qui le justifierait d'être aussi concerné par cette histoire. Et aussi peiné pour Paul.

— Effectivement. Ce serait plausible. Quoique… il ne s'est pas caché de ses activités charnelles et il m'a semblé tout de même convaincant avec cette histoire du médecin et de l'inceste. Un peu fort de café, vous croyez ?

— Non : même pas ! La région est certainement celle où les cas d'incestes ont été les plus fréquents. Ça se tient. C'est pas ça… C'est juste que s'il nous mentait…

— … il serait vachement bon acteur !

— C'est ça ! Ou on le croit et tout ce qu'il dit est vrai. Ou on se fait embarquer par sa bonne humeur, sa franchise apparente, sa confiance.

— Et son potage roboratif ! Vous connaissiez cette courgane, vous ?

— Gourgane, oui. Et j'aime pas ça.

— Alors là, chapeau ! C'est vous, l'actrice.

— Oui. Et je mérite un Perrier, sinon je vais dormir chez Corinne. »

En arrivant au quai, Patrice s'arrête au dépanneur – qu'il appelle chez l'Arabe – et lui offre galamment un Perrier. Ils descendent vers l'eau pour le boire en admirant le paysage.

Selon Patrice, cet endroit est un joyau. L'automne fait chanter les couleurs des montagnes qui encadrent le fjord saisissant et il s'extasie sur la beauté et la sauvagerie de l'ensemble. Plongée dans ses pensées, Vicky ne l'écoute qu'à moitié. Elle interrompt sa tirade touristique sans même s'en rendre compte : « De tous ceux qu'on a vus, c'est quand même lui qui pourrait achever quelqu'un à coups de hache. »

Vexé, Patrice ne se gêne pas pour lui dire qu'entre la dragueuse et la pauvre chose affolée du musée, ce n'est pas difficile de trouver un bon candidat en Gauthier. C'est le seul homme !

« Pas du tout : il y a Paul, Aimé Dion…

— Et Jasmin Tremblay ! Vous avez remarqué que tous ceux qui sont susceptibles d'y être pour quelque chose se rangent du côté de Paul ?

— En dehors du Chaperon rouge, c'est vrai, personne n'a parlé contre Paul. Même Paulette…

— Rien contre, je vous l'accorde, mais rien pour non plus. À moins qu'elle ne vous ait confié son affection lorsque vous étiez seule à seule ?

— Eh non ! Je me demande pourquoi elle avait aussi peur de nous. Alors qu'elle n'a même pas peur de rester toute seule dans la maison où Émilienne a été assassinée.

— Comme tant de gens, elle doit se méfier des étrangers. Alors ? Êtes-vous dispo à suivre le planning ? Et quel est-il ? Ne me dites pas que vous désirez rendre visite à la veuve esseulée de ce réparateur de cloche ?

— Non, on va passer notre tour pour les bonnes œuvres. On n'a pas le temps. On y reviendra si jamais on en a besoin. Allons voir la sœur de Paulette, Corinne Ferguson. Ou plutôt Gagnon-Ferguson. J'espère qu'elle est plus jasante que sa sœur, parce que je vous la laisse. Une par jour, moi, c'est mon max.

— Fort bien ! Laissez faire l'artiste et admirez ! »

***

Corinne Gagnon-Ferguson est l'exact opposé de sa sœur. Avenante, elle les accueille alors qu'ils n'ont pas encore sonné à sa porte. Elle sort sur la galerie sitôt qu'ils ont stationné la voiture.

« Enfin ! Je vous attendais avant ça ! Paulette m'a appelée quand vous êtes partis du musée. Entrez ! Entrez ! »

La maison est cossue, extrêmement bien située, avec une vue spectaculaire. Un feu crépite dans la cheminée, les sofas sont moelleux et la table à café est couverte de victuailles sucrées. Les tasses de porcelaine sont sorties et Corinne ne les laisse pas placer un mot : « Regardez le paysage pendant que je vais chercher le thé. Tout est prêt ! »

Et elle les plante là.

Le point de vue vaut le détour, effectivement. Au-delà des larges fenêtres, le Saguenay se déploie dans toute sa splendeur. La maison est juste assez en hauteur pour offrir une perspective de carte postale.

Ils entendent Corinne avant qu'elle n'arrive : « Alléluia ! Deo Gratias ! Enfin, une occasion de sortir l'argenterie. Rien que pour ça, je ne vous remercierai jamais assez. On n'a pas de mondanités par ici, vous devez vous en douter. On a beau chercher, y a rien qui justifie de sortir nos cadeaux de noces. Pouvez-vous croire que je frotte mon argenterie et que je la remets dans l'armoire sans m'en servir ? Pas décourageant en monde ! J'ai failli la donner à ma sœur de Joliette. Mais non. C'est moi, l'aînée, c'est à moi que ça revient, un point c'est tout. Du thé ? »

Elle serait tellement déçue s'ils lui disaient non qu'ils hochent la tête affirmativement.

La pièce où ils se trouvent ayant un plafond très haut, Patrice ose demander la permission de fumer. Corinne n'a pas l'air partie pour leur refuser quoi que ce soit. Enjouée, elle s'exclame, tout en prenant un cendrier sur la cheminée : « Tant que c'est pas le cigare… Bob, mon mari, fume le cigare, et ça, c'est ma limite. Ça s'appelle : va fumer dehors, tu m'empesteras pas la maison, certain ! »

Elle rit de bon cœur et s'assoit enfin. Très grande, large d'épaules, c'est une femme solide dont les hanches fortes occupent entièrement le fauteuil. Elle les observe à tour de rôle, souriante. « On n'est pas bien, là ? Servez-vous. Tout est fait maison. Pis ? Comment vous trouvez notre coin de pays ? C'est-tu assez beau ? On pourrait faire des calendriers avec nos paysages. Pis y a pas de saison où c'est laid… »

Ils pourraient ne rien dire du tout et cette femme continuerait sur sa lancée sans remarquer qu'elle parle toute seule. Vicky glisse un regard à Patrice en sortant son calepin, et il attaque gentiment: « Puisque vous semblez au fait des raisons qui nous amènent, pourquoi ne pas y aller franco ? »

Elle le regarde avec reconnaissance et une véritable émotion: « Quand je pense que vous êtes venu de Paris pour nous aider ! Quand Jasmin m'a dit ça, c'est pas mêlant, j'aurais fait dire une grand-messe pour que ça finisse par finir, cette histoire-là. On vous en doit une, pis une bonne.

— À cette exception près: nous n'avons encore rien résolu. Tant s'en faut, d'ailleurs !

— Ben voyons donc ! Ça va se régler, je suis pas inquiète. Pour moi, c'est comme si l'inspecteur Maigret venait d'arriver, vous comprenez ? Je suis d'ailleurs étonnée que vous ayez pas sorti votre pipe. »

Le visage de Patrice est tellement interloqué que Vicky se dépêche d'intervenir avant qu'un fou rire ne l'empêche d'être efficace: « On va y aller dans l'ordre, si vous voulez bien. Vous étiez l'amie d'Émilienne Provost ? »

Corinne lève deux doigts bien collés ensemble: « On était inséparables, comme des sœurs choisies. Je l'ai connue quand elle s'appelait encore Villeneuve. On a étudié ensemble. À Chicoutimi. Je dis ensemble… faut pas exagérer, elle avait sept ans de plus que moi. Mais comme j'ai toujours été la plus grande partout, je me tenais avec du monde plus vieux. Sauf Bob, mon mari qui a dix ans de moins que moi. Imaginez tout ce qui s'est dit là-dessus: un petit jeune ! Y avait vingt ans et moi trente, quand on s'est mariés. Une chance que mon premier est né un an après nos noces, parce qu'y se serait fait crier des bêtises à l'école, ce pauvre Jean-Marie. »

Elle est comme un poisson dans l'eau. Elle babille, elle raconte tout sans hésitation, comme si elle n'avait rien à cacher. Patrice et Vicky font tout ce qu'ils peuvent pour discipliner les propos de la dame et la ramener au sujet qui les intéresse, mais ils ne font pas l'économie des détails: « C'est pour vous donner le portrait exact », comme elle le spécifie à chaque fois qu'elle passe par des anecdotes qui sont sans rapport à leurs yeux. L'abondance d'informations devient vite étourdissante.

Vicky a réussi à obtenir une image nette de la famille Gagnon et de celle des Ferguson.

Corinne est l'aînée d'une famille de quatre enfants de Chicoutimi. Ils sont trois filles et un garçon. Celui-ci, né en troisième, est devenu prêtre. « Vous savez, c'était comme partout ailleurs : nos parents espéraient ce garçon-là sans bon sens. Quand y est arrivé, pour remercier le ciel, ils l'ont promis à la prêtrise. Ça se faisait dans le temps, faites pas cet air-là, monsieur Durand. Gontran (oui, c'est son prénom, ça : encore un poids à porter !) est arrivé en 1940... et il est devenu prêtre, je vous en passe un papier ! Papa était notaire, le plus gros et le plus important de Chicoutimi, et y avait les moyens d'envoyer son fils au Séminaire. Pauvre Gontran ! Lui qui était si fin avec les filles. Émilienne le trouvait pas mal beau, mon frère, pis tellement drôle ! C'est vrai qu'y était comique. Et il avait le tour avec les femmes. Son confessionnal désemplissait pas.

— Ah bon ? Il est devenu prêtre malgré tout ?

— Malgré ? À cause des parents vous voulez dire. Y était pas question de pas y aller. La vocation, y se l'est faite rentrer dans le corps avec son Pablum. Je veux dire, quand y était bébé. Mon frère est sorti de la prêtrise quand papa est mort, pas avant. Ça vous donne une idée de l'autorité du paternel.

— Il s'est marié ?

— Y a pas eu le temps : y est sorti six mois après la mort de papa et y a jamais eu le temps de faire sa vie. Y est mort d'un cancer fulgurant pas longtemps après. Ici, dans cette maison. C'est moi qui l'ai soigné. J'avais fait mon cours d'infirmière. Mon frère Gontran, c'est du gaspillage : on l'a obligé à suivre une vocation qui était pas la sienne et y est resté là jusqu'à ce que papa puisse rien dire. Ben, y est mort en maudit et en n'ayant plus une graine de foi ! La vengeance du père, c'est comme ça qu'y appelait son cancer. Et je sais pas si y mettait une majuscule au *p* du père ! Papa – Dieu ait son âme – était pas parlable. Pis Gontran... c'était une soie. Bâti délicat comme Paulette et doux comme un agneau. »

Elle se tait, pensive. Elle n'est pas intimidée par la tristesse évidente qu'elle éprouve. Elle ne la cache pas, elle les laisse réfléchir calmement, et son silence soudain apporte un poids d'importance à ce qu'elle a raconté.

Vicky demande avec douceur : « Et c'était quand ?

— Papa est mort en 83, quelques mois après le feu qui a détruit l'église. Gontran a défroqué six mois plus tard, et en janvier 85, à quarante-cinq ans, c'était fini. Moi, je vais vous dire, à partir de 1982 jusqu'en octobre 1985, on aurait dit qu'un mauvais sort avait été jeté dans ma vie. Ça a déboulé en p'tit péché. Ben, moi aussi, j'en ai perdu la foi. Après la mort de mon frère, déjà, c'était pas fort, mais après la mort d'Émi, ça a été final bâton : j'ai plus remis les pieds à l'église. Sauf pour les enterrements où il fallait que j'aille, évidemment. La dernière fois que j'ai communié, c'était le 17 octobre 1985, pis je vais vous avouer qu'elle m'est restée dans le gargoton, cette hostie-là.

— Il a pris ça comment, votre bon curé Gauthier ?

— Il a compris, craignez rien ! On est restés les meilleurs amis du monde. Y vient toujours manger à maison. Mon Bob continue de faire sa grosse part pour l'Église, mais moi, je ne me suis pas inventé une foi que je sentais pas. Mon frère a jamais vécu sa vie pis y en est mort. J'avais appris la leçon. Yvan, ça l'a brassé pas mal ce qui est arrivé à Gontran.

— Yvan ?

— Le curé Gauthier. Ça fait longtemps qu'on s'appelle par nos prénoms et qu'on se tutoie. Y a baptisé mes deux derniers pis y a marié mes deux premiers. C'est un ami. Sans lui, Gontran serait mort sans se pardonner. Alors, laissez-moi vous dire que ce qu'il a fait pour mon frère vaut beaucoup plus que le pardon du ciel. Ils s'étaient connus au Grand Séminaire, Gontran et lui, ils avaient été ordonnés la même année, ensemble, Yvan avait pratiquement le même âge. Ils s'étaient perdus de vue, à cause de leur ministère, mais quand ils se sont retrouvés, ils ont rattrapé le temps perdu. Quand je les voyais ensemble, je comprenais comment la vie aurait pu être simple pour mon petit frère. C'était un joueur de tours et on l'avait enfermé dans une chasuble. Pauvre petit ! – Elle se secoue. – Mais c'est pas de ça que vous êtes venus entendre parler, c'est d'Émi. Je l'appelais comme ça, Émi. Je trouvais que son prénom faisait ancien. Pis elle aussi, a trouvait ça ! La fille unique des Villeneuve. Vous vous doutez qu'elle s'est appelée Émile pendant les neuf mois où ses parents l'ont attendue. Quand elle est arrivée, disons que monsieur Villeneuve a pogné son air, comme on dit. Sa mère, elle a failli mourir d'une hémorragie. Ce qui fait qu'Émi est restée fille unique. À l'école, les enfants nous snobaient… en disant qu'on les regardait de haut ! Elle, la fille du millionnaire de la place, pis moi, la fille du notaire.

— Et elle s'était bâtie comment, cette fortune ?

— Ça a commencé avec une petite business de pain, pis c'est devenu une grosse boulangerie avec plein de succursales. Quand on dit un homme d'affaires déluré… Papa l'admirait beaucoup. Pas besoin de vous dire qu'il bénissait notre amitié à Émi pis moi. Y savait pas ce qu'on disait de lui et du père d'Émi ! Imaginez comme il faut être naïves pour se penser délinquantes en parlant contre nos pères. Des bonnes petites filles sages, c'est ça qu'on était. On a peut-être sauté deux soirs d'adoration du Saint-Sacrement pour rencontrer des garçons sur la rue Racine, pis on se voyait comme des filles perdues ! Quand je pense à ce que mes quatre gars m'ont fait voir… Deux vraies bonnes petites filles, qu'on était. On s'est mariées la même année. Pas le même jour, parce que les Villeneuve voulaient faire une grosse noce avec le ban pis l'arrière-ban. Y l'ont faite. Aye, y étaient tellement contents de voir Émi se marier. Y pensaient que ça se ferait jamais, y avaient perdu espoir. C'était tout un échec, à leurs yeux : leur fille pas mariée. Ben elle a rencontré son docteur en allant soigner du monde dans le 4e Rang de "Saint-en-Arrière" ! Deux pareils : des vrais missionnaires. Y auraient aussi ben pu se rencontrer en Afrique. Ça valait la peine d'attendre, Émi disait tout le temps ça. Elle a ben failli se marier sans sentir grand-chose pour le gars, parce que ses parents poussaient pas mal. Mais elle voulait le grand frisson, pis elle l'a eu ! Entre nous, je peux vous le dire, elle a refusé trois demandes officielles avant de rencontrer son docteur. Ses parents l'ont pas su. Si elle leur avait dit ça, ils l'auraient pas lâchée. Le contraire pour moi : la fille du notaire Gagnon qui décidait toute pour tout le monde, elle avait appris à ruer pis à dire non. Mon frère faisait ce que papa voulait. Mon père pouvait se compter chanceux d'avoir eu un fils qui l'ostinait pas. Avec moi, y a manqué son coup. J'ai milité pas mal pour qu'Émi fasse à sa tête. Elle l'avait pas aussi dure que la mienne, ça c'est sûr... avec ses poupées, son romantisme, son côté bonnes œuvres. Je pense que son mari disait encore ses prières, le soir avant de se coucher. Je me demande si y était puceau... Émi a jamais voulu me le dire. Un homme qui se marie puceau à quarante-deux ans, c'est inquiétant, non ? Je voulais qu'elle soit heureuse, moi.

— Alors là ! Quarante-deux ans, ce ne serait pas plutôt le contraire ? Une vie de patachon. Le doc qui a la main baladeuse ?

— Paul-Émile ? Jamais ! Y était plutôt dans le genre curé, justement. Exactement le genre que mon père aimait. Un homme stable, un travaillant, un bon gars. Mais pas trop tentant, si vous voyez ce que je veux dire. Pas le genre qu'on regarde partir en se disant qu'on y aurait pas fait mal... Pas mon genre, quoi ! Pour Bob, mon père était pas content. Hou !... Par chance que Gontran et maman ont été de mon bord, parce que je montais l'allée de la cathédrale toute seule. Pour mon père, voir sa fille de trente ans marier un "enfant de vingt ans", comme y disait, c'était scandaleux. Mais voir une Émi de trente-sept ans convoler avec son docteur de quarante-deux ans, c'était parfait. C'était peut-être parfait, mais Émi est restée toute seule une bonne partie de sa vie. Mon Bob est encore là... après quarante-sept ans de bons et loyaux services. Quand je pense à toutes les trahisons que mon père a essayé de me faire accroire. Bob a jamais fait un pas de côté, garanti. Finalement, on s'est mariées sur le tard pour l'époque, Émi et moi, mais on s'est bien mariées.

— Et l'enfant ?

— Paul ? Ben... Yvan vous a sûrement raconté, non ? »

La réticence de Corinne est palpable. Vicky lève le nez de ses notes et Patrice se penche vers son témoin : « Vous étiez au courant ?

— Évidemment ! Je faisais partie de la menterie. Quand y faut jouer de la trompette avec une nouvelle, c'est à moi qu'on le demande. J'ai parti la rumeur qu'Émi attendait.

— Et vous étiez d'accord ?

— D'accord, pas d'accord, ça aurait rien changé ! Émi m'aurait reniée avant de renoncer. D'un autre côté… ça faisait plus que quarante ans qu'elle jouait avec des poupées, y était temps de faire quelque chose. Cet enfant-là, Émi l'a attendu comme s'il venait de son ventre. Moi, j'étais enceinte de mon dernier, le quatrième. Comment vouliez-vous que je me sente devant elle ? Elle était marraine de mon Jean-Marie, mais elle avait beaucoup plus que ça à offrir. Elle lui a tout donné, à cet enfant-là.

— Mais ?… En quoi ce plan vous agaçait-il ? »

Corinne hausse les épaules : « C'est pas que je veux garder des choses pour moi, mais j'en ai jamais parlé de cette histoire-là. C'est comme scellé au fond de moi. Même Bob le savait pas ! Vous comprenez, ça nous mettait dans une sorte de menterie que je trouvais… dangereuse. Mais comment faire autrement ?

— Qui savait ?

— Émi, Paul-Émile, la mère de l'enfant, le curé Gauthier et les parents d'Émi. Et moi, bien sûr.

— Qu'en ont-ils dit de cette mystification, les parents d'Émilienne ?

— Qu'est-ce qu'y auraient pu dire ? Tout ce qu'Émi voulait pouvait arriver ! Ils ont marché. Et on pourra jamais leur reprocher quoi que ce soit avec Paul : ce qu'ils ont fait pour lui après la mort d'Émi, c'est extraordinaire. Y l'ont pas lâché. Y en ont pas douté une seconde. Jamais.

— Et vous ?

— L'avez-vous vu ? Pas feluette en monde ! Fallait se forcer en maudit pour l'imaginer en train de prendre une hache. Le pauvre… y pouvait même pas fendre une bûche d'un coup ! Alors… Je veux pas penser à ça. Je veux pas voir ça ni penser à Émi de même ! »

Patrice se tourne vers Vicky: « Feluette?
— Frêle, délicat... homo aussi.
— Ah: fluet! Et homo. Donc, je n'invente rien.
— Vous savez, Patrice, c'est pas le fait, c'est le préjugé que j'attaquais. »

Corinne s'interrompt, le temps de les voir se jeter un regard batailleur, et elle reprend son discours avec une note d'excuse dans la voix: « Je sais bien qu'y a rien fait, ce pauvre enfant! Je sais bien que c'est pas de sa faute. Mais peut-être que si y avait réagi autrement, on aurait pu arrêter le coupable? Si y s'était bougé le derrière au lieu de s'écraser sur elle en braillant! »

Toute l'énergie de Corinne se révolte encore, vingt-deux ans après le crime, de l'attitude de vaincu de Paul Provost.

« Que voulez-vous, j'ai jamais compris qu'on puisse être si sans-génie! Si y avait pris le téléphone, on aurait peut-être pu la sauver? Bon, c'est ma manière et c'est pas la sienne, mais bon sang, j'y en veux encore de pas avoir bougé! On a toute notre vie pour la pleurer. Y aurait pas pu se secouer? Appeler du renfort. M'appeler! J'aurais faite de quoi! Je vais le dire à vous, même si je l'ai jamais dit: enlever la hache, si Émi avait encore eu une toute petite chance d'en réchapper, enlever la hache, c'était lui donner son coup de mort!

— Elle était déjà morte, non?

— On le sait pas! »

Elle a crié. Elle met la main devant sa bouche, ferme les yeux une seconde.

« Excusez-moi. Mais l'heure de la mort coïncide avec l'arrivée de Paul... alors, évidemment, j'ai tendance à me dire qu'il l'a trouvée avec un souffle. Quand je lui ai parlé, quand j'ai essayé de savoir exactement ce qui s'était passé, il était confus. Il parlait de ses yeux ouverts... mais ça pouvait être une heure après son arrivée, ça! En enlevant la hache, il déclenchait une hémorragie et elle mourait à coup sûr. Il peut même pas me dire si elle a saigné quand il l'a fait! S'il avait appelé à l'aide... je le sais pas. Je le saurai jamais. Vous voyez dans quel état ça me met?

— C'est navrant, en effet.

— Navrant ? C'est épouvantable, scandaleux, irresponsable ! C'est assez pour que je comprenne pourquoi il a accepté de se faire condamner à vingt-cinq ans de prison sans rouspéter. Bon, je l'ai dit et je ne le dirai plus. Vous êtes les seuls à qui je peux avouer une horreur pareille. Émi me tuerait ! Je m'en veux rien que d'y penser. Mais si elle l'avait pas tant couvé, aussi. Cette idée d'élever un enfant de même. Faut dire qu'être toute seule avec un petit gars de cinq ans… La mort de Paul-Émile, ça a été tellement dur pour elle. C'est comme si elle s'était accrochée à cet enfant-là, comme si elle s'était rabattue dessus. C'était trop. Et c'était trop loin, aussi. J'ai-tu essayé de la faire descendre dans le village ! Quand la maison des Méthot a été en vente en 75, j'ai tout fait pour la convaincre. Mais non : le culte du souvenir, connaissez-vous ça ? "J'ai été heureuse là, j'en bougerai pas", c'était le nouveau credo d'Émi. Ben est morte là, pis leur maudit musée, j'y suis jamais allée et j'irai jamais. C'est-tu assez clair ?

— Vous étiez réfractaire à cette idée des parents d'Émilienne ?

— Non, je comprenais. Ils voulaient protéger Paul et lui donner de quoi penser pour pas qu'y vire fou. C'était pas une mauvaise idée. Mais la place ? La maison du meurtre ? En dehors du village, juché au bout d'un chemin qui mène nulle part ailleurs dans la montagne ? C'est évident que les gens d'ici iraient écornifler à leur goût. Les poupées d'Émi, y s'en fichent. C'est ça que je trouvais débile… mais bon ! Si Paul est pas mort du choc, c'est bien parce que le musée existe. Faut leur donner ça, aux parents d'Émi, ils ont fait tout ce que leur fille aurait souhaité qu'ils fassent.

— Et leur argent revient à Paul ?

— Évidemment. Laissez-moi vous dire une chose : les testaments d'Émi et de ses parents étaient faits en béton. C'est papa qui s'en est occupé. En 72, quand Paul-Émile est mort, papa l'a ben choquée, la pauvre, en venant la voir pour qu'elle mette tout sur papier. Et ses parents ont toujours fait affaire avec papa. Y avait des défauts, mais on y en passait pas une, à mon père. À la mort d'Émi, papa était plus là, mais c'est son étude qui a rédigé tous les papiers du musée. Le nouveau testament des Villeneuve aussi, d'ailleurs.

— Nouveau ?

— Y fallait ! Leur héritière était morte. En plus, c'est eux autres qui héritaient d'elle, l'assassin ayant pas le droit de ramasser, évidemment. Et Paul… c'était plus pareil du tout : tout le monde a su que c'était pas leur petit-fils naturel. L'adoption était même pas légale. Papa aurait hurlé si y avait su. Les Villeneuve ont fait tout ce qu'y fallait pour que rien ne puisse être contesté et, à leur mort, leur testament était inattaquable.

— C'est Paul qui hérite de tout ?

— Tout ! Y a même quelqu'un pour gérer l'argent. Une chance, parce qu'y est pas dégourdi.

— On pourrait le berner facilement, vous croyez ? L'exploiter, l'arnaquer ?

— Je le sais pas. Jasmin le protège pas mal… Si y a personne en prison qui réussit à se faire gâter par Paul, je suppose qu'il est à l'abri. Mais c'est pas son discernement qui aide. C'est… son indifférence.

— Ah bon ! J'avais noté qu'il manquait d'énergie, effectivement. Un peu mou, non ?

— Éteint. Paul s'est éteint quand sa mère est morte. Déjà qu'y en menait pas large avant. Émi, c'est ce qui lui est arrivé de mieux, et quand il l'a perdue, y a tout perdu. Y a beau être millionnaire, vous m'enlèverez pas de l'idée qu'il est pauvre. Raide pauvre.

— Sans vouloir me montrer indiscret : il y a quelque chose entre Jasmin et Paul ? »

Si le rire de Corinne n'est pas un désaveu criant, ce qu'elle ajoute écarte toute ambiguïté : « Vous n'avez pas encore rencontré le chum de Jasmin, à ce que je vois. Ça, c'est un bel homme ! Y doit faire deux fois le volume de Paul. Qu'est-ce que je dis ? Trois fois. Pis du talent… Ça marche enfin, son affaire. Ils ont tiré le diable par la queue assez longtemps. Il est connu. Veilleux. Gervais Veilleux. Non ? Ça vous dit rien ? »

Vicky est bien gênée, mais ça ne lui dit strictement rien.

« Il signe toujours Veilleux. Venez voir. »

Elle les entraîne dans la salle à manger où, immédiatement, ils reconnaissent la touche exubérante qui les avait séduits dans le bureau de Jasmin au musée.

« Une chance qu'on l'a acheté dans le temps que c'était abordable. On en a deux autres qui vont dans le salon, mais on les a prêtés pour une expo aux États-Unis. Il vend partout. C'est notre gloire nationale. »

Vicky feuillette les pages de son carnet : ils ont tellement d'informations à classer, et il se fait tard. Corinne leur offre encore du thé, ou un apéro puisqu'ils sont rendus à cette heure du jour.

« Non merci. On va rentrer. Juste avant… vous rappelez-vous le jour du meurtre ?

— Je l'oublierai jamais. Je faisais le grand ménage de la chambre d'Étienne. On sortait de la retraite et après le grand ménage de la conscience, je faisais celui de la maison. Sauf qu'après ce jour-là j'ai laissé ma conscience s'arranger sans les enseignements de l'Église. De toute façon, j'y allais pour Émi, pour être avec elle comme dans notre jeune temps. Émi était très croyante. La veille de son dernier jour, on avait soupé ensemble… pis on s'est chicanées. On se chicanait jamais ! Ben y a fallu que ça arrive… et que je puisse jamais m'excuser. On pense qu'on a du temps, que les choses vont se tasser… On s'est laissées sur une chicane. Ben après, je ne me suis jamais couchée en étant fâchée avec quelqu'un.

— C'était à quel sujet ?

— Paul… Ça n'a plus aucune espèce d'importance, maintenant.

— Et si vous nous laissiez en juger ?

— Émi avait décidé de dire la vérité à Paul. Qu'il était adopté. Pour le jour de ses dix-huit ans, imaginez ! Je l'ai trouvée complètement folle et je lui ai dit. C'est pas un cadeau à faire à un enfant, ça ! C'est pas comme si elle lui apprenait une bonne nouvelle. Elle allait le déstabiliser avec ça. Et après, s'il fallait qu'y se mette à chercher ses parents, il trouverait quoi ? De la honte, de la misère, une histoire sordide d'inceste ou de viol… Regardez comment il a réagi quand la police lui a sorti ça : y a voulu se tuer ! Émi aurait jamais réussi à lui faire accroire que c'était plaisant d'être adopté !

— Et pourquoi y tenait-elle tant ?

— Je pense que c'était l'effet de la retraite. C'était dans le style "vivre avec la vérité" ou "dans la vérité", je sais plus. C'était ça qu'elle avait compris des sermons. Yvan a su ma façon de penser ! Le pauvre… Je l'ai engueulé comme si c'était son idée de le dire au petit. S'il l'avait su, y aurait dit la même chose que moi.

— Attendez, vous m'embrouillez : la retraite ?

— C'est deux ou trois jours où un prêtre invité vient prêcher l'Évangile. Y a un thème. Là, c'était la vérité. Et Émi voulait vivre dans la vérité, tout à coup ! Parce que son fils devenait majeur, y avait le droit de savoir. Et comme le prêcheur était invité par le curé Gauthier, je l'ai écœuré d'avoir invité un imbécile. Bon, c'était pas de sa faute, mais je suis comme ça : quand je suis contrariée, ça sort ! Ben, son monseigneur, j'y ai pas trouvé de génie, pis j'y ai dit.

— Quand ? »

Devant la mine surprise de Corinne, Vicky précise : « Quand est-ce que vous l'avez engueulé, le curé ?

— Je le sais pas, moi ! Tout ce que je sais, c'est que mon amie est morte pendant que j'étais encore fâchée avec elle.

— Vous n'en avez pas parlé à la police à l'époque, est-ce que je me trompe ?

— J'aurais dû ? À cause ?

— Vous la connaissez, vous, l'identité des parents biologiques de Paul ? »

Stupéfaite, Corinne considère les deux enquêteurs : « Ben sûr que non ! Pis allez pas penser qu'Émi avait eu l'intention de parler d'eux autres à Paul. Elle voulait dire la vérité qui la concernait, elle. Je vous garantis une chose : elle savait pas plus que moi qui était le père de Paul !

— Et la mère ? »

Un silence suit. Corinne hoche la tête : « Pas plus… Et si vous pensez que les parents véritables de Paul ont de quoi à voir avec le meurtre, c'est le père qui a frappé. Pas la mère. Pas à coups de hache, voyons !

— À moins qu'elle ne soit de constitution robuste.

— Comme moi ? C'est un bon point, c'est sûr... Si ça vous est passé par la tête que j'aie pu faire une horreur pareille... Disons que la plupart des femmes ne peuvent pas tuer à la hache. Même enragée, une femme a moins de chances de pouvoir le faire qu'un homme. La mère biologique pouvait pas... ça se peut pas ! En tout cas, c'est pas moi. J'ai eu mon fils le 4 octobre 1967 et je l'ai pas donné à Émi. Vous me faites peur avec vos questions. J'ai jamais pensé dire ça à la police. S'il fallait que je sois responsable de ce qui est arrivé à Paul, même indirectement... »

Elle est si désolée, si ébranlée qu'elle en perd sa verve.

Le soir est tombé, elle allume les lampes, jette une bûche dans le foyer. Elle reste debout devant l'âtre, frissonnante, alors que la pièce est surchauffée.

Vicky profite de la pause pour aller aux toilettes.

En se lavant les mains, elle ressent une telle fatigue, un tel découragement qu'elle s'appuie contre le lavabo, submergée de chagrin. Qu'est-ce qu'elle fait là, à noter des détails insignifiants sur un meurtre sordide alors qu'elle est en congé et que son amoureux est parti, fâché ? S'il fallait qu'il lui arrive quelque chose ! Comment a-t-elle dit ça, Corinne ?

On pense qu'on a du temps, que ça va se tasser... La gorge serrée, Vicky essaie de se raisonner : Martin est peut-être déçu, mais aucun assassin ne le menace. Elle l'imagine au volant de la voiture, en train d'argumenter mentalement pour lui prouver qu'elle a tort. Elle le sait, elle a tort. Elle voudrait bien le lui dire. Mais il a éteint son cellulaire. Elle voudrait qu'il l'appelle, qu'ils s'expliquent et qu'ils se réconcilient comme ils savent si bien le faire. Elle non plus, elle ne veut plus se coucher fâchée contre lui ou contre qui que ce soit. Mais surtout contre Martin.

Un coup discret est frappé à la porte : « Ça va ? Vous avez ce qu'il vous faut ? »

Non, c'est Martin qu'il lui faudrait. Un message de Martin, si ce n'est lui. Un appel, n'importe quoi de Martin, mais pas cette histoire horrible de hache et de poupées!

Elle force un sourire et sort: « Un coup de fatigue, c'est tout. »

Corinne lui tend l'appareil: « On vous demande au téléphone. »

C'est plus fort qu'elle, son cœur s'emballe. Comment il a fait pour la trouver? Les yeux de Corinne sont bien curieux: « C'est à vous seule qu'il voulait parler. »

Jasmin vient d'arriver à Chicoutimi et il s'est arrêté à l'hôtel. Il désire s'assurer que tout va bien, qu'ils n'ont besoin de rien. Il peut les attendre ou les rejoindre là où ils iront manger, selon ce qu'elle préfère. Vicky n'a jamais vu tant de gens empressés de les nourrir et de les aider. Patrice et elle ont surtout besoin de réfléchir en silence. Elle remercie le jeune homme en lui recommandant de rentrer chez lui. Demain, les questions sans réponses seront plus précises. Il insiste pour lui parler en matinée et elle promet de l'appeler.

Patrice est en train de ramollir dans les coussins douillets. Le feu surchauffe le salon et les lampes tamisent un peu trop la pièce pour qu'il soit d'attaque. « Alors quoi? Monsieur le curé avait-il oublié un détail de première importance?

— Ben non. Venez, il est tard et on a de la route à faire. Je vous expliquerai ça en chemin. »

Patrice est déjà sur ses pieds, fouetté à l'idée d'échapper à son engourdissement. Corinne se désole de les voir déjà partir. Elle leur propose un dîner « entre amis » pour le lendemain. Bob sera là, et même un de ses grands garçons.

Elle n'obtient pas le oui ferme qu'elle espérait et Vicky se garde bien de lui donner de la corde. La gentillesse de Corinne est comme ses sucreries: une bouchée de trop et l'estomac se brouille.

Ils passaient leurs vestes quand la porte du vestibule s'ouvre.

Paulette est là, immobile, les sourcils froncés, l'air irrité: « Ah! Bonsoir Corinne.

— Déjà? T'es de bonne heure à soir, Paulette. Même pas sept heures. Nos amis s'en allaient. »

Paulette passe près d'eux sans les saluer. Elle se dirige vers le fond de la maison, le pas ingrat et lourd. Corinne hoche la tête comme devant une enfant qui a fait une bêtise : « Elle ! Quand elle décide d'avoir peur ! Excusez-la. Elle est timide devant les étrangers… C'est son handicap qui l'a rendue de même.

— Comment elle fait au musée quand des gens qu'elle ne connaît pas se présentent ?

— Elle les surveille et elle ne dit rien ! Exactement comme avec vous deux. Mais elle remplace pas souvent.

— Elle habite avec vous ?

— Depuis que les enfants sont partis, oui. C'est grand, ici. Y a trop d'espace. En premier, on l'a fait pour faire taire les mauvaises langues. Mais après, ça nous dérangeait pas, Bob et moi. Elle est restée. Ma petite sœur a toujours été un peu surprotégée. On ne l'a peut-être pas aidée en la traitant comme une enfant. Elle a fait de la polio et elle est restée handicapée.

— Et qu'est-ce que les mauvaises langues trouvaient à redire à votre sœur, dites-moi ?

— Ah ! Tout ce qu'y ont inventé, vous pouvez pas savoir ! Mais ça a toujours été : même les religieuses qui travaillaient dans les presbytères y passaient. Y avait toujours un esprit croche pour dire que c'était pas moral.

— Vous voulez dire que Paulette travaille chez le curé ? Au presbytère ?

— Vous le saviez pas ? Yvan vous a toujours ben pas fait accroire qu'il vous avait cuisiné une soupe aux gourganes ? Elle a toujours été là. Elle est tellement attachée à lui, c'est pas possible de les séparer. Quand les rumeurs sont devenues extravagantes, Yvan a essayé de la raisonner pis de prendre une autre ménagère. Elle a jamais voulu ! Jamais. Y avait rien à faire. On l'a installée ici : elle va travailler le jour et elle revient le soir. Comme si les péchés se faisaient seulement la nuit ! Les gens sont tellement malintentionnés. »

***

Une fois assis dans la voiture, ils se taisent sans même se consulter.

Patrice lui jette un regard de côté : « Vous êtes contrariée ?

— Fatiguée. »

Elle se dit qu'elle voudrait repartir pour Montréal et non pas se livrer à l'ordonnance et à l'analyse des données qu'ils ont récoltées. Un spleen tenace lui fait détourner les yeux et cesser de jouer au copilote.

« Chicoutimi, c'est à gauche, non ?

— Oui, oui ! Excusez-moi. »

Dès qu'il coupe le moteur, il lui demande si elle a envie d'aller manger au même resto que la veille.

« Franchement, Patrice, j'ai pas faim.

— Franchement, Vicky, moi non plus.

— Et j'ai pas envie de parler. Ni de discuter de Paul Provost et de notre magnifique enquête qui avance si bien.

— Entièrement d'accord. »

Elle le regarde sortir de la voiture, très étonnée.

Il ouvre la portière et lui tend la main : « Allez, venez ! On va se pinter. »

***

Elle ne connaissait pas l'expression, mais à son troisième verre, elle voit où Patrice s'en va. Comme le scotch n'est pas sa boisson préférée, elle ralentit. Patrice, lui, tient une bonne descente, elle doit lui accorder cela : « On va être beaux à voir demain.

— Voilà qui nous donnera une excellente raison de piétiner…

— Ça ! Pour piétiner ! Rien que du bon monde. Des bons paroissiens, bien serviables, bien intentionnés…

— Et ils sont si peu dégourdis qu'on leur donnerait le bon Dieu sans confession. Même la petite pouliche rouge de ce matin, celle qui est en quête de sensations fortes, m'apparaît inoffensive.

— Celle-là, elle n'a pas aimé que le curé lui dise non dans le temps.

— Vous croyez qu'il se faisait la boiteuse ?

— Pftt ! Il pouvait passer toute la paroisse si y voulait : on s'en fiche-tu ? Ça parle de péchés, de confession, ça parle des mauvaises langues, mais ça reste ben assis sur leurs menteries.

— Qu'est-ce que vous racontez ? En français, s'il vous plaît. »

Elle se laisse tomber sur le sofa de la « suite » et tend son verre : « Mettez plus de glaçons que de scotch, O.K. ?

— Quelle petite chose vous faites sous des dehors increvables !

— C'est ça ! Attaquez-moi pour passer votre déception.

— Je ne suis pas déçu, j'ai seulement du mal à saisir – il lui tend son verre – “assis sur leurs menteries”, c'est quoi ?

— C'est du monde décidé à jouer l'ouverture d'esprit en gardant pour eux autres des bouts de l'histoire, y compris le fond de l'histoire. C'est un curé qui baise et qui le dit, mais qui est pas capable de confirmer l'homosexualité d'un enfant qu'on a envoyé étudier ailleurs tellement on l'agaçait et le maltraitait.

— D'accord : c'est une boiteuse terrifiée par nous, mais déterminée à demeurer dans un presbytère où elle a une vie quasi conjugale que toute la paroisse dénonce. J'ai pigé ? »

Il allonge les jambes et pose délicatement les talons sur la table à café.

Il sirote son verre, pensif.

« Voulez-vous me dire ce qu'on fait ici, Patrice ? Crisse ! Brisson avait raison de refuser le dossier. On trouvera jamais rien. On perd notre temps. Ça devait mauditement vous tenter de quitter Paris pour accepter un dossier pareil !

— C'est vrai. »

Surprise, elle se redresse et l'observe. Patrice sort ses cigarettes en souriant : « Fumeur. Chambre fumeur. C'est réglo ! »

Elle hausse les épaules, impatiente : « Niaisez-moi pas avec vos manies réglementaires. Pourquoi vous avez accepté ?

— Parce que j'avais une envie folle de jouer Maigret. Vieux fantasme… »

Vicky se laisse retomber sur le sofa. Elle pose ses pieds sur l'accoudoir : « Vous finissez toujours par m'énerver à mort !

— Vous voulez des aveux ? Une confession ? Sachez que je me suis gouré sur un truc et que ça m'a emmerdé. Voilà.

— L'art de ne rien dire... Taisez-vous, Patrice, vous m'épuisez. »

Il obéit. On n'entend plus que le bruit des glaçons qui cognent contre la paroi des verres quand ils boivent. Au bout d'un certain temps, Patrice demande très doucement : « Et vous ? Pourquoi avoir accepté, finalement ? »

Vicky se redresse, pose son verre sur la table basse et se lève.

« Bon ! Je vais me coucher ! »

Du coup, Patrice la rejoint, l'arrête en touchant son épaule : « Hé ! C'est un jeu... pourquoi êtes-vous si à cran ? Je dis ça, je ne dis rien ! Je vois bien que ça ne va pas. Qu'est-ce que vous croyez ? Je ne suis pas un rustre. Ça me fait flipper de vous voir si abattue. J'y peux quelque chose ? Vous le dites et je m'exécute.

— Ben non. Vous pouvez rien changer.

— Je n'y suis pour rien, alors ? »

Les yeux bleu acier la scrutent. Il est inquiet. Il a vraiment cru qu'il était la cause de son humeur. Vicky le regarde attentivement. C'est un drôle de compagnon. Il peut être tellement froid, secret et méprisant, mais là, il est ouvert, attentif, totalement soucieux d'elle.

Elle hoche la tête pour répondre. Elle le préfère un peu plus distant. Quand il s'humanise, il la déstabilise. Surtout qu'elle a le cœur gros. Il l'attire contre lui et frotte doucement son dos. « Vous êtes une sacrée nana, vous le savez ? »

Elle se dégage sans brusquerie. Même cette affectueuse amitié la dérange. Patrice n'est pas le genre d'hommes à endormir son côté mâle. En aucune circonstance. « Essayez pas de profiter de ma soûlerie !

— Merde ! Ça se voit tant que ça ? Et dire qu'on y était presque !

— *In your dreams,* Patrice Durand !

— C'est cela, oui : embrouillez tout ! Vous voulez me confondre avec votre anglais ?

— J'ai faim.

— Eh ben voilà ! Fallait le dire ! Tenez, c'est la maison qui régale. »

Il lui tend le menu du *room service* qu'elle feuillette distraitement parce qu'elle sait déjà que ce sera le club sandwich. « Pourquoi Jasmin Tremblay dépense tant d'argent, Patrice ? Même si on ne coûte pas si cher... Paul va sortir de prison dans très peu de temps. Pourquoi se mettre à chercher le meurtrier tout à coup ? Qu'est-ce qui presse tant ?

— Un : parce qu'il ne s'agit pas de son fric, mais bien de celui de Paul Provost. Deux : parce qu'il obéit peut-être aux ordres du patron sans discuter. Et trois, soyons magnanimes, parce qu'il est pétri de bonnes intentions. Bon, comme vous le constatez, ça demeure assez nébuleux pour moi aussi. Ce type, Paul, je n'arrive pas à le cadrer. Je veux dire, sexuellement. Voyez comme c'est bête : les poupées me paraissent incarner son seul intérêt sexuel. C'est brutal, mais je n'y peux rien. Quelle chochotte, ce type !

— C'est sûr qu'il respire pas la testostérone. Je prends un club. Vous ?

— Comme je respire la testostérone, je vais y aller d'un plat de mec : steak frites ! »

Elle constate qu'ils sont, l'un comme l'autre, des gens d'habitudes.

***

Vicky repousse son assiette : « Bon ! Disons que c'est Paul Provost qui veut qu'on enquête. Disons que Jasmin obéit : c'est pas son argent, c'est pas sa décision. Pourquoi ? Pourquoi Provost veut qu'on trouve tout à coup ?

— Parce qu'il a la trouille de revenir dans un bled où l'assassin court encore.

— Ou dans un endroit où on l'a piégé. Donnez-moi du papier. »

Elle fait de la place sur la table, prend une feuille et inscrit : *Peur.* Elle considère le mot un instant. Au bout d'un moment, Patrice s'impatiente : « Oui ? Vous pourriez être plus explicite ?

— La peur. Qui a peur, et de quoi… S'il y avait un assassin ici, il aurait peur, non ? Il devrait avoir peur.

— Et voilà ! Il suffisait d'y penser. C'est donc Paulette, la ménagère du curé, celle qu'on protège de toutes parts. Elle a sans doute eu un moment d'égarement, il y a de cela vingt-deux ans.

— Mais non : arrêtez un peu ! Justement, c'est ceux qui devraient avoir peur qui ne l'ont pas. Ceux qui ont la force physique de tuer à la hache qui n'ont pas l'air inquiets. Le curé, Corinne, son mari sans doute, Jasmin, et même un homme comme Aimé. On ne peut pas écarter les gens qui sont morts.

— D'ac. Mais si la peur avait un autre objet ? Si Paul craignait d'avoir été la cible ratée du meurtre. Bonne raison de ne pas vouloir se montrer tant que l'endroit n'est pas net, non ?

— Émilienne ne serait qu'une victime accidentelle ? Ben voyons ! Tuer à coups de hache quelqu'un qui ne nous a jamais rien fait ? Un peu gros comme erreur, non ?

— Attendez, attendez : l'assassin vise Paul. C'est lui qu'il veut. Il prend la hache, question de se montrer persuasif. Pas un instant il n'a songé à tuer cette femme. Il veut la terroriser et lui faire avouer quelque chose : où se trouve Paul, s'il est le fils d'un tel, est-ce que je sais… Émilienne se montre inébranlable. Ce désordre, cette poursuite à travers la pièce prouvent qu'elle a vaillamment résisté à l'assaillant. Cette mère exemplaire mourra pour défendre son fils. Même si on massacre ses chères poupées une à une. Et c'est ce que l'assaillant fait : il se livre à un saccage en règle sans faire fléchir la pauvre femme. Alors, excédé, il saisit la hache et la lui enfonce dans le dos. Il est allé trop loin, il s'est vachement piégé avec cette arme de bûcheron.

— O.K., mais trouvez-moi ce qu'il voulait tant savoir. Et je vous avertis : ça a besoin d'être important.

— Le père incestueux, tiens ! Pourquoi pas ? Sa fille lui a juré qu'elle avait avorté et, dix-huit ans plus tard, le voilà qui apprend que son rejeton se promène au village !

— Et pourquoi ça le dérange ? Son fils sait même pas qu'il est son fils ! Il peut rien révéler : il ne le sait pas !

— Et l'argent dont il héritera ? Ce n'est quand même pas rien, ces millions. De quoi changer de discours et se trouver dispo à la paternité, non ? Ou alors, c'est la mère véritable. Rongée de remords, elle veut savoir si c'est son fils, et elle torture Émilienne pour y arriver.

— Arriver où, Patrice ? À quoi ? Elle l'a donné, cet enfant. Elle s'en est débarrassée, on ne le lui a quand même pas arraché ni volé !

— Retour au père, alors. Celui qui ignorait tout. Il faut lui donner raison, à Corinne, c'est un meurtre de mec.

— Retour à la peur, Patrice, on s'égare. La peur de Paul.

— Fort bien : essayons de voir qui peut lui faire peur.

— Tout le monde : les enfants à l'école, les gens qui le trouvent pas normal, le curé qui veut l'éloigner de sa maman et l'envoyer étudier au loin. Tous ceux qui le jugent.

— Attention, Vicky, ça dérape : c'est son apparente homosexualité qui le rend discutable aux yeux des gens. Pas son origine, puisque personne ne le savait adopté. Cet enfant, jusqu'au meurtre, il était légitime aux yeux de tous. Et c'était le bon plan.

— Sauf pour tous ceux qui savaient… et ça fait beaucoup de monde.

— La vérité a pu couler, effectivement. Notre souris d'église a peut-être fouillé les papiers du curé. Je la vois bien scruter ses secrets pour assurer ses arrières…

— Franchement ! Elle est amoureuse de lui !

— Elle pourrait aussi être ombrageuse, jalouse, qui sait ? Elle a un visage d'ange, mais ce handicap n'arrange pas l'ensemble. Elle a pu se sentir menacée…

— Je pense pas que le curé avait écrit le secret d'Émilienne nulle part. On divague. »

Désœuvré, Patrice remplit son verre et verse une rasade à Vicky.

« Ça suffit, Patrice.

— Revenons à ce bon curé à l'humeur si joviale. Il connaît tous les secrets des gens, grâce à son ministère et à la confession. Il possède toutes les clés. Ce plan d'adoption vous paraît crédible, à vous ?

Il a pu l'inventer… pour protéger le secret d'une paternité honteuse… la sienne en l'occurrence.

— Non ! Corinne nous l'a dit : l'enfant est celui de l'inceste.

— Et pourquoi on ne lui aurait pas menti, à cette bonne dame ? Le docteur fait un pacte avec le curé : il assure pour l'enfant, mais jamais sa femme ne doit connaître l'identité du père. Ou mieux : le docteur est le père de l'enfant, issu d'une liaison.

— Wo ! Wo ! Arrêtez de boire, Patrice ! Émilienne et Paul-Émile, c'était du roc. De l'avis général. S'il y a un couple solide, c'est celui-là. On ne va pas inventer d'adultère parce qu'on est perdus et que ça ferait notre affaire.

— Fort bien, je reviens donc au curé. Il pourrait être le père… Celui qui tripote les registres pour se rendre utile avait peut-être des raisons plus intimes d'agir ainsi.

— Il aurait inventé l'inceste ? O.K., Patrice, c'est possible. Et puisqu'il avoue avoir commis le péché de la chair, pourquoi pas avec Paulette ?

— Et qu'est-ce que ses amis en mal d'enfant ne feraient pas pour la sœur infirme de Corinne qui s'est fait engrosser par le curé ?

— Si c'est ça, Paul n'a pas grand-chose de son père.

— Mais son père a le physique idéal pour tenir une hache sans se blesser. Ajoutez à cela qu'il adore la randonnée, que sa présence sur les routes ne suscite jamais la moindre question, et qu'il est le premier appelé sur les lieux du crime. Le premier à entrer dans la pièce, après les parents d'Émilienne. Si ça se trouve, il a pu lui-même distribuer son ADN sur le cadavre : ni vu ni connu, je t'embrouille ! Qui nous a dit qu'il y était, déjà ? Nous possédons un témoignage… »

Vicky feuillette son carnet : « Ce matin, notre belle directrice sexy… qui a aussi émis l'hypothèse du curé père naturel de Paul. L'autre possibilité étant Aimé Dion. C'était la rumeur…

— Nous ne sommes donc pas les premiers à y penser. Et pourquoi était-il sur les lieux du crime ? Il ne nous en a pas soufflé mot, je me trompe ?

— Non, parce que ça fait partie des rites religieux : il est allé administrer l'extrême-onction. À Montréal, ça se fait plus depuis longtemps, mais dans les régions éloignées, il y a vingt-deux ans, je vous garantis qu'on appelait le curé pour sauver l'âme de la victime.

— Comme c'est pratique : il n'a pas à bouger le petit doigt, on le sonne ! Ne lui reste qu'à asperger le tout d'eau bénite…

— Mais attendez : on n'a pas dû le trouver s'il était occupé à rincer sa soutane dans le bois. Il n'y avait pas de cellulaire dans le temps.

— Au contraire, il a eu tout son temps : vous oubliez que le petit a bercé sa mère jusqu'à l'arrivée des grands-parents. Deux heures, ou pas loin. Le bon curé avait fait sa petite promenade et il était rentré peinard. Et si quelqu'un risquait de trouver des éclaboussures, c'était Paulette, la toute dévouée qui ne lui aurait jamais fait faux bond.

— Vous pensez qu'elle saurait ça ? Ça se peut pas !

— Mais non… futée comme elle est, si elle a vu du sang, il a pu lui raconter n'importe quoi. Elle ne risquait ni de saisir ni de cafter.

— Bon, je résume nos trouvailles : Yvan Gauthier est le père de Paul. Paulette est la mère. On envoie Paulette accoucher ailleurs, et Émilienne revient avec le petit dans les bras. Le curé enregistre la naissance de son fils légitime aux noms de Paul-Émile et Émilienne. Disons même que Paulette n'a pas accouché à l'hôpital, mais dans un endroit à l'écart, avec le bon docteur qui sera le papa. Tout est beau. Tout va bien. Premier malheur : papa Paul-Émile meurt quand Paul a cinq ans. Émilienne est là, elle l'élève toute seule dans une ambiance… un peu surannée et efféminée, avec toute une société de poupées. Deuxième malheur : les enfants s'acharnent sur Paul et ses manières. Et revoilà le curé qui s'en mêle, qui conseille et qui oriente le petit vers la ville. Puis, les dix-huit ans de Paul arrivent. Et là, quoi ? Le curé Gauthier désirait quelque chose qu'Émilienne refusait ? Ne venez pas me dire qu'il voulait être reconnu comme père !

— Ça déconne… grave ! Il a pu prendre peur, voir sa carrière ecclésiastique s'effondrer ?

— Mais il a dit que les honneurs et l'avancement ne l'intéressaient pas.

— Précisément : est-ce parce qu'il le prétend que nous devons le croire ?

— Franchement, Patrice, je l'ai cru, moi. Pas vous ?

— S'il s'avère qu'il est notre candidat, il ment depuis assez longtemps pour être crédible.

— C'est bizarre parce que c'est vrai, il a tout pour être suspect. Mais il me semble trop relax, trop bon enfant… ça marche pas, Patrice. On invente des mobiles. Il n'a rien d'un tueur. L'homme qu'on a rencontré n'est pas un arriviste, c'est pas un menteur. Il respecte les gens, il essaye d'aider les paroissiens. Pensez à ce que Corinne a raconté sur son frère Gontran… c'est cohérent avec l'homme qu'on a vu. Il a aidé un ancien confrère sans le juger, même sans juger son athéisme. Je sais pas, mais il s'en fiche de sa réputation ce gars-là ! Il ne peut pas avoir tué Émilienne pour se protéger. Regardez comment il a agi avec Paulette quand les mauvaises langues ont parlé : il l'a éloignée, mais il l'a gardée comme ménagère. Un homme qui fait ça ne part pas tuer quelqu'un pour camoufler sa paternité. Et puis, je suis certaine d'une chose : si Émilienne l'avait su, Corinne le saurait aussi. Et elle ne le protégerait pas. Parce que je la crois sincère.

— Alors ? Qui ment ? Qui est si bien assis sur son mensonge, comme vous dites ?

— Il faut revenir à la peur, Patrice. Qui a peur au point de tuer ?

— Et de l'aveu même de Corinne, Émilienne s'apprêtait à révéler tout un secret. »

Il allume une cigarette et Vicky ferme son calepin, découragée. Il écrase précipitamment. « Non, non, Patrice. C'est pas ça. J'en peux plus. Je suis trop soûle pour penser droit. Je vais dormir. J'entrerai les données très tôt demain matin.

— Quelle pensée déviante a pu vous traverser l'esprit pour que vous vous sauviez à toutes jambes ?

— Je vais vous la laisser : Paul est arrivé le jour de ses dix-huit ans, tout heureux et ravi d'être célébré. Quand sa mère a fait ce qu'elle avait décidé de faire malgré le désaccord de Corinne, il est venu fou de rage. Il a capoté. Il a tout détruit dans la maison: son enfance, ses liens avec sa mère et, pour finir, sa mère. Je vais sérieusement étudier son dossier médical. En temps normal, il ne pouvait pas avoir la force physique, mais en pleine crise psychotique, il aurait pu. Vraiment, même ses propos suicidaires donnent à penser qu'il l'a fait.

— D'accord, je veux bien. Ça se tient. Mais il y a un hic: pourquoi nous appeler à l'aide? Pour confirmer qu'il n'aura pas fait vingt-cinq ans de taule pour du vent? Pour être enfin déconsidéré aux yeux de tous?

— Vous voyez bien que je ne pense pas droit. Bonne nuit!

— Attendez, vous ne marchez pas très droit non plus. Vous voulez que je vous raccompagne?»

Elle ne lui répond même pas. Elle sort, tête haute, presque rigide tant elle se redresse.

***

Une fois seule dans sa chambre, Vicky dessoûle très vite. Elle est incapable de ne pas recomposer le numéro de cellulaire de Martin... qui est toujours fermé. C'est limpide: il ne désire ni lui parler, ni même l'entendre.

Déprimée, elle fait les cent pas dans cette suite conçue pour travailler. Puisqu'elle ne dort pas, elle devrait s'y mettre et entrer les données dans son ordinateur.

Tout ce qu'elle arrive à faire, c'est rédiger un message pour Martin. Elle l'envoie en espérant qu'il prendra ses courriels et... qu'il lui répondra.

Au moins ne se couche-t-elle pas sans lui avoir dit le fond de son cœur. Elle a une pensée compatissante pour Corinne Gagnon-Ferguson et cette amitié si puissante qui la liait à Émilienne. Elle s'endort en se demandant comment une telle femme a pu négocier avec sa culpabilité. Si elle cherchait qui avait intérêt à rouvrir cette enquête, c'est Corinne qu'elle choisirait et non pas Paul Provost.

Corinne et sa tristesse palpable, son énergique refus de tout ce qui manque de bon sens.

Un mal de tête lancinant la réveille à peine quelques heures plus tard. Elle a beau avaler des comprimés, poser une débarbouillette fraîche sur son front, la douleur est installée pour rester. Ça lui apprendra à boire autant ! Il est même trop tôt pour faire monter un café digne de ce nom, et elle n'a pas envie du mélange « luxueux » laissé près de la cafetière électrique. Démoralisée, elle s'habille et sort. Au moins, l'air frais d'automne va lui faire du bien.

Elle se rend jusqu'aux berges du Saguenay où elle contemple les lumières de la nuit qui s'affadissent à mesure que le jour se lève. Une journée. Il leur reste une seule journée pour boucler l'enquête. Ce n'est pas assez pour passer au travers des rapports encore une fois. Ils devront se fier à leur première lecture et à leur instinct… sauf que son instinct ne lui indique pas grand-chose.

Le curé Yvan Gauthier avait de bonnes raisons de commettre le meurtre s'il était le père… mais elle n'y croit pas, justement, elle le sent honnête et franc.

Tout comme Corinne, Vicky trouve stupide de la part d'Émilienne d'avoir voulu tout révéler à son fils. Et lui, s'il ne l'avait pas tuée, il ne l'avait pas aidée non plus… Mais ce temps perdu à bercer sa mère l'innocentait ou presque : un tel état de choc est impossible à feindre. Par contre, s'il n'avait pas réagi de façon aussi inusitée, le meurtrier aurait eu à courir comme un dératé pour se rendre là où il obtiendrait un alibi. Vicky se dit qu'il serait intéressant de demander à chacun où il était, cet après-midi-là.

Un plan d'action commence à se dessiner dans sa tête et, à mesure, la pulsation douloureuse s'apaise. Elle rentre à l'hôtel, commande de l'expresso et s'attelle à la tâche.

À sept heures, le grognement de Patrice au bout du fil est éloquent : il aura besoin de beaucoup d'aspirines. Elle lui donne trente minutes pour lire ce qu'elle lui a envoyé par courriel. Ensuite, elle arrive. Qu'il sorte ses fiches, ils doivent discuter. Elle ne le laisse même pas maugréer, elle raccroche et va sous la douche.

Vingt minutes plus tard, presque prête, elle entend le « tink ! » caractéristique d'un courriel qui entre. « Non, Patrice, pas de délai. On est pressés ! »

C'est Martin.

Elle clique, le cœur fou, le respir suspendu.

Je t'aime. Tu m'aimes. O.K. ?

Elle se penche : elle embrasserait l'écran ! Elle l'effleure, comme si c'était Martin. C'est tellement lui, ce résumé. Tellement, tellement soulageant. Rien, aucun conflit ne pourra résister à ces mots-là, et elle le sait.

Elle répond : *O.K.*

Elle se retient d'écrire tout ce qu'elle a envie d'ajouter, et elle va frapper chez Patrice.

Il n'est pas fringant, son commissaire Maigret ! Hirsute, pas rasé, il l'avertit qu'il a accordé la priorité à la lecture et au café. Il l'observe, carrément abattu : « C'est pour me démontrer mon grand âge que vous êtes si performante ? Vous ne dormez jamais ? Vous dégrisez en prenant une douche ou quoi ? »

Elle ne lui dira certainement pas ce qu'un simple « O.K. » peut faire sur une gueule de bois.

Elle s'installe, ouvre son ordinateur : « J'ai fait le ménage...

— Et ça vous excite beaucoup. Allez, au boulot ! J'ai sorti mes bristols.

— Vos quoi ?

— Mes fiches. Vous avez déjà oublié mon esprit cartésien ? Allons-y, je vous écoute. »

Vicky a répertorié tous les acteurs connus du dossier. Dès qu'elle le pouvait, elle a inscrit la date de naissance et, le cas échéant, la date de la mort.

Ensuite, elle a fait trois colonnes : l'âge de chacun en 1967 – année de la naissance de Paul – la possibilité physique et factuelle d'être un parent biologique et, sur la dernière colonne, l'alibi pour le meurtre de 1985.

« J'ai fait le tableau à partir de l'hypothèse que les parents biologiques ne voulaient pas être identifiés. C'est mon mobile, pour l'instant.

— D'ac.

— Il y a des dates de naissance qui manquent. Pour celle de Paulette, j'ai extrapolé à partir de Gontran, son frère mort qui était plus vieux qu'elle. Pour Corinne, elle a dit qu'Émilienne avait sept ans de plus qu'elle... elle a donc soixante-dix-sept ans aujourd'hui.

— Vous rigolez ? Elle ne les fait pas, si c'est vraiment le cas.

— D'après vous, la cadette aurait quel âge ?

— Je suis nul pour ce genre de choses. Vous avez inscrit plus ou moins cinquante-cinq ans. Ça me paraît beaucoup, mais sa sœur étant... vous êtes certaine de ce que vous avancez ? Soixante-dix-sept ans ?

— Oui. Et si on croit ce qu'elle dit, son mari Bob a soixante-sept ans.

— C'est Jouvence, ce Saguenay ! Vous avez inscrit Bob en bonne position pour tout : père possible et alibi à confirmer. Le pauvre, vous le prenez pour un lapin : il engrosse sa femme et une autre pratiquement le même soir. Leur dernier fils est né en octobre 67, tout comme Paul.

— J'ai mis ce qui était possible. On l'éliminera.

— Et notre bon curé arrive en tête de liste ! Vingt-huit ans en 67 et aucun alibi solide... Passons. Pourquoi avoir mis un point d'interrogation pour l'alibi de Corinne ?

— Le grand ménage, c'est très pratique, mais y a pas de témoin. Bon, vous me direz qu'elle avait trop de peine à cause de sa chicane avec son amie pour être remontée la tuer le lendemain et je trouverais ça raisonnable, mais...

— On ne sait jamais ! D'accord... Paulette maintenant... intéressant alibi pour notre biche effarouchée : ailleurs. Vous le tenez d'où, cet ailleurs ?

— C'est exactement ce qu'elle m'a dit quand je lui ai demandé où elle était le jour du meurtre : "A... A... Ailleurs."

— Vraiment ?

— Elle n'a pas aimé que je le demande, en tout cas.

— Elle roucoulait peut-être dans les bras de son curé ?

— Si c'est ça, on le saura pas.

— Ailleurs, donc. Et qui avons-nous d'autre ? Ah oui, notre homme à tout faire, Aimé… à qui vous retirez également son alibi. La réparation de la fameuse cloche ne vous convainc pas du tout.

— J'ai deux problèmes avec ça : le premier, c'est le curé qui nous l'a dit et, en le faisant, il se donne un alibi à lui aussi. Ensuite, si l'assassin est quelqu'un d'ici, comment il a fait pour deviner que le troisième jour, la voie serait libre, qu'Aimé aurait enfin décidé d'aller au village réparer la cloche ? C'est pas tellement Aimé comme les autres qui se servent de lui qui m'agacent.

— Parce que si l'assassin est le curé…

— Dérangeant, non ? Tant qu'Aimé est chez Émilienne…

— Oui ? Vous avez l'intention de terminer ou c'est une charade ?

— Attendez, ça confirme que le meurtre n'était pas prémédité : la hache n'est pas une arme courante. La présence de l'homme à tout faire ne dérangeait rien au départ. C'est parce qu'il y a eu un meurtre qu'on lui a donné tant d'importance. À cause de la hache. Mais rien de tout cela n'était prévu. C'est ça, Patrice : la personne qui a tué n'avait pas du tout cette intention-là au départ. Elle voulait discuter… et ça s'est mal fini.

— Pas si vite, Vicky : parce que si quelqu'un a décroché cette foutue cloche, c'était dans l'espoir d'occuper Aimé Dion et d'avoir le champ libre. Ça, c'est de la préméditation.

— Même si ça ne lui permettait pas d'avoir un moment précis pour l'absence d'Aimé ?

— Ce qui nous force à considérer le cercle rapproché des intimes : ceux qui connaissent les allées et venues de l'homme à tout faire.

— Encore le curé Gauthier…

— Le seul à connaître potentiellement l'identité du père depuis la mort de Paul-Émile, le seul à savoir quand Émilienne serait seule, le seul à avoir toute la latitude nécessaire pour décrocher une cloche…

— Ça en fait pas mal, Patrice. Pas mal de questions, pas mal de "peut-être"… J'ai fait un peu d'ordre… »

Elle exhibe une dernière feuille sur laquelle elle a brièvement inscrit les questions demeurées en suspens.

1. Qui hérite de Paul s'il meurt ?
2. Le mobile : argent ou protéger le secret de la naissance de Paul ?
3. Où était Paulette Gagnon le jour du meurtre ?
4. Où était Bob Ferguson le jour du meurtre ?
5. Où était Jasmin Tremblay le jour du meurtre ?
6. La famille Villeneuve : qui reste encore ? Alibis et mobiles.
7. La cloche : faux ou vrai problème ? Délai acceptable, s'il est vrai ?
8. Si visite à Émi est pour discuter, pourquoi la tuer ?
9. Passé sexuel de Gontran (paternité incestueuse possible) ?
10. Liaison du curé : vrai ou faux ? Paulette ? Qui ?
11. Les deux enquêteurs qui ont repris leurs questions en 95, pourquoi n'ont-ils jamais écrit un rapport apportant ces réponses ?

Patrice retire ses lunettes : « Costaud comme départ. Attaquons cette liste sans tarder, voulez-vous ? Et ce dernier document ? Quelle bosseuse vous faites, Vicky ! On peut faire une pause ? »

Elle sourit : « Petite nature ! »

Une fois un copieux petit-déjeuner avalé, ils s'absorbent dans le dernier document qui est une ébauche de chronologie. Il y en a trois : celle de la conception et de la venue au monde de Paul, celle du meurtre d'Émilienne et celle de la vie du curé Gauthier.

Ils essaient de réunir les trois et de voir le portrait de la situation réelle. Mais trop d'informations sont tributaires de témoins qui peuvent avoir menti ou évité de tout dire. De plus, la question onze concernant les enquêteurs est rendue obsolète, les deux hommes étant décédés à quelques années d'intervalle, l'un en Floride, en jouant au golf et l'autre chez lui, paisiblement.

Ils sont plongés dans leur tâche quand le cellulaire de Vicky sonne au même moment que le téléphone de la chambre. Patrice jette un œil sur le réveil : « Neuf heures. Voilà qui est courtois et civilisé… pas comme certaine ! »

Ils raccrochent presque en même temps.

Patrice a la mine réjouie : « Vous savez qu'on vous cherche partout ? Et que, ne vous trouvant pas, on pousse l'audace jusqu'à déranger le grand méchant loup ? Notre charmant directeur, Jasmin, désire vous parler à tout prix.

— Bon ! Y va penser qu'on couche ensemble !

— Vous êtes cuite.

— Qu'est-ce que vous avez dit ? Je le rappelle ?

— Il est prêt à accourir si vous le demandez... Et vous ? Perso ? Non, je parie sur...

— Bon, arrêtez : c'était Corinne. Elle a mal dormi. Elle a tourné tout ça dans sa tête, ce sont ses mots. Elle s'en vient nous parler.

— Quoi ? Maintenant ? Ici ?

— Elle n'a pas dormi, je vous dis ! Elle a peut-être eu la même idée que nous pour Gauthier... Ça prouve sa bonne foi, non ?

— Écoutons-la avant de lui donner l'absolution. Permettez que je me rase ?

— Je vais rappeler Jasmin. Si je le rencontre, vous m'accompagnez ou non ?

— Je vais passer ma chemise de minet.

— Va falloir en revenir, Patrice !

— Même au bout du fil, je le rends nerveux : je n'y suis pour rien ! J'ai été très poli, vous me connaissez ?

— Je sais pas pourquoi ça ne vous gêne pas d'être aussi niaiseux ! À tantôt ! »

***

Corinne est défaite et, du coup, elle paraît plus âgée. Elle ne fait pas encore ses soixante-dix-sept ans, mais elle a perdu l'insouciance de la veille.

Elle ne les laisse pas la devancer : « Quand vous m'avez demandé pourquoi j'ai pas parlé de ma dispute avec Émi aux enquêteurs dans le temps, vous m'avez virée à l'envers, c'est pas disable. Ça faisait comme si j'avais quelque chose à voir avec ce qui est arrivé à mon amie ! Pis ça, vous pouvez pas savoir ce que ça me fait. J'ai jamais pensé nuire. Jamais voulu nuire ! J'étais fâchée contre elle, je la trouvais sans-dessein, mais je l'ai quand même pas tuée !

— Sans le savoir, vous avez pu y contribuer.

— Pourquoi vous pensez que je suis ici ? Je le sais ben que trop que j'ai pu faire ça ! Mais je vois pas comment !

— Vous l'avez dit à quelqu'un ?

— Non ! Pas avant qu'Émi soit morte, en tout cas… si c'est ce que vous voulez dire.

— Alors vous l'avez bouclée ? Pas un mot à quiconque ? Avant le meurtre, comme vous le spécifiez, parce qu'après, cela n'a plus aucune importance.

— C'est ce que je me suis dit aussi ! Quand j'ai engueulé Yvan sur ses choix de prédicateur et de thèmes de retraite, ça faisait un bon bout de temps que c'était fini pour Émi.

— Alors ? Qu'est-ce qui vous turlupine ? Pourquoi désiriez-vous nous voir ?

— Il y a… Il y a quelque chose que je sais et que je n'ai pas… je l'ai jamais dit. Et c'est peut-être une erreur encore plus grave que je fais en vous le disant. Mais cette nuit, quand j'ai compris que les parents biologiques de Paul pouvaient avoir affaire avec ce qui est arrivé à Émi… Quand je pense à ce pauvre enfant en prison… Je le sais pas. Je peux pas plus me taire que parler. Il faudrait que vous me juriez de ne pas le dire. Ça se peut pas, ça, ben sûr. »

Elle est tellement inquiète qu'elle en fait pitié. Elle a sa grosse veste de laine sur le dos et elle est assise à l'extrême bord de son siège, les mains jointes sur ses genoux, les épaules crispées. Patrice verse du café dans une tasse, la lui tend : « Si cela nous aidait à trouver la vérité, vous en seriez soulagée, non ?

— Non. Pas de café, merci. Je vais me faire sauter le cœur si j'en prends encore un autre… Soulagée, je dirais pas ça, non. J'ai tout fait pour protéger mon monde… Bon, je vais arrêter de faire le tour du pot. Hier, quand vous avez dit que les parents de Paul pourraient être revenus pour faire du mal à Émi… Le père, je le saurais pas, mais pas la mère. La mère a rien fait. Et je sais c'est qui. C'est ma sœur, Paulette. Et je peux vous jurer qu'elle était partie depuis trois jours. Mais c'est elle, la mère biologique de Paul. Personne sait ça. Et quand je dis personne, c'est personne. Même Émi l'a jamais su. Vous comprenez ? J'ai jamais, jamais dit un mot là-dessus. Et je suis sûre et certaine que Paul-Émile a tenu ça mort. Je peux le jurer sur l'Évangile ! Émilienne savait pas que la mère de Paul était ma sœur. On a toujours dit que c'était une fille abusée par son père.

— Et c'était le cas ?

— Non. Pas par papa, ça c'est sûr. Y a autre chose que vous devez savoir : on a promis à Paulette de s'occuper du petit, mais on ne lui a pas dit où et à qui on l'emmenait. Je ne peux pas vous dire qu'elle a fait le lien entre le bébé d'Émi et le sien. Elle ne m'a jamais posé une seule question là-dessus. Elle m'a fait confiance. Totalement. J'ai juré que je m'en occuperais, et c'est ce que j'ai fait. Quand Paulette s'est retrouvée enceinte… ça m'a jetée à terre. Elle venait d'avoir seize ans ! Seize ans, vous vous rendez compte ? Déjà que j'étais pas contente d'en attendre un autre, ma sœur m'arrive avec ça ! Ah, faites pas ces yeux-là. Tant qu'à dire la vérité, vous allez toute l'avoir. Mon dernier, je l'ai pas vu venir et ça faisait pas mon affaire. Quand t'allaites un petit de quatre mois, t'es pas supposée tomber enceinte. Avez-vous une idée que j'ai changé de méthode de contraception après ça ? En tout cas, Paulette est arrivée dans ma chambre un soir pour me dire qu'elle attendait peut-être. Elle l'a pas dit comme ça, évidemment, elle a parlé de ses règles qui avaient arrêté. Là, j'ai appelé Paul-Émile et j'y ai dit que j'avais besoin de lui. – Elle soupire. – Je voulais qu'il l'aide à s'en débarrasser. C'était tellement pas possible que Paulette aye cet enfant-là ! Tellement pas ! Papa l'aurait tuée. Même en la mariant au plus vite, ça se pouvait pas. Elle avait déjà quatre mois de grossesse. Ça paraissait pas une miette. Quatre mois ! Paul-Émile voulait pas toucher à ça. Y m'a dit qu'y trouverait une solution… Et il m'est arrivé avec son plan le lendemain.

— Pourquoi l'avoir caché à Émilienne ?

— Pour pas m'obliger à déménager avec Paulette et à ne plus jamais la voir, c't'affaire! J'ai jamais pensé que Paulette laisserait faire ça si elle le savait. Savoir son fils dans le même village, le savoir dans les bras de ma meilleure amie, ça aurait pas été endurable pour elle. J'ai essayé, on a tous essayé de faire au mieux.

— Et vous croyez vraiment qu'elle n'en a jamais rien su?

— Je vais vous dire une chose que j'ai toujours eu du mal à comprendre: Paulette s'en fichait. Elle voulait pas le savoir. En fait, elle voulait pas l'avoir… et une fois né, elle a jamais posé une maudite question sur cet enfant-là! Si je m'étais doutée… Ça me dépasse encore. Paulette, quand elle avait seize ans, c'était une fille enjouée avec nous autres et complètement fermée avec les étrangers. Elle a toujours été craintive. Ben, ce bébé-là, c'était comme un étranger. Il lui faisait peur. Vous me croirez si vous voulez, mais elle n'a jamais aimé Paul. Je voudrais pas qu'aujourd'hui quelqu'un lui dise que c'est son fils. Ça serait bon pour personne: ni pour Paul, ni pour elle, ni pour la mémoire d'Émilienne et de Paul-Émile. Pour personne. Je vous l'ai dit pour vous aider, ou parce que je me sentais coupable de ne pas avoir tout dit dans le temps, mais vraiment, je vois pas comment ça vous avance de le savoir.

— Où a-t-elle accouché? Vous y étiez?

— Ben là! Je venais d'avoir Luc! Y est né le 4 octobre. Paul-Émile a emmené ma sœur dans un chalet, leur maison de campagne qu'ils avaient dans le coin du lac Saint-Germain. C'est là qu'elle a passé les derniers mois de grossesse. Émi, elle, était à Chicoutimi, chez ses parents. Elle a toujours cru la menterie qu'on a racontée à tout le monde: Paulette était à Québec pour une grosse opération et de la réadaptation pour sa jambe. Ça a fermé la trappe à tout le monde quand y ont su que rien avait marché et que la pauvre boiterait toute sa vie. Personne a parlé de ça à Paulette, c'était déjà assez décevant de revenir aussi boiteuse qu'elle était partie, y ont tenu ça mort. J'avais dit à mes parents que Bob et moi, on payait l'opération et que Gontran s'occuperait d'elle à Québec. Une fois certains que ça leur coûterait rien et que saint Gontran la prenait sous son aile, on était tranquilles. Mon frère, c'était un vrai mot de passe avec mes parents.

— Le curé Gauthier était dans la confidence, lui… jusqu'où ?

— Y en savait pas mal… Y savait pour Paulette.

— Donc, la mère adoptive ignore de qui est l'enfant, la mère biologique ignore où va son enfant, mais le curé, lui, "en savait pas mal" ! Et pourquoi donc ?

— Parce que Paulette l'aurait suivi les yeux fermés. Parce qu'elle m'écoutait pas mal moins qu'elle l'écoutait, lui. Parce que Paul-Émile avait besoin de son aide pour que les papiers soient en ordre.

— Et peut-être aussi parce qu'il était le père ?

— Non. Yvan n'est pas le père de Paul. »

Elle est catégorique. Elle les regarde franchement et elle répète sa phrase. Patrice est un peu ébranlé par cette autorité et par la sincérité qui émanent de Corinne : « Comment le savez-vous ?

— Parce que je le crois.

— Vous entreteniez tout de même un doute, non ? Cette belle confiance absolue de Paulette, elle repose sur un sentiment, non ? N'est-ce pas vous qui avez personnellement veillé à protéger leur… complicité, que je qualifierais de conjugale ?

— C'est vrai que Paulette aime Yvan. Elle a été amoureuse de lui dès le début, dès qu'elle l'a vu.

— Situez-moi : c'était quand ?

— En 1966, quand il est arrivé ici pour aider le curé Labonté… celui qui est mort de leucémie.

— Et Paulette avait…

— … quinze ans.

— Et le curé Gauthier ?

— L'abbé Gauthier dans ce temps-là… y avait quoi ? Je sais pas trop… vingt-cinq, vingt-sept ans ? Pas trente ans, en tout cas.

— Comme c'est mignon ! Et vous ajoutez foi à ses protestations concernant sa paternité ?

— Oh ! Vous l'auriez cru, vous aussi. Paulette était pas la première à lui courir après. Toutes les filles de la paroisse sont devenues très ferventes quand il est arrivé. Mais il n'était pas question de céder, même s'il avait des tentations. Paulette avait des sentiments très forts, c'est vrai, mais ça l'a pas fait flancher. Pour être franche, il était pas mal plus sérieux et plus ennuyant que maintenant. Et les règles, c'était sacré ! Je vous dis qu'y devait avoir des confessions pas mal monotones, l'abbé Gauthier. Il s'est assoupli avec la vie, mais à l'époque, c'était le genre proche du missel.

— Et vous, étiez-vous sensible à ses charmes ?

— Quand il est arrivé dans le coin, j'avais deux enfants dans les jambes, une bedaine par-dessus la tête et je courais pour avoir de quoi nourrir tout le monde. Disons que j'ai pas eu le temps de remarquer ses charmes. Dans ce temps-là, Bob avait pas encore sa propre business et on habitait pas loin du chemin qui mène à la Descente-des-Femmes. On tirait le diable par la queue. Et comme j'étais tout le temps enceinte... Ben, si on voulait des enfants, fallait se grouiller. J'avais déjà trente-six ans, dans ce temps-là, c'était pas mal limite. Avoir des enfants après quarante ans, c'était pas facile et un peu mal vu. C'est pas pour rien qu'on a faite une neuvaine à sainte Anne pour Émi. Elle avait quand même quarante-deux ans.

— Les gens ont tout gobé ? Aucun ragot n'a circulé ?

— Si vous saviez comme on était contents pour elle ! La femme du docteur qui attendait enfin ! Tout le monde l'envoyait chez sa mère avant même qu'elle parte ! J'ai jamais entendu un mot de doute ou de suspicion. Pas un ! On a même compris qu'elle ne revienne pas pour les funérailles du curé Labonté. Pourtant, y était aimé. Je me demande ce qu'elle aurait fait si ça avait eu lieu à Chicoutimi... ça a ben failli ! Elle aurait été en peine. – Elle se tait soudain. – Voyez-vous si c'est bizarre : ça fait vingt-deux ans qu'elle n'est plus là... je viens encore de penser que j'allais l'appeler pour lui demander ce qu'elle aurait fait.

— Est-ce que ça a été dur de lui cacher les origines de Paul ?

— Non, parce que j'étais tellement convaincue que c'était mieux pour elle. Elle aurait son enfant, pas celui de ma sœur. Et Paul-Émile était d'accord avec ça : c'est lui qui lui apportait leur bébé.

— Elle l'a peut-être deviné quand même : elle l'a appelé Paul.

— Pensez-vous ! C'était pour Paul-Émile, ça ! Pas pour Paulette. Il ne s'est pas appelé Émile, même si les Villeneuve auraient ben aimé ça.

— Ils le savaient, eux ?

— Ben : nécessairement ! Ils ont gardé leur fille pendant cinq mois. C'est d'ailleurs monsieur Villeneuve qui a dit l'affaire de l'adoption aux policiers. Yvan pis moi, on n'aurait rien dit.

— Revenons au père de cet enfant. Si ce n'est le curé Gauthier, il y a bien un géniteur ! Sans le nommer, sans l'identifier d'aucune façon, dites-moi si cet homme aurait pu savoir que Paul était son fils ? Et réfléchissez sérieusement parce que c'est un élément fondamental.

— Non.

— Madame Ferguson…

— Ah, arrêtez de m'appeler de même ! Je vous dis des choses que j'ai jamais pensé dire. Appelez-moi Corinne.

— Fort bien. Corinne, ce père pouvait avoir un solide intérêt à ce que jamais son identité ne soit révélée.

— Évidemment qu'y avait intérêt ! Et c'est exactement ça qui est arrivé. On l'a pas su.

— Mais vous savez de qui il s'agit ?

— Non, je vous dis ! Je le sais pas. J'ai pas de nom !

— Il nous faudra interroger Paulette, alors.

— Elle vous dira jamais rien. Pensez-vous vraiment qu'elle va vous raconter ça ? Elle va vous regarder sans comprendre et ça sera pas faux : elle comprendra pas.

— Elle s'est sans doute confiée au curé ?

— Si Yvan Gauthier sait le nom de ce père-là, c'est un sapré menteur !

— Attendez Patrice, on va revenir en arrière : un enfant né le 9 octobre est conçu…

— Fatiguez-vous pas : j'ai toute raisonné ça plus souvent qu'à mon tour. Conçu le 9 janvier ou un peu avant parce que c'est un premier et qu'ils sont généralement lents à descendre. Je suis infirmière, j'en ai assez accouché pour le savoir. Paulette habitait chez nous. Elle était venue de Chicoutimi pour m'aider pour le temps des fêtes. Pour d'autres choses aussi, ben sûr. Le bel abbé la fascinait depuis l'été. Et on peut dire sans le faire se retourner dans sa tombe que papa était pas drôle à vivre. Donc, Paulette avait le choix entre ma sœur Monique, qui habitait Joliette, et moi... Monique était nouvelle mariée, et l'abbé était dans mon coin. Et notre frère Gontran s'était annoncé pour Noël.

— Vous avez donc remporté la mise.

— Si on peut dire... »

Elle se tait. Patrice regarde Vicky qui place sa main sur l'accoudoir du fauteuil pour lui signifier de se calmer, d'attendre. Corinne a l'air de peser le pour et le contre. L'aveu qu'elle hésite à faire semble très difficile.

Finalement, elle regarde Patrice : « Me donneriez-vous une cigarette ? »

Le temps d'inspirer sa première bouffée, la décision est prise : « Fait longtemps que j'ai pas fait ça !... Mon raisonnement, c'est pas Paulette qui me l'a confirmé. Elle n'a jamais parlé de ça. Elle a subi et c'est tout. Il s'est passé quelque chose... »

Dans le silence tendu, elle écrase sa cigarette, redresse les épaules : « La nuit du jour de l'An, ma sœur a été violée.

— Vous en êtes certaine ?

— Monsieur, dans les années 60, à Chicoutimi, quand on a quinze ans, qu'on vient d'une famille archi-scrupuleuse, archi-catholique où le bonheur d'un enfant ne compte pas, où le père a forcé son fils à devenir prêtre, quand on est vierge et assez innocente pour penser séduire un prêtre, oui, oui, je suis certaine de ce que je dis quand je dis que Paulette a été violée. La seule personne à qui elle aurait consenti était Yvan et il ne voulait rien savoir !

— Excusez-moi. Poursuivez.

— C'est ça. C'est tout. Paulette a jamais voulu dire ce qui s'est passé. Elle est retournée à Chicoutimi et, en avril, elle est revenue me voir pour m'annoncer qu'elle avait peur d'attendre un petit. Ça, c'est pour vous dire comment elle était dégourdie : elle avait peur, elle était même pas certaine d'être enceinte. Pauvre enfant !

— Vous avez tout de même une idée, non ? Où célébrait-on, ce 31 décembre ?

— J'ai mon idée, c'est vrai. Mais j'ai pas de preuves pour la paternité. L'important, c'est que vous sachiez que cet homme-là était loin le soir du meurtre d'Émi.

— Avez-vous partagé votre soupçon avec quelqu'un ?

— Oui. Et il n'y a aucun doute.

— Et ce confident, c'est Yvan Gauthier ?

— Ça changera rien pour vous autres que je vous le dise parce qu'y est mort. La personne avec qui j'ai le plus parlé de tout ça, c'était mon frère, Gontran. »

Surpris, les deux enquêteurs restent muets. Corinne répète que les coupables sont loin et qu'ils l'étaient aussi, le soir du 9 octobre 1985. Vicky sursaute : « Les ? Vous avez dit "les" ?... C'était un viol collectif ?

— Je ne peux pas être certaine, mais je le crois. En fait, je devrais dire que j'en suis certaine, mais je n'ai aucune preuve.

— Dites-nous ce que vous savez ou même ce que vous redoutez. Aidez-nous un peu.

— Je voudrais bien, mais je peux pas. Il faut que je me libère d'une promesse avant... »

Vicky lui tend son cellulaire en lui proposant de sortir.

Patrice est furieux qu'elle ait offert une si belle perche et qu'ils doivent être privés d'un détail de première importance. Vicky croit au contraire que la patience et le respect devraient donner de meilleurs résultats que la force autoritaire. Jamais Corinne ne parlera si elle pense nuire à quelqu'un, surtout s'il s'agit de Paulette, sa protégée.

« Quand on déterre des secrets de famille, Patrice, on n'y va pas avec une pelle mécanique. »

Il déteste quand elle a raison.

***

« Le soir du 31 décembre, Paul-Émile et Émi organisaient un souper. C'était la tradition. Noël et le jour de l'An, c'était pour la famille, le 31, c'était pour les amis. Ce soir-là, il y avait l'abbé Gauthier aussi. Et parce que mon frère Gontran était venu rendre visite à mes parents de Chicoutimi avec deux autres vicaires de Québec, Émi l'avait invité. On était donc six à table. J'avais emmené mon bébé parce que j'allaitais encore et ma sœur Paulette gardait les deux autres à la maison. On a beaucoup ri, ce soir-là. Mon frère a bu pas mal et Yvan aussi. Bob laissait pas sa place non plus. Paul-Émile se tenait tranquille, parce qu'il prévoyait toujours être appelé au chevet de quelqu'un. D'ailleurs, il avait agacé Yvan à ce sujet-là... après tout, il remplaçait le pauvre curé Labonté, y aurait dû rester sobre. Quand est venu le temps de partir, c'est moi qui conduisais. J'avais pas pris une goutte, j'allaitais. Paul-Émile devait descendre faire une piqûre au curé. Je lui ai dit de rester chez lui, que je le ferais, moi : on habitait pas loin du presbytère, c'est pas comme si je devais faire un détour ! Comme j'avais souvent assisté Paul-Émile et que c'était moi qui donnais les soins au curé, Paul-Émile est resté chez lui.

« Je me suis arrêtée à la maison avant. Pour chercher ma trousse. Yvan et Gontran ont décidé de marcher jusqu'au presbytère. J'ai couché mon gros Marco endormi et j'ai laissé Bob ronfler. Paulette voulait m'accompagner. Évidemment, elle parlait de souhaiter la bonne année à son frère, et moi, je savais qu'elle visait Yvan. Gontran couchait au presbytère avec ses amis. C'était trop petit chez nous.

« En arrivant au presbytère, je suis tout de suite montée au chevet du curé. Ça n'allait pas bien. Il souffrait beaucoup. Comme toujours, il ne voulait pas déranger. Sa respiration m'inquiétait, je me suis même demandé si j'appellerais pas Paul-Émile à la rescousse. Je lui ai fait son injection et j'ai attendu avec lui, pour voir si ça calmait son mal. Il ne lui en restait pas pour longtemps, je le voyais bien avec ses yeux creusés, son teint… Il endurait le martyre sans rouspéter. De la chambre, j'entendais les jeunes rire en bas. Je me souviens d'être sortie et d'avoir été dans l'escalier leur crier de baisser le ton. Yvan est venu au bas des marches me jurer qu'ils finissaient leur partie de cartes en silence et qu'ils iraient tous se coucher après.

« Je pense que je me suis presque endormie au chevet du curé. Paulette est venue me demander si je resterais encore longtemps. J'aurais bien voulu partir, mais si le râle que j'entendais empirait, il faudrait avertir Paul-Émile. Je lui ai demandé d'aller chercher Gontran pour qu'il prenne ma place, mais il dormait comme un gars soûl : pas réveillable ! J'ai eu une montée de lait, il fallait que je rentre nourrir Marco. Paulette a dit qu'elle resterait avec le curé et qu'elle m'appellerait si le râle devenait plus fort.

« J'étais pressée, je suis partie vite, sans voir personne : j'avais le chemisier tout mouillé sur la devanture, j'avais pas envie qu'on me voie de même !

« Le lendemain matin, comme le téléphone avait pas sonné, je ne me suis pas inquiétée. Quand j'ai vu que Paulette n'était pas rentrée, j'ai pensé qu'elle avait dormi au presbytère. J'ai appelé. Paulette était pas là. Elle était partie trente minutes après moi, escortée par les deux abbés, les amis de Gontran. C'est Yvan qui l'avait remplacée au chevet du curé. – Elle ferme les yeux, prend une profonde inspiration. – On l'a retrouvée dans la sacristie de l'église. Tellement mal en point… je peux pas vous dire. C'était dégoûtant, épouvantable. Elle était terrorisée. Elle disait des prières tout bas, vite, vite, comme une incantation… Psalmodier, ça doit être ça que ça veut dire. Gontran a pas pu l'approcher. Ni moi. C'est Yvan qui lui a tendu une débarbouillette pour qu'elle lave son visage où le sang et le sperme avaient séché. Elle voulait pas bouger de la sacristie. Ils l'ont gardée là, le temps qu'y fallait.

« Quand on a fini par rentrer, elle et moi, ça a tout pris pour la rendre présentable. Je pouvais pas camoufler les dégâts. Personne aurait pu. Et c'était le souper du jour de l'An à Chicoutimi. J'ai appelé Yvan et j'y ai demandé de venir, mais le curé allait mal. J'ai conduit

Paulette pis mon avant-dernier au presbytère, pis j'ai inventé une fièvre pour expliquer leur absence au souper de famille. Jamais j'oublierai ce soir-là… Gontran était mort de honte, même si y avait rien fait. Papa s'est agenouillé devant son fils adoré pour lui demander de nous bénir. Mon frère était blanc, y avait les yeux pleins d'eau. Papa le pensait ému aux larmes, parce qu'il lui laissait sa place. Par tradition, c'est le père de famille qui bénit. Je voyais mon petit frère se noyer de remords et papa plastronnait comme s'il avait gagné une médaille olympique ! Y a même pas passé de remarques sur l'absence de Paulette. Maman a juste dit ce qu'elle disait toujours : "C'te pauvre p'tite : belle du haut, infirme du bas, elle trouvera jamais à se marier !" Infirme du bas, je peux vous jurer qu'elle l'était devenue, cette nuit-là. Moi, je les ai soignés les bleus, les marques de violence… Je peux vous jurer une chose : ils l'ont pas juste violée, ils l'ont battue, ils se sont acharnés sur elle. Je pourrais jamais vous dire comment ils se sont conduits parce que je ne pourrais pas imaginer les actes qui provoquent autant de marques. Sur le corps pis dans tête… Quand j'ai dit tantôt que Paul-Émile l'avait examinée, le jour où elle a cru être enceinte, j'ai menti. Il est venu, c'est vrai. Mais il n'a jamais pu la toucher. C'est moi qui ai fait le suivi de la grossesse. Et c'est moi qui l'ai accouchée. Je sais, j'ai menti… on pouvait rien faire d'autre. Je suis montée au chalet du lac avec mon petit dernier de quatre jours. Une chance que Bob venait de partir sur un chantier pis que la gardienne croyait tout ce que je disais ! Paulette était en travail depuis six heures et Paul-Émile pouvait même pas l'étendre. Ça a duré… On a failli faire une césarienne… Elle priait tout le temps. Je suppose que ça ressemblait à la nuit de son viol. Les prières se bousculaient tout bas entre les contractions : "Je vous salue, Marie, pleine de grâces…" Cet accouchement-là, c'était comme un deuxième viol, pour Paulette. Ça a pris pas loin de quarante-huit heures, et quand Paul est né, elle l'a même pas regardé. Paul-Émile est parti avec lui… »

Corinne se tait, le regard perdu. Une immense tristesse émane d'elle, comme si elle se permettait d'être accablée par tout ce qu'elle avait toujours caché. Elle tend la main vers la tasse de café, maintenant refroidie. Patrice se lève et en verse une nouvelle, qu'il lui tend. Elle la prend sans boire, comme pour réchauffer ses doigts qui se joignent sur la porcelaine.

« Paulette est jamais revenue comme avant. Elle n'a jamais reparlé de la nuit du viol ou de celle de l'accouchement. Elle n'a jamais demandé ce qu'était devenu l'enfant. Je me demande même si elle n'a pas cru que mon dernier, Luc, était le sien. Elle l'adore. Ils ont un lien, ces deux-là… avec Yvan et moi, c'est le seul à pouvoir la faire rire. Quand ma petite sœur rit, j'entends tout ce qu'elle a perdu cette nuit-là… la nuit du jour de l'An.

— Et Paul ? »

Corinne regarde Vicky sans comprendre où elle veut en venir. Vicky précise sa question : « Est-ce qu'elle a deviné, soupçonné quelque chose ? Est-ce qu'elle s'en est approchée ? Qu'est-ce qu'elle en disait ? »

Corinne hoche la tête sans l'ombre d'une inquiétude : « Assez laid pour faire des remèdes avec ! C'est tout ce qu'elle en a jamais dit. Et c'est faux, d'ailleurs.

— Et les vicaires, eux ? Qu'en est-il advenu ?

— Ils sont repartis pour Québec le jour même.

— Mais !… Il y a bien eu dénonciation ? Ne me dites pas qu'ils ont filé sans être inquiétés ?

— Ça, vous le demanderez à Yvan Gauthier. Moi, je me suis occupée de ma sœur. Et si poursuivre des salauds voulait dire exposer Paulette à encore plus de violence, et là je pense précisément à mon père qui aurait trouvé le tour de la juger coupable, devinez de quel côté j'étais. J'en avais plein les bras. De toute façon, si je les avais eus devant moi, je les tuais. Je les tuais avec mes deux mains nues. »

Patrice constate qu'elle a les mains assez fortes pour mettre une telle menace à exécution.

« La promesse dont vous vouliez être déliée, cet appel que vous avez passé, c'était pour qui ? Le curé Gauthier ? »

Corinne se lève péniblement, s'approche de la fenêtre. Elle regarde le Saguenay qui coule au loin: « On voit la maison de ma famille, là-bas. La grosse maison du notaire Gagnon… Mon frère Gontran s'est senti coupable toute sa vie. Ça le hantait. Il m'a dit que jamais plus il n'a été capable d'entendre en confession les péchés de violence sexuelle. Ça lui donnait envie de vomir. Pas heureux en religion, pas plus heureux une fois sorti. Il ne s'est jamais pardonné sa soûlerie de ce soir-là… et d'avoir laissé Paulette partir avec des hommes qui parlaient de sexe avec beaucoup de liberté. Il avait cru qu'ils faisaient les matamores pour l'impressionner, lui montrer que la vraie vie n'avait pas de secrets pour eux. Des chiens sales ! Si vous saviez comme je l'ai loin, leur repentir !

— Tiens donc ! Il y a eu repentir ? Et comment cela est-il venu à vos oreilles ?

— Gontran disait ça… Je pense qu'il voulait le croire. »

Elle regarde Patrice avec cette absolue tristesse qui la rend vulnérable : « Mon frère… C'est comme si c'était lui qu'on avait violé. C'est comme s'il avait porté les marques plus longtemps que Paulette. Il ne voyait pas le tour de s'en remettre. Il voulait tellement aider, réparer… Voir Paulette, lui parler. Il a fini par savoir pour l'enfant, parce qu'il était tout le temps fourré ici, après. Dès qu'il avait un congé, il venait le passer ici. Pensez-vous qu'on peut mourir de culpabilité ?

— Sûrement.

— Ben, c'est de ça qu'il est mort.

— Victime collatérale…

— Oui, c'est exactement ça. C'est pour dire que la confession, ça arrange pas toute ! Ça l'a pas soulagé, lui.

— La confession de qui ? Celle des vrais coupables ou la sienne ? »

Corinne se tourne vers Vicky avec un sourire amer : « Vous savez bien que ces deux-là s'étaient déjà pardonné, bien avant le jour où mon pauvre frère est mort. Mon pauvre petit frère qui pesait pas plus que cinquante kilos et qui mourait en faisant peur à Paulette à force de lui demander pardon.

— Vous connaissez leur nom ?

— Non… Oui, mais je les ai effacés de ma mémoire. Je voudrais vous les donner et je ne pourrais pas. Demandez à Yvan Gauthier… Pour ce que ça peut changer ! Cette nuit-là, il y a eu quatre victimes : Paulette, Gontran, Yvan et moi. Gontran en est mort. Aussi vrai que je suis là, il en est mort. Yvan… c'est quelqu'un de bien, vous savez. Il a tenu parole : il protège Paulette, il fait en sorte qu'elle ait une vie calme, apaisée. Elle est tellement confiante avec lui. Elle est rassurée. Yvan aurait pu avoir des promotions, aller à Québec, devenir évêque, peut-être… il a toujours refusé tout ce qui l'éloignerait de Sainte-Rose… pour être là pour elle.

— Et vous ?

— Moi, je suis l'aînée, alors j'ai joué mon rôle. J'ai pris les choses en mains. Et je me suis juré de prendre soin de Paulette, de ne jamais l'abandonner. J'ai des bons enfants, un bon mari et une bonne vie. Mais j'ai encore de la rancœur. Et malgré mon amitié avec Yvan, je ne me suis jamais réconciliée avec Dieu ou avec l'Église.

— Après un tel fiasco, ce serait beaucoup vous demander.

— Je pense que le bon Dieu devrait surveiller ses vicaires. En tout cas, certains… – Elle jette un coup d'œil à sa montre. – Appelez pas Yvan maintenant : il dit la messe. Il va vous attendre au presbytère à une heure. Il était certain que vous voudriez lui parler. »

Elle se prépare à partir quand Vicky l'interrompt avec douceur : « Vous avez dit qu'il y avait eu quatre victimes cette nuit-là… Il y en a une autre, Corinne, et c'est peut-être la plus maltraitée : Paul. Lui, il paye encore. »

Le regard de Corinne n'est plus qu'une supplication.

« J'ai fait ce que j'ai pu pour le protéger. Si ce que je viens de vous raconter avait pu l'aider, je l'aurais dit aux enquêteurs.

— Mais enfin : vous ne pouvez en être assurée ! Ces vicaires ont pu revenir !

— Non. Ça, je suis certaine qu'ils n'étaient pas dans le coin. Ils ne sont jamais revenus.

— Et on peut savoir d'où vous tenez cette belle certitude ?

— De Gontran. Il m'a juré les avoir neutralisés.

— Et vous l'avez cru ? Sans exiger la moindre preuve, le moindre levier pour les coincer en cas de pépin ?

— Jusqu'à la nuit passée, je l'ai cru, oui. Ce matin… je ne sais plus rien et je ne crois plus rien. »

C'est une Corinne vaincue qui sort de la pièce.

***

« Ça me débecte ! »

Vicky regarde Patrice s'agiter en arpentant la pièce. Elle le laisse exprimer le trop-plein d'émotions que le témoignage de Corinne a provoqué. Depuis qu'elle travaille à l'Escouade des crimes non résolus, les histoires de viols et d'abus sexuels perpétrés envers des enfants sont celles qui suscitent toujours les plus violentes réactions. Anticléricale depuis son adolescence, Vicky écoute avec indulgence Patrice s'excuser de ses propos « probablement infâmants » envers l'Église et ses commettants. Il y a longtemps qu'elle a émis les mêmes reproches, s'il savait !

Ils doivent se rendre chez Jasmin où ils sont attendus. Vicky espère que le trajet jusqu'à Saint-Basile-de-Tableau leur permettra de réfléchir à tout ce qui est modifié par les nouvelles informations recueillies. Mais, même au volant, Patrice a du mal à décolérer.

Il lui fait un long discours sur la sexualité déviée parce que déniée. Il s'enflamme en énumérant tous les scandales sexuels que l'Église a non seulement camouflés, mais invités à proliférer par son silence. Il en a long à redire sur la contrition et l'absolution, sur la vertu réparatrice du pardon : pour lui, le pardon ecclésiastique revient à une forme de renforcement positif du crime. Celui qui pardonne, qui efface, laisse le danger en place. Il se retourne pour voir la tête que fait Vicky : elle dort. Appuyée contre la portière, la tête légèrement inclinée, les mains ouvertes sur la carte routière posée sur ses genoux, elle dort profondément.

Patrice ralentit en souriant : le voilà, le secret de l'énergie de sa collègue. Au lieu d'argumenter contre l'impossible et l'immuable, elle se repose.

Il remercie mentalement Corinne de lui avoir donné des indications précises, parce qu'il aurait raté l'embranchement trop discret de la route.

Il arrête la voiture en arrivant à Tableau, avant d'atteindre la maison de Jasmin. Le point de vue est à couper le souffle. Il effleure d'un doigt caressant la joue de sa compagne et elle sursaute en ouvrant les yeux.

« Alors quoi ? On roupille au lieu d'écouter mes longs discours fumeux ? »

Elle sourit, regarde le panorama : « Wow !

— Oui, je partage votre opinion. Je ne vous dis pas la galère pour y arriver, mais ça vaut le détour, comme dirait le guide. »

***

La maison de Jasmin Tremblay leur arracherait la même exclamation. Agrippée à la falaise, elle domine le fjord et offre une vue saisissante. La décoration qu'ils ont admirée dans le bureau du musée règne dans tout le logis : modernité, chaleur, esthétisme à la fois classique et élégant.

Le conjoint de Jasmin leur est présenté. Un bel homme, rude, costaud. Gervais Veilleux est immense, comme ses tableaux, et il parle d'une voix grave étonnamment mélodieuse. Il observe beaucoup plus qu'il ne parle, d'ailleurs. Ses yeux sont pénétrants, Vicky en est presque intimidée. Il dégage une grande puissance et une solide autorité. À côté de lui, Jasmin s'affaire, les invite à s'asseoir, à admirer la vue, à prendre un café. Il est nerveux, fébrile, sa voix a monté d'une tierce. Veilleux sourit de le voir si énervé. Il offre de leur montrer son atelier, pièce pour laquelle la maison a été achetée.

L'immense verrière donne sur le nord, sur une pente raide parsemée de feuillus. Les toiles sont empilées contre les murs et celle sur laquelle il travaille est posée à même une bâche sur le sol. Dans cette très haute pièce, seule la lumière du nord règne, Veilleux ayant fait aménager un mur coulissant qu'il peut ouvrir ou fermer à volonté afin de varier les sources lumineuses. En actionnant le mécanisme, à mesure que les panneaux s'écartent comme les rideaux d'un théâtre, l'autre partie de la pièce est révélée : une verrière jumelle encadre pratiquement le paysage automnal baigné de soleil. Plein sud.

Veilleux explique que c'est à cause du point de vue que le village est appelé « Tableau » et qu'il trouvait cohérent qu'un peintre s'y installe.

« Une fois arrivé ici, tout a décollé pour moi. »

Jasmin donne les détails, parle des expositions internationales, de la place de Veilleux qui monte… et des prix qu'atteignent maintenant ses toiles. Pendant ce temps, distrait, Veilleux fixe le mur où plusieurs toiles s'entassent.

Il s'en approche et fouille en les malmenant. Jasmin s'interrompt, irrité de le voir faire, et lui demande ce qu'il cherche.

Sans répondre, Veilleux se détourne et va explorer une autre pile. Il finit par trouver en faisant un « Ah ! » satisfait. Jasmin lève les yeux au ciel, exaspéré.

Veilleux pose la toile carrée de quarante centimètres sur quarante centimètres contre un chevalet déjà occupé par une toile. Le chevauchement des deux œuvres réussit à mettre en valeur le petit tableau. Veilleux observe Vicky qui s'en approche, fascinée. C'est un paysage. Rien n'y est vraiment dessiné de façon réaliste, et pourtant tout y est reconnaissable. Il s'agit du Musée de poupées, ou plutôt de l'endroit où la maison est bâtie. Le paysage est nimbé d'un rouge automnal frémissant, un rouge amplifié par le soleil qui se couche, un rouge quasi dérangeant… qui en devient menaçant. Plus elle regarde, plus ce qui ne semblait qu'un décor d'arbres devient lourd, étouffant. Le paysage fait mal à regarder, comme si un hurlement s'y cachait.

D'une voix anxieuse, Jasmin demande pourquoi il montre ça. La voix de Veilleux, elle, est bien tranquille, et il s'adresse à Vicky : « C'est ce que j'ai fait le 9 octobre 1985, quand on m'a dit ce qui était arrivé à Émilienne Provost. Dans le temps, j'allais souvent peindre dans ce coin-là. À cause de la hauteur et de la vue. Je montais, avec tout mon attirail. Et elle, quand elle me surprenait à travailler, elle m'apportait du jus ou de l'eau. Et des biscuits. Ses fameuses galettes à mélasse et aux raisins…

— Dommage que vous n'ayez pas été dans les parages, ce jour-là… Vous auriez pu nous aider. »

Veilleux prend la toile, la range : « J'étais beaucoup plus haut. Après sa mort, j'y suis jamais retourné, même si Jasmin y travaille. »

Il actionne le mécanisme et l'ombre fraîche gagne la pièce peu à peu. Veilleux pose la manette et conclut : « J'aime pas les poupées. L'endroit ne me disait plus rien. Brûlé. L'endroit est brûlé pour moi. » Il se tourne vers Patrice : « Et non, je n'ai rien entendu de spécial ce jour-là : ni cris ni coups. Juste le vent et les oiseaux. J'étais à des kilomètres, et c'est bien de valeur ! »

Ils suivent leurs hôtes dans le salon. Veilleux les plante là après avoir déposé un baiser sur la joue de Jasmin. Il prend ses clés et, pour le plaisir évident de troubler Patrice, il annonce avant de partir : « Mes filles m'attendent. Bon travail ! »

L'effet est assez sidérant. Patrice se tait, Vicky sourit : de toute évidence, Veilleux a été mis au courant des désagréments de la rencontre de Jasmin et de l'enquêteur.

Elle ne laisse pas le silence s'installer : « Pourquoi vous vouliez nous voir, Jasmin ? »

Une longue confession suit la question de Vicky, une confession honnête et détaillée.

Né à Larouche, Jasmin a su très tôt que les femmes ne seraient pas ses compagnes. Dans son minuscule coin de pays, la nature de ses attirances avait avantage à être tenue secrète. C'est donc tardivement, à l'âge de vingt ans, en arrivant à l'Université du Québec à Chicoutimi en histoire de l'art, que sa « vraie vie » a commencé. Timide, discret, Jasmin se tenait – de son propre aveu – avec des voyous, des petites frappes qui ne faisaient pas beaucoup de différence entre baiser et exploiter. Sa chance a été de ne pas avoir d'argent. Il ne représentait pas une proie de luxe pour ces hommes délurés qui le méprisaient ouvertement, tout en se servant de lui.

Son homosexualité active est restée honteuse et cachée. Il avoue qu'il la traitait honteusement en allant toujours vers des partenaires indignes. Sa mère, son père, ses frères et sœurs, personne n'avait jamais eu la confirmation de « ses tendances » même si tous s'en doutaient.

En 1991, à la fin de son bac, il rencontre Veilleux à un vernissage collectif où il exposait lui-même un collage. Pour Jasmin, ça a été le coup de foudre. Le géant Veilleux, son intensité sourde, son talent époustouflant l'ont conquis au premier regard. Ce jour-là, Veilleux a fait trois choses qui ont précipité les évènements pour Jasmin : il lui a présenté sa femme, il a critiqué son collage et il lui a conseillé de s'occuper des artistes au lieu d'essayer de le devenir. Veilleux, pour la xième fois, venait de se faire avoir par un galeriste de Montréal, et il se montrait amer et déçu.

En rentrant chez lui ce soir-là, Jasmin a trouvé son appartement mis à sac par sa liaison du moment… qui avait pris tout ce qui pouvait se vendre plus de deux dollars.

Découragé au-delà de l'exprimable, il avait fait ses bagages et était parti pour Québec, avant que son amant ne le fasse arrêter en lui mettant ses vols sur le dos.

À vingt-trois ans, il s'est inscrit en gestion à l'Université Laval, et à partir de là, il s'est intéressé aux arts pour en jouir et non en produire. Dès qu'il avait assez d'économies, il partait visiter des musées dans les plus grandes villes du monde. Et il suivait la carrière cahoteuse de Veilleux. Il l'avait revu en 1994 à Québec lors d'une expo mettant en vedette les « talents à surveiller » et Veilleux était toujours aussi négatif envers les galeristes. Mais il s'était informé de lui, de ses études, de ses projets. Comme le spécifie Jasmin, Veilleux regardait droit dans les yeux et ne posait jamais une question pour être poli. Ce soir-là, ils avaient discuté peinture avec passion. Et cette fois, Jasmin avait parlé de l'évolution de Veilleux… qui stagnait un peu, selon lui.

L'année suivante, il a posé sa candidature pour le poste de directeur du musée et il l'a obtenu. Ce n'était pas le rêve de sa vie de se retrouver à Sainte-Rose-du-Nord, directeur d'un minuscule musée dont la réputation n'était que régionale et ne reposait même pas sur les trésors (réels) qu'il contenait. Mais c'était un emploi. Et c'était dans la région où habitait Veilleux. Au début, il se méfiait de son patron, Paul Provost. Il le trouvait trop chétif, trop fermé, et il craignait que les grands-parents ne cherchent à les rapprocher… sur un autre plan. Il s'était même demandé si son homosexualité n'avait pas constitué un critère de sélection caché. Et puis, peu à peu, une fois par mois, il avait compris la détresse du jeune homme : complètement défait par la mort de sa mère, il n'attendait qu'une chose, et c'était se retrouver libre pour en finir avec la vie.

Cette obsession du suicide le tenait littéralement (et paradoxalement) en vie. La mort de ses grands-parents en 1997 n'avait pas amplifié le phénomène, mais Jasmin savait que ça n'avait rien changé : une fois sa sentence complétée, Paul en finirait avec la vie, il en avait la certitude. Voilà ce qui avait poussé Jasmin à chercher la vérité sur la mort d'Émilienne. Il avait engagé un détective privé, et cela n'avait qu'allongé la colonne des dépenses sans ajouter la moindre rentrée du côté des bénéfices.

Paul possédait beaucoup d'argent, mais aucun autre projet de vie que de se l'enlever. Et cela, même si les poupées dont il avait une connaissance inouïe et un souci constant ne décevaient pas ses attentes.

Patrice estime que le récit est bien minutieux pour le temps dont ils disposent et il leur en fait part, malgré le regard indigné de Vicky.

Se sentant bousculé, jugé, Jasmin hésite, il n'achève plus ses phrases et se répète lamentablement. Vicky finit par lui demander un verre d'eau, qu'il est très heureux d'aller chercher.

« Qu'est-ce qu'on s'en tape de ses états d'âme ! Pauvre con !

— Allez vous promener quinze minutes, Patrice. Laissez-moi terminer.

— Alors là, j'aurai tout entendu ! On a autre chose à faire que d'écouter ses histoires de pédé.

— Oui, et on va le faire. Allez fumer dehors, voulez-vous ? Quinze minutes, pas plus. »

La tentation est grande, elle le constate, Patrice aimerait bien attaquer encore. Vicky l'interrompt en voyant Jasmin revenir avec un plateau où il a disposé trois verres d'eau.

Patrice change de ton et déclare presque gentiment qu'il doit aller en griller une au risque d'être mal barré pour la journée.

Dès qu'il est parti, un Jasmin soulagé termine son récit en vitesse et en confiance. À partir de 95, Veilleux et lui se sont revus. En 99, Veilleux l'embrassait et se découvrait amoureux de lui. Il a quitté sa femme, ses deux adorables filles et il s'est installé avec lui. Les bouleversements dans sa vie ont eu des répercussions dans l'œuvre, mais le marché ne suivait pas. De 1999 à 2005, ils ont vécu du petit salaire de Jasmin qui payait aussi le matériel d'artiste. Ils ont déménagé trois fois avant de trouver cette maison qui avait tout pour leur plaire, sauf qu'elle était inaccessible pour leurs moyens.

Paul Provost avait tranché: il avait offert un prêt extrêmement avantageux à Jasmin. Un prêt énorme qu'aucune banque n'aurait consenti… et que Jasmin n'était pas certain d'être jamais en mesure de rembourser. Paul avait insisté. La chose s'était faite.

Jasmin avait peur que cette nouvelle arrive aux oreilles des enquêteurs et paraisse suspecte. Cette reprise de l'enquête, il l'avait demandée en espérant que Paul y trouverait suffisamment de réconfort pour renoncer à son projet macabre. Et Paul l'avait bien compris. C'est d'ailleurs en discutant avec lui après l'encan de vendredi passé que Paul lui avait conseillé de leur révéler l'existence du prêt. Il avait ajouté que ce qu'il resterait à recouvrer du prêt serait transformé en donation à sa mort. Et que, pour éviter des ennuis avec les détectives qui y verraient matière à suspicion, il avait intérêt à tout dire dès maintenant.

« Je vous jure que ça l'amusait, en plus ! Comme si c'était un bon coup. Moi, je suis tellement mal de savoir ça… je ne pouvais pas garder ça pour moi, vous comprenez ? Il a raison, Paul ! Ça pourrait être suspect aux yeux de monsieur Durand.

— Qui va hériter à la mort de Paul ?

— Aucune idée ! Comment voulez-vous que je le sache ? Probablement le musée. Tout sera investi dans la poursuite des activités.

Tout ce que je sais, c'est qu'avec le motton qui va être disponible, y a ben du monde qui va se sentir en parenté tout à coup… »

Là-dessus, Vicky est d'accord. Elle remercie Jasmin, lui répète de ne pas s'inquiéter et s'apprête à partir. Elle s'immobilise devant un tableau disposé sur un guéridon dans l'entrée : le Saguenay aux eaux bousculées sous un ciel gris et violent. Les couleurs se mélangent et donnent un tel mouvement à l'ensemble qu'elle peut sentir l'odeur du vent. C'est un tableau très long et mince, comme un long ruban gris. Un ruban frémissant de désir.

« Je suppose que c'est inabordable, un Veilleux ? »

Jasmin sourit : « Surtout celui-là : c'est un des trois tableaux qu'il a faits après notre premier baiser. *Le Reflux du fleuve* que ça s'appelle, là où le fleuve salé remonte la rivière d'eau douce. »

***

Patrice se montre beau joueur : il essaie même de la convaincre que, sentant les réserves de Jasmin, il a « lâché du lest ».

Vicky est bien près de se moquer de tels sursauts d'orgueil qui donnent lieu à des inventions aussi tordues. Elle sourit sans rien dire.

« Allez, roupillez ! La journée sera costaud. »

Le mal de tête qui se réveille ne lui donne aucune envie de dormir. Et la soupe aux gourganes du curé Gauthier n'est pas envisageable une deuxième fois.

Ils s'arrêtent dans ce qui a l'air d'être une gargote… et qui se révèle un excellent casse-croûte.

Vicky stoppe Patrice qui revenait sur le témoignage de Corinne. Un viol au petit-déjeuner, passe encore, mais elle aimerait manger en paix avant de s'infliger la version de Gauthier.

« Parlez-moi de n'importe quoi sauf de prêtres violents et violeurs.

— Quel rabat-joie vous faites ! J'avais noté quelques trucs, histoire de relancer la réflexion.

— Gardez-les pour plus tard… je sens qu'on s'enfonce dans le "non-réglable".

— Quoi ? Vous baissez les bras ? Ne me dites pas que notre charmant directeur si sémillant a réussi à vous dégonfler ?

— Il m'a fait quelques aveux…

— Dignes de foi ?

— Oh, vous savez, la foi… C'est un mot dont je me méfie depuis ce matin.

— Sans blague ? Qu'avait-il à ajouter ? Outre le fait qu'il est bien maqué.

— Ça vous a coupé le sifflet, ça ? Il est quelqu'un, Veilleux, admettez-le.

— Je vous avouerai que je ne pige pas comment un mec peut virer sa cuti de la sorte. Il a des mômes !

— Ben oui… et c'est pas une spécialité de la région. Ça se fait partout. Ça arrive même à Paris ! Revenez-en, Patrice, je vais finir par vous croire troublé par la tentation…

— Vous débloquez grave.

— Ben oui, je le sais, je vous niaise. La belle maison de Jasmin et Veilleux a été payée par Paul Provost… et le prêt devient don à sa mort.

— De mieux en mieux !

— Et vous savez qui lui a suggéré de nous le dire ?

— Je vous laisse la joie de me l'apprendre : vous frétillez déjà à la perspective. Vos épaules m'indiquent que je ne serai pas déçu.

— Paul Provost.

— Tiens donc ! Et nous qui le croyions désintéressé de tout.

— Ouain, il est assez réveillé pour penser à ça.

— De deux choses l'une : ou il en pince pour son directeur ou il est vachement prévenant, le patron.

— Et Jasmin est persuadé qu'il est suicidaire.

— On le serait à moins : en taule, je ne donnerais pas cher de mon envie de vivre.

— Non : après ! En sortant, Paul Provost n'aurait qu'un rêve : se tuer. C'est la vraie raison de cette nouvelle enquête, selon Jasmin. Et je le crois, il est très inquiet pour Paul.

— Ça se tient. Quand il m'a proposé l'affaire, il a spécifié que c'était une initiative du conseil d'administration du musée. Vous savez qui y siège, vous ? »

En un rien de temps, Vicky obtient l'information. Patrice a beau traiter son *smartphone* de « gadget à la con », c'est pratique, il doit le reconnaître. « Et ça s'appelle un téléphone intelligent, par ici. »

Il maugrée en avalant le reste de son sandwich. Vicky refuse de manger aussi vite et appelle le curé pour l'avertir qu'ils seront en retard d'une quinzaine de minutes.

« Vous savez, Vicky, ce C. A. comprend un membre de la famille de Paul qui aurait intérêt à ce que son lien de parenté soit révélé : Corinne. Elle pourrait même empocher le magot.

— Peut-être, mais à quel prix ? Avant que vous me fassiez croire qu'elle serait prête à révéler ce qui est arrivé à Paulette, vous avez besoin de vous lever de bonne heure ! Comme si l'argent l'intéressait, en plus.

— Non, vous n'y êtes pas. Toujours dans le but de protéger sa frangine : si la fortune de Provost, ou plutôt des Villeneuve, les parents d'Émilienne, allait à Paulette, du coup la voilà à l'abri du besoin. Et Corinne n'a pas toujours été friquée, elle nous l'a dit.

— Mais si on trouve l'assassin, Paul va encaisser un autre coup, Paulette sera encore une fois en panique… et qui va se retrouver avec ces deux-là sur les bras ? Corinne et le curé ! Deux membres du C. A. qui n'ont pas intérêt à bousculer leurs protégés.

— Et notre adorable directeur qui se retrouverait avec un prêt à rembourser intégralement… ça la fout mal !

— Y a vraiment personne qui profite de notre enquête si on aboutit…

— À l'exception de Jasmin… si on le croit sincère. Et, quoi que vous en pensiez, je le crois sincère. Il voit venir la menace de la sortie de Paul et il est convaincu que la découverte de l'assassin lui procurera un deuxième souffle. C'est aussi alambiqué que lui, vous ne trouvez pas ?

— Ça pis rien dire, Patrice, c'est pareil ! Venez, notre curé va se confesser. »

***

L'homme qui les attend a subi la même altération de sa joie de vivre que Corinne. Pas plus qu'elle, Yvan Gauthier n'arrive à surmonter les effets néfastes de la violence qui a eu lieu il y a de cela quarante ans.

Après leur avoir répété de l'appeler Yvan et de ne pas lui donner du « monsieur le curé », il pose un dossier sur la table à café du salon.

« Corinne m'a rappelé après votre entrevue... et elle m'a dit que vous savez maintenant le fond de l'histoire. Ça, c'est la fin de l'histoire. À moins que vous décidiez d'éclabousser l'Église catholique, comme ça s'est passé si souvent, ces dernières années. Oh ! Je suis le premier à avoir voulu faire le ménage, à dénoncer les coupables, à chercher à les punir... mais tout ce que vous trouverez dans ce dossier, c'est la puissance d'une institution contre une pauvre fille abusée. Chaque fois que j'ai essayé d'obtenir justice pour Paulette, chaque fois je me suis fait ordonner de me taire et de respecter l'ensemble de l'Église, de la protéger elle, l'Église, plutôt que de chercher à la salir en dénonçant des agresseurs repentants auxquels le diocèse avait pardonné. Quand vous étudierez le dossier, vous verrez que je suis allé au plus haut, à l'archevêché de Québec... et que, malgré leurs belles promesses, rien n'a été fait.

— Dites plutôt qu'on a beaucoup fait pour étouffer l'affaire ?

— Non, pas besoin d'étouffer. Le choix leur appartenait de dénoncer ce que je leur demandais de dénoncer. Ils ont refusé. Ils m'ont répété que rien, vraiment rien de bon ne pouvait venir de ce genre de révélation puisque cela salirait encore plus Paulette. Mettre le viol sur la place publique, ce serait soumettre Paulette au jugement des paroissiens. Et dans ces cas-là c'est souvent la victime qui paye. Vous savez comment j'ai pris ma décision d'abandonner ? En pensant à ce que le père de Paulette dirait s'il l'apprenait. En 1967, le notaire Gagnon aurait renié sa fille sans même l'entendre. Il aurait peut-être écouté Gontran, mais je n'en suis pas certain. Et Gontran prétendait que ce serait fatal à Paulette. Parce que leur père courrait à l'évêché de Chicoutimi pour savoir quoi faire et quoi penser d'une fille aussi indigne, probablement assez pécheresse pour attirer des prêtres dans la disgrâce. L'indignité des femmes... sans trahir le secret de la confession, je vais vous avouer une chose : dans tout mon ministère, la peur viscérale des femmes, de l'attrait des femmes, de leur séduction, de leur potentiel de vice et de péché m'est apparue avec une clarté... éprouvante. On leur en a mis sur le dos, des abus, des crimes et des péchés. Leur faute ! La faute de leur beauté, de l'attirance démoniaque, du désir qu'elles suscitaient. J'ai entendu tellement d'histoires tordues...

— Revenons-en à vos poursuites si vous le voulez bien. Pourquoi avoir renoncé ?

— Parce que Paulette attendait un enfant. "Nécessité fait loi", c'est ce qu'on dit. Je ne pouvais plus être à Québec pour défendre mon point de vue et être ici pour aider Corinne. Il fallait choisir. Gontran a voulu continuer, il voulait aller encore plus haut, plus loin dans la hiérarchie... »

Yvan se tait, comme s'il avait tout dit. Patrice ne se laisse pas distraire, il prend le dossier : « Tout est là ?

— Tout. Les efforts et la lettre finale de l'archevêque de Québec. Une lettre que vous allez apprécier parce qu'elle ouvre la même porte de dénonciation que celle qui a menacé le pape à Rome : quand l'Église a ignoré la maltraitance, elle est devenue complice des gestes violents. Mais je vais vous demander de ne rien rendre public.

— Vous venez pourtant de dire que l'Église est devenue complice des gestes non dénoncés.

— Oui, et c'est vrai. Mais la première victime, la personne à protéger, c'est Paulette. Et jamais elle ne pourra obtenir une autre réparation que celle du silence. Elle ne peut pas témoigner, elle ne peut pas devenir une cible pour l'Église qui va la discréditer aux yeux du monde, elle ne pourrait même pas profiter du plus petit appui qu'elle obtiendrait... parce que, encore aujourd'hui, c'est elle qui se sent coupable.

— Précisément! À vous d'inverser cet état de choses!

— Pensez-vous que j'ai pas essayé? Pensez-vous que j'ai fait autre chose pendant toutes ces années-là? Paulette est cassée, elle n'a jamais pu supporter de voir une soutane, même de loin. Elle est terrorisée. Chaque fois qu'il y a eu un prêtre en visite au presbytère, il a fallu l'éloigner. Y avait que son frère et moi pour elle. Les autres, c'était et c'est encore une menace. Paulette ne sera jamais plus normale. Sa vie s'est brisée il y a quarante ans dans la vieille sacristie qui a brûlé. Et par chance qu'elle était ici avec moi le jour où c'est arrivé, parce que j'aurais pensé qu'elle avait mis le feu elle-même.

— Attendez! De quoi parlez-vous?

— Excusez-moi, c'est un détail qui me revient... L'église a brûlé en 1982. En mai. Tout a brûlé, perte totale. On l'a rebâtie. Ça a tellement soulagé Paulette. Elle pensait qu'une purification avait été accordée au lieu. Malheureusement, l'effet ne s'est pas étendu à sa personne. Avant que vous cherchiez: c'est un problème électrique qui a provoqué l'incendie. Aucun rite purificateur... sauf pour Paulette.

— Alors quoi? Si nous revenons à ce qui s'est vraiment passé... Au final, vous avez obtempéré et vous l'avez bouclée?»

Patrice est outré, et le ton commence à devenir agressif. Vicky s'interpose, mais Yvan Gauthier ne voit aucun mal à une réaction aussi violente: «Vous êtes comme Gontran, le frère de Paulette et Corinne. J'ai dû me battre avec lui pour le faire renoncer. Notre amitié en a souffert... on ne s'est pas reparlé pendant des années. Ça s'est arrangé par la suite, mais je l'ai toujours compris d'avoir les réactions qu'il avait.

— Bref, vous comprenez tout le monde, vous! L'Église, les assaillants, la victime et votre copain à qui vous faites faux bond.

— Ça va faire, Patrice! Calmez-vous. C'est quoi, ça? Vous vous prenez pour qui?»

C'est Yvan qui répond avec un calme surprenant: « Pour un homme de justice. Et je dois dire que votre… ferveur me rappelle encore Gontran. Tout ce que vous allez dire, j'en ai discuté mille fois avec lui. Et trois fois avec Corinne, qui est la pragmatique de la famille et qui a pensé avant tout à Paulette. La justice ne pouvait plus rien pour Paulette, sauf lui faire revivre ce qui l'avait presque tuée. Elle ne pouvait pas repasser par cette nuit-là. Je vous jure que, si on voulait l'aider, il fallait enterrer le passé.

— Tout le contraire de ce que préconise la psychanalyse ! Et si, sans le savoir, vous aviez aggravé les choses ?

— Vous me jugerez. »

Il l'a dit sans humour, posément, et Patrice reçoit le message et se calme. Il tripote le dossier, hésitant: « Vous n'avez pas dit: Dieu me jugera… »

Yvan sourit et une connivence certaine traverse son regard: « Vraiment, j'ai fait ce que j'ai pu, au meilleur de ma connaissance et avec le seul souci de protéger Paulette. Pour ce qui est de ma foi, le débat est bien ancien et ne mérite finalement peut-être pas tant d'attention. J'ai exercé mon ministère, j'ai écouté mes paroissiens, j'ai dit la messe, baptisé, marié et enterré les gens… sans que les paroles que je prononçais soient exactement celles auxquelles j'ajoutais foi. Si vous saviez comme on a débattu de la question de la prêtrise, Gontran et moi ! Mais son cas était plus difficile: il a été ordonné presque malgré lui, la pression de son père étant trop forte. Il avait obéi… et payé son obéissance d'un grand remords et d'un mal de vivre que je n'ai jamais ressenti. J'étais un prêtre naïf et content de lui. Aucun doute, comme un imbécile, ou pas loin. J'étais tellement innocent que je ne m'apercevais pas que je faisais tout pour charmer mes paroissiennes… en me plaignant ensuite des avances de certaines. C'est toute une douche froide que j'ai reçue en 67. Imaginez comme les paroles de l'Évangile peuvent résonner dans l'esprit d'une personne qui a vu ce que j'ai vu ce matin-là. Quand on a trouvé Paulette et qu'elle a rampé vers moi… rampé parce que son corps ne la portait plus, quand je l'ai entendue répéter "Pardon !", "Pardon !"… Là, j'ai eu une idée de ce qu'était la crucifixion. Elle était totalement nue, mutilée, couverte de plaies qui saignaient. Il y avait du sang partout, du vomi… J'ai pris la chasuble blanche et or qui attendait pour l'office, et je l'ai couverte. Elle m'a regardé comme si j'étais fou, comme si c'était salir le vêtement sacré. J'ai dit à Paulette que tout était fini, que Dieu l'avait entendue L'appeler, que Dieu la protégeait maintenant et pour toujours… Ces paroles-là, je ne les ai jamais oubliées. Je ne sais pas du tout si Dieu a entendu, mais moi, oui. J'en ai fait ma première obligation sacerdotale : plus jamais on ne toucherait à un cheveu de Paulette. – Il les regarde franchement. – En avril, quand j'ai appris qu'elle était enceinte, j'ai proposé de défroquer et de l'épouser. Corinne était tellement épouvantée du scandale que ça ferait qu'elle m'a traité de fou, ou l'équivalent. Son extraordinaire bon sens m'a convaincu : jamais leur père ne comprendrait une chose pareille. Il aurait pu tuer sa fille si elle provoquait une honte aussi grave. L'idée n'était pas terrible, mais c'est pour vous expliquer l'ambiance de panique qui régnait. Corinne a vite trouvé une solution qui faisait moins de dégâts. Le pire, ça a été de convaincre Gontran de cesser les poursuites. On ne voulait pas ébruiter la grossesse, mais j'ai dû lui dire. Là, il a compris que, pour que notre plan marche, Paulette ne pouvait plus se montrer ni témoigner. Et qu'elle avait avant tout besoin qu'il joue son rôle de protecteur en s'occupant de leurs parents. J'ai accepté le chèque de l'archevêché et je l'ai déposé dans un compte au nom de Paulette. C'était beaucoup d'argent. La mesquinerie de l'Église s'est jouée ailleurs que dans ses finances.

— C'était soulager leur conscience, non ? Et vous placer dans une position pas très nette…

— Comme je vous l'ai dit, Paulette était ma première préoccupation. Pas la réputation de l'Église ou celle de ses deux abbés. Eux, ils pouvaient encore vivre avec leur conscience, Paulette n'en avait même plus. C'est comme si le choc l'avait privée d'intelligence tout à coup. Comme si elle était retournée en enfance. Pourtant, je vous jure que c'est quelqu'un d'intelligent. Demandez à Corinne… Mais on dirait que tout s'est bloqué, elle a encore des réflexes d'enfant. Et d'enfant terrorisée. Par exemple tout à l'heure après la messe, elle devait rester ici et manger avec moi. Elle ne voulait pas que je dérange nos habitudes pour vous deux et elle ne voulait pas partir non plus. Elle s'est entêtée et elle s'est braquée. Il a fallu que Corinne vienne la chercher.

— Vous êtes comme ses parents, finalement, Corinne et vous.

— On était trois avec Gontran. Une trinité, tiens! C'est encore mieux!

— Et, dans la trinité, le bon Dieu, c'est vous?

— Dans les yeux de Paulette seulement, et je ne me fais pas d'accroire. Pour être franc, ça ne m'intéresserait même pas, être le bon Dieu. Je trouve qu'il a une mission bien difficile…

— Et tout ce beau monde se confessait à vous… Avouez que c'est plutôt incestueux. »

Yvan Gauthier éclate de rire: « Vous parlez comme si je prenais des notes au confessionnal! Comme si j'en faisais un instrument de pouvoir! Ce n'est pas du tout ça. Je suis l'instrument de Dieu, celui par qui passe le pardon et non l'accusation. Rien ne doit demeurer dans ma mémoire si je donne l'absolution. Sinon, ce serait un mensonge. Pour Dieu et pour le pénitent.

— Et ne pas avoir la foi en étant curé, ce n'est pas un mensonge?

— C'est un mensonge si on se dupe soi-même. J'ai une foi ébranlée, affaiblie, une foi qui boite, tiens. J'ai fait de la bonté mon apostolat. C'est ce qui me guide: la bonté. Vous pouvez me le reprocher, mais c'est ce que j'ai trouvé de mieux. »

Vicky estime que la discussion prend un tour philosophique qui ne les avance pas. Elle essaie de ramener le sujet qui l'intéresse sur la table. Elle leur demande donc de revenir au meurtre d'Émilienne.

Les deux hommes la considèrent et semblent attendre qu'elle pose une question. « Ben quoi? C'est pour ça qu'on est là, non? Pourquoi déterrer cette histoire si c'est pas pour trouver ce qui s'est passé pour Émilienne?

— Vous savez, j'ai bien essayé de faire des liens et, même si je connaissais les origines de Paul, je ne pouvais pas voir en quoi ça nous avançait. C'est Corinne qui a insisté pour tout vous dire. Je pense que ça mélange les choses, c'est tout. »

Vicky se tait en se demandant ce que les enquêteurs de l'époque auraient vu de plus s'ils avaient eu l'information. Tout ce qu'elle trouve, c'est une sorte de vengeance violente. « Vous êtes certain que Paul n'était pas la personne visée ?

— Et pourquoi vouloir le tuer, ce pauvre enfant ?

— Sa mère... Paulette.

— Voyons donc ! Je ne suis même pas certain qu'elle pouvait se souvenir qu'elle avait eu un enfant. Je vous jure que jamais elle n'a fait le lien avec Paul. C'est absolument impossible !

— Du reste, Vicky, elle n'était pas dans le secteur, le problème ne se pose plus.

— C'est vrai, ça ! Elle était à Joliette, chez Monique, sa sœur. Vous voyez bien que ça se peut pas. Faut chercher ailleurs. Elle n'aurait même pas eu la force physique de le faire.

— Pourquoi elle était là-bas ? À Joliette ?

— Mais je vous l'ai dit : elle ne supporte pas les soutanes ! Elle a peur des prêtres. Notre prédicateur invité était un évêque en plus. On a fait comme on faisait toujours, on l'a éloignée. »

Il se lève, comme s'il était agacé par les questions. Patrice l'observe avec attention. Avec un flair impeccable, il sent que l'ambiance n'est plus bon enfant : « Quelque chose vous gêne ?

— Non. C'est pas ça... Je me suis tellement posé de questions sur tout ça. J'ai tellement essayé de penser à tout...

— Et si vous nous les posiez, ces questions ?

— Non, c'est... c'est impossible. »

Il a l'air tellement troublé que Vicky se lève, alertée. Elle arrête le va-et-vient du curé : « Qu'est-ce qui est impossible ? »

Il la regarde avec des yeux d'une mobilité effarante. Vicky répète sa question. Patrice est tendu vers eux, il parle d'une voix douce, apaisante : « Ou agaçant, dérangeant... Quelque chose vous pèse, peut-être... Un détail, innocent en apparence ?

— Le prédicateur… C'était un des deux. »

Un silence stupéfait accueille la nouvelle. Ni Vicky ni Patrice ne parle. Ils évaluent les conséquences de la nouvelle donnée… et elles sont multiples. Seul Yvan se défend : « Ça faisait des années qu'il demandait pardon ! Des années qu'il expiait son erreur. Il m'avait écrit des lettres déchirantes, il était rongé par la culpabilité. Il était tellement jeune, à l'époque. Il avait expié pendant dix-huit ans : qu'est-ce que je pouvais faire ? Refuser de l'entendre ? Refuser un pardon que j'ai accordé à d'autres ?

— Vous pouviez pardonner sans l'inviter.

— C'est vrai. C'est ce que j'ai fait. Mais il voulait se racheter complètement. Il a été fait évêque en 83, un des plus jeunes à accéder à la fonction. Il voulait repartir en neuf, et il m'a écrit que ça dépendait de moi. Que même le pape ne pouvait l'absoudre comme moi.

— Comment résister à un tel pouvoir, n'est-ce pas ?

— Non ! Je ne l'ai pas cru, vous savez bien. Pas pour mon pardon, en tout cas. Gontran venait de mourir quand la lettre est arrivée. J'étais assez bouleversé dans ce temps-là. Gontran est mort dans de grandes souffrances… physiques et morales. Surtout morales. Il… il buvait beaucoup. Et pas seulement du vin de messe. Je l'ai vu se détruire parce qu'il n'a jamais pardonné. Même sur son lit de mort, il s'en voulait d'avoir renoncé à détruire la carrière de ces deux abbés. Imaginez sa réaction quand on a appris qu'il devenait évêque ! Ça a été tout un choc. Je me demande si c'est pas ça qui l'a fait renoncer à la prêtrise. Ça et la mort de son père la même année, c'était trop.

— Et Corinne ? Qu'est-ce qu'elle a dit de votre indulgence ?

— Elle ne l'a pas su. Si jamais elle l'apprend…

— Ben voyons donc ! C'est pas la retraite qu'elle a suivie avec Émilienne, ça ?

— Oui, mais elle ne connaissait pas monseigneur Rivest. J'ai réfléchi avant d'accepter sa venue, vous pensez bien. Et elle n'a jamais vu les abbés, me semble… Ils n'étaient pas au souper chez Émilienne. Ils n'étaient pas là à Noël… j'en suis certain : ils sont arrivés le

31 décembre, ensemble. Ils ont vu Paulette ici dans la journée : elle était venue faire des beignes et de la tourtière. Si Corinne les a vus, c'est quand elle est venue soigner le curé Labonté… Même là, Rivest avait pris au moins cinquante livres depuis le temps. Il était bouffi, rougeaud. Et puis, si Corinne l'avait reconnu, si elle avait eu le moindre soupçon, elle m'aurait tué. Pas compliqué : elle est comme son frère, elle a jamais pardonné.

— Et l'autre ? Il est venu chercher son absolution, lui aussi ?

— L'autre ? L'autre abbé ? Non… il est à Rome.

— Vous rigolez ? Ne me dites pas qu'il a revêtu la pourpre cardinalice ? Mais je rêve ! Il a bien dû y voir l'infinie miséricorde de Dieu à son égard. Qu'est-ce qu'il a dû se la péter ! Y a pas, leur magnifique carrière n'a connu qu'un seul hiatus. C'est que je vous comprends de renoncer à les poursuivre : les voilà bien à l'abri dans les bras de l'Église romaine. Comme on prend un bon soin de ses pieux ministres ! On ne vous a rien offert, à vous, en guise de dédommagement ?

— Oui, on m'a offert de belles paroisses bien riches avec de belles églises bien décorées. Je vous ai dit ce que j'ai privilégié.

— Bon, on arrête, Patrice. Il faut réfléchir, voir ce que ça change pour le crime.

— Vous savez bien que j'ai tout revu après le meurtre : Rivest était parti le matin même. De Bagotville. Et c'est moi qui l'y ai conduit pour qu'il prenne son avion.

— Et de là ? Il allait où ?

— À Québec.

— Vous l'avez vu monter dans l'avion ? Vous avez attendu avec lui ?

— Non… pas vraiment. Je l'ai conduit à Chicoutimi, et là, il m'a demandé de s'arrêter à la cathédrale pour prier. Une fois là, il m'a dit qu'il se rendrait à l'aéroport par lui-même, il voulait saluer l'évêque de Chicoutimi. Je n'ai pas voulu. Je l'ai attendu et je l'ai conduit à Bagotville. L'avion était sur le point de partir. Je l'ai vu se dépêcher, mais je ne peux pas vous dire que je l'ai vu "entrer" dans l'appareil.

— Quelle heure était-il ?

— Quatorze heures trente.

— Et pour faire la route Bagotville–Sainte-Rose, on met aisément quoi ? Combien de temps ?

— Excusez-moi, mais pourquoi aurait-il tué Émilienne ? Paul à la rigueur, je pourrais le comprendre, mais il ne savait pas qu'il avait un enfant. Et, à ce compte-là, moi non plus je ne sais pas lequel serait le père !

— Mais c'est qu'il a raison : c'est Paulette qu'il devait viser, ce con ! Et il l'aura confondue…

— Confondue ? Ben voyons donc, Patrice ! Confondre une femme de soixante-deux ans et une de trente-trois ans ! Ça se peut pas.

— Alors, c'est qu'il est encore plus con ! »

Vicky ne les laisse plus parler, ni l'un ni l'autre. Elle réclame un peu de silence et jette des notes sur son calepin. Les deux hommes la regardent faire sans rien ajouter.

Dès qu'elle relève la tête, Patrice repart sans lui laisser une seconde : « S'il voulait tuer Paul…

— Mais pourquoi ? Je vous le répète : j'ai jonglé avec ça pendant des jours. Personne ne savait d'où venait Paul. Pourquoi le tuer ? Pourquoi tuer sa mère adoptive ? Ça prend une raison… et une bonne raison.

— La confession ! La fameuse confession. »

Devant l'air égaré des deux hommes, Vicky s'explique : « Émilienne assiste à la retraite. Vous vous souvenez que le thème était la vérité ? »

Yvan hoche la tête, hypnotisé par Vicky.

« Et elle va se confesser à ce monseigneur. Elle voudrait dire la vérité à son fils, elle hésite un peu, elle connaît votre opinion là-dessus… et elle demande conseil à ce champion de la vérité. Lui, quand même un peu ébranlé, cherche à savoir de qui est l'enfant… »

Yvan termine sa phrase : « … et elle n'en sait rien ! Et elle le lui dit. Et elle n'a pas l'intention de dévoiler l'identité du père, puisqu'elle ne la connaît pas. Elle veut juste lui dire qu'il est adopté. Et Rivest, même s'il est inquiet, ne peut pas deviner que son secret va être connu puisqu'il ne sait pas qu'un enfant est venu au monde après son viol. Ça ne marche pas. J'y ai pensé, moi aussi. Personne ne pouvait savoir. On a au moins réussi ça.

— Et s'il a demandé l'âge de l'enfant ?

— Ben oui, mais Paul n'est pas le seul enfant qui est né en octobre 1967 ! À ce compte-là, le dernier de Corinne était susceptible de se faire tuer, comme tous ceux nés en octobre. »

Vicky est d'accord. Patrice soupire de dépit et, n'en pouvant plus, il allume une cigarette. Yvan va lui chercher un cendrier. Quand il revient, Vicky lui fait remarquer que sa dernière phrase lui a rappelé le massacre des saints Innocents, ces enfants tous tués parce qu'on en cherchait un seul.

« Vous savez, Vicky, pour moi, le massacre des saints Innocents a toujours été ce qui est arrivé à Paulette. Je ne pense pas que Rivest ait tué Émilienne pour se protéger d'un danger inexistant à ses propres yeux. Il avait déjà un poids bien lourd sur la conscience avec le viol. J'ai longtemps réfléchi, et un violeur ne devient pas nécessairement un meurtrier.

— Peut-être pas, en effet.

— Désolé d'interrompre une aussi belle harmonie, mais il y a une chose qui rapproche les deux évènements et, ça tombe bien, vous pourrez confirmer si je m'égare, Yvan : chaque crime a donné lieu au déploiement d'une grande violence, une brutalité non nécessaire au but recherché. Voyez-vous, ni pour violer ni pour tuer on ne devrait avoir recours à un tel acharnement. Cette sauvagerie, elle est bien similaire, non ? Vous y étiez, vous êtes en mesure de confirmer, non ? »

Yvan se laisse tomber dans un fauteuil en admettant qu'il a raison : les deux scènes donnaient cet effet terrifiant.

***

« Le type planifie tout : il revient sur les lieux de son crime, il prêche la bonne parole, il cible Émilienne depuis le confessionnal, et là, tout se met en place : c'est un criminel, il a besoin de passer à l'action. Allez savoir pourquoi, quand il est dans ce bled, le goût du sang lui monte aux lèvres. Il apprend où crèche la personne à éliminer et il fait mine de partir. Sitôt Yvan éloigné, il saute dans un taxi et se fait déposer chez Émilienne. Il prend la hache, question d'être persuasif, et il la talonne pour savoir où se trouve cet enfant, issu de la honte. La pauvre femme paie son silence de sa vie et lui, il retourne peinard prendre un autre avion. Ou alors, il demeure tapi dans les buissons et guette l'arrivée du fils qu'il veut zigouiller. »

Vicky le laisse aller au bout de son non-sens. Elle a assez élaboré de théories dans sa vie pour savoir qu'un peu d'irrationnel pour trouver le rationnel d'un crime, ce n'est pas une mauvaise technique.

L'ennui, c'est qu'ils peuvent trouver comment, par quel subterfuge le crime a été commis sans deviner le début d'un commencement de mobile. La violence gratuite ne constitue que rarement un bon mobile. Le règlement de compte… encore faut-il savoir que le débiteur est la victime. Et là, rien n'appuie cette théorie : Émilienne ignorait elle-même d'où venait l'enfant.

Même si, en poussant la logique un peu, cet évêque avait eu la certitude qu'un enfant était né du viol, ils étaient deux à l'avoir perpétré. Deux pères potentiels. Et aucune analyse d'ADN n'avait jamais déterminé lequel avait finalement engrossé Paulette.

Vicky et Patrice ont laissé un Yvan Gauthier inquiet et accablé. Même si personne n'a émis d'opinion, il s'accuse déjà d'avoir « donné une chance à un salaud » et il les a suppliés de ne rien dire à Corinne. Il voulait, non, il devait le faire lui-même. Elle ne lui pardonnera peut-être jamais son inconscience, mais la lâcheté de laisser quelqu'un d'autre révéler l'identité du prêcheur, ça, elle ne le pardonnerait jamais.

Patrice avoue qu'il ne voudrait pas devoir annoncer une telle bourde à Corinne, parce que c'est une de ces maîtresses femmes, capable de remettre un homme à sa place.

Vicky l'écoute à peine, elle feuillette son calepin : « Elle n'a pas vu les abbés quand elle est allée faire l'injection au curé. Vous vous souvenez ? Elle a demandé à Yvan de les faire taire pour que le curé se repose. Après, elle a eu une montée de lait et elle s'est sauvée sans se montrer.

— Bon, d'accord, elle ne les a pas vus. Elle ignore l'identité de l'évêque qui les sermonne sur la vérité. En passant, il faut le faire, ce thème ! Et elle ne l'apprend pas davantage une fois le meurtre de son amie perpétré. Hormis le fait de lui retirer une occasion de bouffer du curé, qu'est-ce que ça peut foutre ? Il a raison, Yvan, cette info n'éclaire rien.

— Et toute votre belle démonstration du gars qui quitte l'aéroport, il n'y a pas cinq minutes ?

— C'est jouable, mais encore faut-il avoir une bonne raison de se donner tant de mal…

— Mais pourquoi inviter un criminel pareil à prêcher une retraite ? Franchement Patrice, c'est pas juste naïf, c'est complètement débile ! À quoi y a pensé ? Faire revenir l'agresseur dans le coin, c'est gros en maudit ! On dirait qu'il voulait se faire pardonner quelque chose, lui aussi !

— Certainement pas le viol d'une jeune fille qui s'offrait à lui. Ne renversez pas la vapeur, il n'est coupable de rien si ce n'est d'angélisme. Il nous a bien expliqué que la bonté seule lui servait de guide : ceci explique cela.

— Excusez-moi, Patrice, mais quand on a une Corinne Gagnon-Ferguson comme alliée pour protéger Paulette, la bonté pèse pas lourd. Elle l'aurait tué, il l'a dit.

— Alors, c'est que monseigneur devait être d'une grande éloquence dans ses lettres de repentir.

— On ne les a pas demandées !

— Des confessions littéraires… Yvan les a-t-il seulement conservées ? Quoi qu'il en soit, il s'est laissé convaincre d'offrir une totale absolution à ce type… Pourtant, il ne me semble pas très sensible au fait qu'il soit devenu évêque, et donc qu'il ait autorité sur lui… Curieux, non, qu'à deux reprises l'Église ait eu raison de lui : on lui a imposé le silence sur les viols et on lui impose un prédicateur.

— Vous pensez qu'il n'a pas eu le choix ?

— Et je le comprendrais de prétendre qu'on l'a eu à la compassion plutôt qu'à l'autorité ecclésiale.

— Ecclésiastique, Patrice.

— Vraiment ? Vous en connaissez un bout, côté catho, non ?

— Ecclésiastique : relatif au clergé ; ecclésial : relatif à l'Église dans son ensemble. Ne me demandez pas d'où je sais ça, je l'ai oublié. Bon, on dit qu'il s'est fait imposer le prédicateur. À vérifier. »

Ils considèrent les fiches et les Post-it étalés sur la table. Depuis qu'ils ont quitté le presbytère qu'ils refont le parcours de chacun, sans trouver la moindre prise. Même avec l'aide du dossier remis par Yvan.

Ceux qui pourraient être suspects ne passent pas au statut de coupables pour autant. Le curé Gauthier est de moins en moins crédible en meurtrier et sa dernière révélation prouve à quel point il n'était pas inquiet. Son alibi, par contre, est toujours aussi faible : après avoir déposé monseigneur à l'aéroport, il est rentré au presbytère et il a fait de l'ordre dans ses papiers… jusqu'à ce qu'on l'appelle sur les lieux du crime, vers six heures quinze.

Patrice laisse tomber les fiches et il enlève ses lunettes pour aller changer la musique sur le iPod qui diffusait du Bach. Mozart le remplace.

Vicky commence à voir des étoiles tellement elle est fatiguée. Ils ont lu tout le dossier contenant les échanges entre Gauthier et l'Église, et rien de bien glorieux n'en sort. Mais rien d'accusateur non plus. Il est certain que les deux abbés sont coupables de viol, comme il est certain qu'aucun des deux n'a vraiment été inquiété. Ils ont été placés dans de petites paroisses « sous bonne surveillance d'une autorité compétente », ce qui veut dire avec un curé qui ne rigolait pas avec le péché de la chair et qui avait la compassion moins évidente, selon Patrice. Ce sur quoi Vicky est d'accord.

« Gontran était plus mordant dans sa lettre à Yvan. S'il avait pu continuer la poursuite, ça aurait peut-être abouti. »

Patrice reconnaît que la seule lettre écrite par Gontran est incisive et frise l'insolence : « Pas étonnant qu'il se soit brouillé avec Gauthier. Il était d'une autre trempe, celui-là.

— Il avait de bonnes raisons de se sentir encore plus concerné : c'était sa sœur et eux, c'était ses amis et ses invités. Lui les connaissait, pas Gauthier. C'est lui qui les avait imposés au presbytère où le curé se mourait. Yvan en avait plein les bras. Encore une fois, il a subi les décisions des autres.

— Pas contrariant, le curé… Et dire qu'il est baraqué comme un rugbyman… Qu'est-ce que ça nous faisait un bon suspect !

— Imparfait ? Vous l'éliminez ?

— Je le passe en mode mineur. La violence n'est pas son truc, j'en suis persuadé. Pas vous ?

— C'est pas sa hache, non. Faites pas cette face-là, Patrice, c'est comme ça que je dis "c'est pas son truc". Pas son instrument de prédilection, quoi !

— La bonté… voilà sa hache. Ça l'a mené où ? Imaginez comme il a dû rigoler, le violeur, à haranguer les ouailles de Gauthier.

— Le gros monseigneur bouffi, vous voulez dire ?

— Rougeaud. Il l'a qualifié de gros et de rougeaud… Si ça se trouve, il a continué à tripoter les jeunes filles à peine pubères. Pourquoi aurait-il cessé, je vous le demande ? Ça me gonfle ! Ce dossier, si mince, si dérisoire… et les autres victimes dont jamais nous n'entendrons parler, c'est odieux ! »

Vicky feuillette son calepin, hoche la tête et inscrit la question sur une nouvelle feuille : « Au cas où… Et si on essayait par carrure ? Les baraqués, comme vous dites.

— C'est Bob qui vous inspire ? Il est costaud ?

— Aucune idée, justement. Mais le mari de Corinne doit quand même avoir des épaules, non ?

— Parce qu'elle en a ? Excellente raison, Vicky ! Et que faites-vous du géant Veilleux qui a l'air de tout, sauf de ce qu'il est ?

— Vous le prenez pas pantoute, han ? Pourquoi est-ce que l'homosexualité vous dérange tant ?

— Je ne pige pas. Un mec marié qui a des gosses et qui se fait un type sans crier gare, non, je ne pige pas !

— Peut-être qu'y a crié gare, on sait pas.

— Côté balèze, il cadre parfaitement. Et il fréquentait l'endroit. De son propre aveu.

— O.K. : faites-vous plaisir. Veilleux, Corinne, Yvan Gauthier. Aimé Dion ?

— On peut, mais on sait qu'il n'a rien à faire dans ce gâchis. Il adorait cette femme. De plus, il est mort, quel intérêt ?

— Il ne l'était pas au moment du meurtre. Pas comme Gontran, le frère qui aurait eu la force et l'agressivité, je crois… Quoique, s'il était dans le format de Paulette…

— On ne demandera pas : il était mort. D'ailleurs, je le place parmi les victimes, tout à côté d'Émilienne, de Paulette. Et j'ajoute Paul Provost.

— À ce compte-là, vous pouvez ajouter Corinne, Yvan, les parents d'Émilienne… tout le monde a payé. Tout le monde a ramassé en arrière des deux abbés partis faire carrière. Et y ont ramassé longtemps !

— C'est qu'ils en ont fait des victimes, ces deux couillons ! Vous croyez qu'ils se parlent encore, qu'ils communiquent ?

— Vous les voyez copains à vie ? Complices dans le viol et liés par le crime ?

— Je ne vous dis pas tout ce que je vois quand je pense à ces deux enflures… »

Il a ce tic dans la mâchoire, un muscle qui se crispe involontairement. Elle se souvient de leur enquête aux Îles et de cette réaction qu'il avait quand il était durement ébranlé, quand l'atrocité le mettait hors de lui parce qu'il n'y pouvait rien. C'est exactement cet aspect de sa personnalité qui le rend si attachant aux yeux de Vicky. Frondeur à en être désagréable, il devient totalement vulnérable devant l'horreur dont l'humanité est capable. Et ces deux abbés semblent avoir été capables de beaucoup.

Elle essaie de pousser la réflexion : « Vous pensez que l'autre avait plus à perdre si jamais on apprenait le viol… et l'enfant qui en est issu ?

— Vous parlez du cardinal qui se promène dans les coulisses du Vatican ? Sûrement… S'il en est là, c'est qu'il nourrissait des ambitions dès son jeune âge. Si on apprenait ses boulettes de jeunesse, sa carrière serait très contrariée. Poussons le bouchon : même aujourd'hui, s'il était reconnu coupable de viol, il serait écarté, déchu. Parce que l'Église ne peut plus laisser passer les abus sexuels, ou les camoufler. Plus maintenant.

— Mais il y a vingt ans ? Ça risquait de nuire aussi, me semble…

— En effet. Où voulez-vous en venir ? C'est Rivest qui s'est pointé. Quoi ? L'autre aurait commandé le meurtre ? Il serait venu rejoindre son complice pour faire la peau à cette femme qui a confessé un désir de vérité ? Ça va pas, la tête ? Mais c'est n'importe quoi !

— Je déprime, je pense. C'est à cause du mobile : ça prend une maudite bonne raison pour tuer à la hache, non ? On n'a rien !

— Et nul n'est mieux placé qu'un évêque ou même qu'un cardinal pour estimer ses raisons justes et bonnes. Allez, on s'y colle. On n'arrive nulle part de toute façon, aussi bien bidouiller la confrérie des soutanes. »

Il écarte les fiches et reprend l'histoire. Yvan Gauthier et Gontran sont d'un côté, témoins – et même victimes – indirects. Les deux autres abbés, parrainés par l'Église qui non seulement les absout, mais les élève dans la hiérarchie ecclésiastique, sont côte à côte. Rivest devient évêque en 1983, et l'autre devient cardinal… ils l'ignorent. Ce qu'ils savent, c'est que l'Église a passé l'éponge sur les écarts de conduite des deux abbés, même si le second abbé était quand même plus âgé. Patrice lève la tête : « On a un nom, pour celui-là ? Yvan nous a dit l'âge qu'il avait lors du viol ? »

Il s'étire, s'empare du dossier : « Attendez, je me trompe : on l'a lu dans le dossier. Voilà : Vanier Dumond. Ordonné prêtre en 1960. Il avait trente-deux ans au moment du viol, alors que l'autre en avait vingt-cinq seulement. Ce qui n'excuse rien, comme de bien entendu.

Nous n'avons aucune info relative aux dates des honneurs que l'Église lui a conférés. Mais bon, le voilà cardinal à Rome… En 85, au moment du meurtre, il est où, ce type ? Il s'enfile des jeunes filles dans quel coin de pays ?

— On n'a pas ça, Patrice. Personne s'est occupé de lui. Son nom n'est jamais sorti. Vous voulez qu'on essaie de savoir quand il est devenu évêque et cardinal ?

— Qu'est-ce qu'on en a à foutre ? Nous savons que personne ne les a embêtés. Jamais. Alors, pourquoi viendraient-ils tuer celle qui a réparé leur boulette ? Rien ne les menaçait. Rien ! Pas même ceux qui auraient pourtant voulu les menacer ! »

Il jette le dossier sur la table, excédé. Il allume une cigarette et va entrouvrir la fenêtre. Il contemple le Saguenay sans rien dire. Il soupire, va écraser son mégot : « Même en trouvant le pourquoi, on ne trouvera jamais le comment, c'est foutu !

— Mais c'est Rivest, vous êtes d'accord ?

— Monseigneur, oui. Ça ne fait pas un pli. Monseigneur qui a cru qu'Émilienne détenait une preuve compromettante concernant un viol vieux de dix-huit ans.

— Est-ce qu'on peut détenir une preuve sans le savoir ? Oui. Paul, c'est la preuve même du viol. Et elle l'ignorait.

— Il l'a poursuivie avec une hache pour obtenir des aveux qu'elle était bien incapable de faire ?

— C'est ça. Ou bien il a voulu ce qui est arrivé : que le fils soit accusé de meurtre et qu'il ne puisse plus salir personne, ni lui ni son complice de l'époque.

— Tordu, votre truc. Il aurait mieux fait de tuer le fils sans passer par la dame.

— Il a pu en être empêché.

Par qui ?

— Je le sais pas, Patrice ! Mais si c'est le cas, Paul est vivant parce que quelqu'un s'est approché de la maison alors qu'un meurtrier le guettait pour le tuer.

— Si ça se trouve, en voyant le gamin bercer sa mère et tout nettoyer comme un dingue, il a pu saisir que rien de bien dangereux ne viendrait de cet enfant.

— Ben non : s'il est monté tuer Émi, il tuait le fils aussi. Mettons qu'il n'a pas pu passer à l'action et le fils se retrouve en prison pour vingt-cinq ans. C'est pas mal inoffensif, ça.

— Il y a bien eu cette réouverture du dossier en 95, cette alarme… mais là encore, où est le risque, je vous le demande ? Les deux policiers sont non seulement les mêmes qu'au départ, mais ils sont encore plus nuls. Ils ont cédé aux instances des grands-parents, probablement pour qu'ils leur foutent la paix, et ils ont accordé toute leur confiance à la gonzesse au cul d'enfer et à ses bobards. Bravo, les mecs ! Impec ! Et s'ils ont cherché côté ADN, ils n'avaient aucune chance de trouver la référence avec ces deux enfoirés. À la rigueur, s'ils ont bien fait leur boulot, ils ont trouvé une vague parenté d'ADN… qu'ils ont fort probablement mal interprétée.

— Vous voyez, là aussi ça m'achale : comment monseigneur pouvait être sûr qu'il était le père ? Assez sûr pour tuer, c'est pas rien ! Parce qu'il n'a pas assassiné Émi au cas…

— Alors là, s'il y a quelqu'un de bien placé pour le savoir, c'est Rivest ! Acteur principal du viol, si je puis dire. Et témoin privilégié des sévices infligés à Paulette. Je ne sais pas ce qu'ils ont foutu avec elle, mais Rivest a sûrement la bonne conclusion : s'il s'estime le père, y a pas photo, on le croit.

— C'est sûr que l'autre a pu juste la tenir, ou…

— Ou on s'en tape ! Épargnez-moi les détails.

— O.K. Rivest est le père. Vous nous voyez aller expliquer ça à Paul, vous ? Désolés, on n'a qu'une conclusion partielle à l'enquête : on a trouvé votre père, il est monseigneur et il était dans le coin de Sainte-Rose le soir du meurtre. On n'a pas de preuve, pas de mobile, mais on est sûrs de ce qu'on avance. Super ! Je vais vous dire, Patrice, je ne serai pas fâchée de partir demain matin, moi.

— C'est pas vrai ? Vous me lâchez ?

— Non : j'ai rempli mon contrat. Demain midi, vous me laissez à Bagotville comme Yvan a laissé monseigneur et je rentre chez moi. Mardi matin, y a Brisson et toute mon équipe qui m'attendent.

— Vous voulez que je le joigne ?

— Surtout pas ! Si jamais Brisson apprend que j'ai travaillé pendant mon congé, je vous étripe, vous m'entendez ? Et je suis sérieu… »

Le téléphone de Vicky l'empêche de continuer. Corinne annonce qu'il n'y aura pas de dîner et qu'Yvan Gauthier est rayé de la liste de ses connaissances.

« Tant qu'à moi, je l'ai excommunié. Je peux venir vous voir ? Où êtes-vous ? J'ai deux ou trois choses à ajouter. Voulez-vous passer à la maison ? Et puis non, Bob est là et je l'ai assez fatigué avec mes histoires ! »

Elle est survoltée. Vicky arrive à l'interrompre pour lui dire de venir à l'hôtel.

En raccrochant, elle avertit Patrice que Corinne a le mors aux dents.

***

Corinne ne s'assoit pas, ne retire pas son manteau et ne laisse personne l'interrompre. Extrêmement tendue, elle ne décolère pas. Un vent de tempête traverse la suite. Elle est tellement furieuse qu'elle crie. Jamais elle ne pardonnera à Yvan Gauthier, jamais ! Après tout ce qu'ils ont traversé, après tous les coups durs qu'ils ont encaissés, lui cacher une chose pareille, la trahir à ce point ! Inviter ce trou de cul d'évêque dans la paroisse où il a fait tant de mal. Le laisser parler comme si ses pensées étaient autre chose que de l'hypocrisie crasse et des mensonges.

« Il nous a chié de la menterie en pleine face avec sa vérité ! » Et elle continue avec Émilienne qui boit ses paroles, se confesse, alors qu'elle a élevé le fils de l'homme devant qui elle s'agenouille. Et elle lui demande l'absolution, en plus ! Toute l'Église est une horreur et un foyer malsain où les criminels peuvent violer des femmes pour les confesser ensuite. De leurs péchés à eux! Leurs péchés qu'elles endossent sans rouspéter. Et Yvan ne vaut pas mieux. Il est des leurs, il fait partie de l'immense escroquerie. Si elle pouvait, elle le dénoncerait. Gontran au moins, il a quitté les ordres, il n'a pas supporté cette bande de menteurs habillés en rouge sang. Le sang des femmes qu'ils ont massacrées à la hache après les avoir battues et violées. Gontran est peut-être mort au bout de sa rage et de sa honte, mais elle, elle ne fera pas un cancer pour leur permettre de gagner encore! Elle va les dénoncer, les poursuivre jusqu'au fond de la prison qu'ils vont finir par voir. Il n'est pas question qu'elle se taise. Ni qu'elle protège qui que ce soit. À quoi ça sert de se taire? Émi est morte, Paulette est absente d'elle-même, Gontran est mort... Yvan dira ce qu'il voudra, elle s'en fout, elle ne l'écoute plus. Il ne lui a pas fait confiance, il lui a joué dans le dos avec l'évêque, eh bien! qu'il aille à l'évêché maintenant pour se faire consoler de ses cachettes! Tous pareils! Tous à dénoncer, à abattre! Même le couteau sur la gorge, on ne l'aurait pas obligée à accueillir un violeur. Alors, qu'il ne dise pas qu'il n'avait pas le choix. Et elle les avertit que les larmes d'Yvan Gauthier ne la touchent pas. C'était à lui d'y penser avant d'accepter qu'un fou dangereux revienne sur le lieu du crime pour massacrer son amie et envoyer son propre fils en prison à sa place. « Comme si sa vie avait pas de valeur! Comme si y en avait pas assez enduré de même! Et qu'Yvan Gauthier ne vienne jamais me faire un chantage à cause de Paulette! Il aurait aussi bien pu me la faire tuer. Si elle avait été là, pensez-vous qu'il ne l'aurait pas achevée? C'est à se demander pourquoi il n'est jamais revenu finir la job, l'évêque! »

Effectivement, la question est bonne, et Patrice ne détesterait pas qu'elle s'y attarde, mais elle a repris sa marche frénétique et son discours outré. Il jette un œil à Vicky qui ne perd pas une syllabe de ce que Corinne dit. Lui, il en perd quand même une partie parce qu'avec l'émotion, la musique et les mots du terroir ressortent et deviennent moins faciles à décoder. D'autant qu'elle parle à la même vitesse qu'elle circule: comme un obus qui traverse un champ de bataille.

Soudain, le silence se fait. Presque bourdonnant tant il est subit. Corinne fait face à la fenêtre. Patrice voit son dos se soulever: elle est à bout de souffle. Quand elle se retourne, son visage est couvert de larmes.

« Pensez-vous qu'on se pardonne facilement d'être en santé, d'avoir quatre beaux enfants et une vie pleine d'allure quand on a une sœur à moitié là et un frère qui buvait jusqu'à se faire éclater le foie ? Mon père, le notaire Gagnon si pieux, si digne, mon père était comme l'évêque. Ce qu'il voulait, il l'obtenait. Un seul garçon, et il a fallu qu'il le démolisse. Gontran a bien pu se soûler : papa faisait pareil pour y arracher des faveurs. Pis après, y l'emmenait à confesse. Y était fait pour s'entendre avec les curés, trouvez-vous ? Gontran m'a dit ça sur son lit de mort, en pleurant comme un enfant parce qu'y avait peur. Et tenez-vous bien : y avait pas peur de mourir, mais que papa l'attende de l'autre bord pour y sacrer une volée après en avoir abusé ! Et j'ai rien su ! Rien ! Et mon imbécile d'Yvan Gauthier non plus ! Ça confesse, ça pardonne, ça asperge d'eau bénite et ça sait rien ! Et quand ça sait de quoi, c'est pas grave, on invite l'évêque qui a violé ma sœur pour cracher des menteries aux bonnes âmes assez idiotes pour les croire ! Et on laisse Émi se faire enfoncer une hache dans le dos. C'est-tu moi, la folle, ou ben ça a pas de bon sens ? Comment y pense que je peux y pardonner ça ? J'y parlerai pus jamais. Jamais ! »

Elle se laisse tomber dans un fauteuil, le visage dans les mains, le corps secoué de sanglots. Vicky s'approche, s'assoit sur l'accoudoir du fauteuil et pose une main réconfortante sur le dos incliné de Corinne.

Son regard croise celui de Patrice et elle y lit la même colère qu'elle ressent.

« Vous êtes pas folle, Corinne, vous êtes pas folle. Au contraire. »

***

C'est comme un tricot serré, dès qu'ils tirent sur un fil, il y a un nœud qui se forme et, sitôt défait, un nouveau nid à nœuds se révèle.

Une fois calmée, Corinne se tait. Elle leur demande seulement d'oublier son discours, prétendant avoir inventé l'histoire de son frère avec son père. De tout ce qu'elle a crié, pourtant, c'est ce qui était le plus vrai et le plus enfoui, les deux enquêteurs le savent bien. Sans insister, sans y revenir, ils posent leurs questions en gardant précieusement en tête cette explication de l'acharnement de Gontran. Faire payer les abbés devenait une réparation des sévices que son père lui avait infligés en « collaboration » avec l'Église.

Mais se taire le condamnait au tourment de la culpabilité. Tant qu'il protégeait son père en cachant ses comportements infâmes, la peur régnait sur sa vie. Et c'est bien comme ça que l'avait décrit Corinne : un enfant qui meurt terrifié à l'idée d'être récupéré par son père dans l'au-delà.

Devant l'état de choc dans lequel se trouve Corinne, ils essaient seulement de calmer les choses. Ils ne posent aucune question essentielle. Rien qui se rapporte à ce qu'elle vient de révéler.

Corinne les regarde avec ses yeux rougis et elle leur demande d'arrêter leurs simagrées : « Ça m'est sorti parce que j'étais tellement en maudit. Asteure que c'est faite, on fera pas semblant. Allez-y, posez-les, vos questions. »

À ses yeux, la trahison d'Yvan à son égard a entraîné celle qu'elle vient de commettre à l'égard de son frère. Pour elle, révéler un tel secret, c'était trahir la mémoire de Gontran. Pour ce qui est de la mémoire de son père, Corinne s'en fout royalement : cet homme n'a eu d'égards pour personne. Elle l'avait pleuré à sa mort, croyant pleurer un père exigeant, dur et dévot. Mais à la mort de Gontran, elle avait pleuré le mensonge de sa vie passée en même temps que le cycle des abus répétés.

« Vous savez ce que Gontran a fait toute sa vie ? Il s'est surveillé. Il a toujours eu peur de devenir un pédophile, lui aussi. Je ne peux pas vous dire comme je les déteste, ceux qui sortent leurs maudites statistiques en affirmant que, une fois abusé ou violenté enfant, un adulte deviendrait abuseur et violeur. C'est pas assez de leur avoir gâché leur enfance, il faut aussi débâtir leur vie d'adulte ! Le pourcentage qui devient des gens bien, qu'est-ce qu'ils en font, ces grands spécialistes là ? C'est même pas certain qu'ils sont bons. Ils sont à surveiller… et quand ça arrive dans notre sainte mère l'Église, ben c'est sûr que ça peut pas être la responsabilité des prêtres. Gontran a viré fou quand y a fallu renoncer à poursuivre ses deux "si bons amis" les abbés.

— Il a peut-être continué sans le dire ? »

Corinne hausse les épaules : « Si ça lui faisait du bien, tant mieux pour lui !

— Monseigneur Rivest est-il demeuré en contact avec lui ?

— Qui ?

— Monseigneur… l'abbé Rivest.

— Si vous parlez de l'écœurant qui a violé ma sœur et qui est venu voir si on allait bien dix-huit ans plus tard, si vous parlez du trou de cul à qui Yvan Gauthier a ouvert sa porte, je le sais pas. J'espère que vous devinez que ça m'intéresse pas plus aujourd'hui que dans le temps. »

C'est effectivement très clair. Vicky vérifie l'alibi de Paulette, le jour du meurtre, celui de Bob, des enfants… Corinne est visiblement soulagée de s'extirper du sujet brûlant et elle donne des détails sur les activités des enfants. Et même sur les activités de son mari et de son sens des loisirs : « J'ai jamais vu Bob revenir de la chasse sans son orignal. Si vous l'aviez vu avec son *buck* le 10 octobre… je pense qu'on l'a même pas fait débiter. Je sais plus ce qu'on en a fait. »

Elle se lève, épuisée : « Alors, c'est lui qui a fait ça ? Le monseigneur… Est-ce qu'il vit encore ? Ça doit, y avait pas cinquante ans quand y est venu nous blanchir l'âme et tuer mon amie. Y a pas loin de mon âge, y doit même être plus jeune. Gontran a pas eu cinquante ans. Y est mort à quarante-cinq…

— Pensez-vous qu'Yvan savait pour votre père…

— Regardez : ce qu'Yvan Gauthier sait ou sait pas, ce qu'il dit ou dit pas, allez le vérifier par vous-mêmes. Moi, je sais plus rien. Je pensais savoir… mais je sais plus rien. »

Elle prend son sac et se dirige vers la porte, où elle s'arrête : « Ce qui m'est sorti, tantôt, êtes-vous obligés de l'écrire quelque part ? Si

Yvan est au courant, c'est parce qu'il confessait mon frère, et y va se la fermer, ça j'en suis sûre. Gontran m'a dit ça deux jours avant de mourir… il l'a gardé pour lui pendant quarante-cinq ans, pis y a payé pour, toute sa vie. Est-ce qu'on peut tenir ça mort ? Est-ce qu'on peut y donner ça ?

— On peut essayer. À moins que ça ait une incidence sur le meurtre d'Émilienne.

— Comment voulez-vous ? Y est mort en janvier et c'est en octobre que l'écœurant est revenu.

— Neuf mois. Le temps de bien réfléchir.

— Ah bon ? Ça pense, ces gens-là ? Ça fait pas juste bander ? »

Le rire de Patrice détend l'atmosphère d'un coup. Corinne sourit : « Excusez-moi pour le souper, mais j'ai pus le cœur à rien. »

Elle sort et referme la porte avec douceur.

« Voilà qui s'appelle avoir des couilles. Quel mec, cette femme ! »

Vicky ne le laisse pas s'extasier trop longtemps et elle le ramène à leur tâche. Les nouveaux faits ne les éclairent pas vraiment… en dehors d'avoir accès aux raisons intimes de Gontran de quitter les ordres et de poursuivre les assaillants de sa sœur avec une telle pugnacité.

Pour Patrice, il est grand temps de retrouver monseigneur Rivest et de s'asseoir avec lui, question d'explorer ses allées et venues.

Où qu'il soit, ce sera à Patrice seul de se débrouiller avec cette partie de l'enquête, Vicky lui rappelle qu'elle part le lendemain midi. Patrice se renfrogne et continue de déplacer ses fiches sans rien ajouter.

Après un temps accordé à sa bouderie, elle lui demande s'il désire qu'elle appelle Yvan pour savoir où Rivest se trouve maintenant.

« Ce qui serait bien, c'est que ça se situe tout près de Montréal. Nous pourrions nous y rendre de concert après vos heures de boulot.

— Patrice, c'est non. Et faites-moi pas regretter d'avoir accepté pour ces jours-ci. »

Patrice jette ses fiches en désordre sur la table et retire ses lunettes. « Alors, que fait-on ? Qu'y a-t-il à tirer de tout ce fatras ?

— Pour l'instant, rien. On prend une pause. Une demi-heure. Et après, on mange. À partir de dix-neuf heures trente, on refait un marathon de tout ce qu'on a et de ce qui nous manque.

— La galère ! Vous voulez bouffer avant dix-neuf heures ? C'est autorisé, ici ?

— Ici, c'est même normal. À tantôt, Patrice, j'ai besoin d'un break. »

***

Elle laisse le jet de la douche couler sur son visage. Longtemps. Une chose est certaine : elle ne boira pas de vin ce soir. Elle est si amochée par sa courte nuit qu'elle s'étend, s'octroyant une pause de dix minutes.

Elle se réveille en sursaut, parce qu'on frappe à sa porte. Son cellulaire se met à vibrer sur sa table de nuit. Quel impatient, ce Patrice !

Il entre en trombe : « Vous êtes sourde ou quoi ? J'ai parlé au curé, il est complètement paumé, le mec. À l'entendre, la fin du monde est pour demain. – Il la regarde, surpris. – Vous me faites quoi, là ? Vous pensiez *room service* ? Ça vous brancherait, ce resto où nous sommes allés le premier soir… alors quoi ?

— Je le crois pas ! Vous arrivez ici comme si vous aviez une grosse nouvelle et vous me poussez dans le dos, en plus !

— Il est tout de même dix-neuf heures… »

Stupéfaite, elle se rend compte qu'elle a dormi une heure entière. Patrice aime beaucoup l'effet de sa phrase : « J'ai réservé, vous pensez bien. Nous sommes en retard, alors magnez-vous ! »

***

C'est délicieux et elle se réjouit de l'initiative de Patrice. Manger les aidera sûrement à mieux avancer. Elle s'en tient au Perrier, au grand découragement de son collègue : pour lui, c'est péché de ne pas goûter un tel pinot noir. Elle tient son bout, elle veut travailler ce soir, et même toute la nuit, s'il le faut. Parce que demain, en fin de journée, elle veut arriver à la maison avant Martin. Cette seule idée lui met des étincelles dans les yeux.

« Qu'est-ce que vous êtes mignonne sous cet éclairage ! »

Il le dit sans vouloir la séduire, comme une simple constatation. Vicky ne répond rien : s'il savait que c'est son départ prochain qui lui donne ce teint, il serait moins admiratif.

« Dites-moi donc pourquoi vous avez rappelé le curé, au lieu d'essayer de me flatter.

— Non coupable ! C'est lui qui a appelé… en désespoir de cause, si j'ai bien compris. Le pauvre est effondré. Corinne refuse de l'entendre. Il voulait s'assurer qu'elle allait bien.

— Comment il savait qu'elle nous verrait ?

— Elle était encore avec lui quand elle vous a appelée.

— Ah oui… Ben, y a couru après son sort, si vous voulez mon idée. S'il pensait que Corinne allait comprendre une invitation aussi stupide, c'est qu'il la connaît mal.

— Il n'avait pas le choix, Vicky, on lui a imposé tout le truc de la retraite spirituelle. C'est bien comme ça qu'on dit ?

— Je pense, oui. Peu importe : on l'a obligé. Y aurait quand même pu avertir Corinne. Que ces deux femmes-là aillent pas s'asseoir à l'église devant l'évêque.

— Exactement ! C'est bien ce que je lui ai dit, ça aurait limité les dégâts. Corinne l'aurait tué, voilà ce qu'il m'a répondu. L'évêque, elle aurait tué l'évêque… À coups de hache, a-t-il pris soin de préciser.

— Moi aussi je l'aurais tué à la place de Corinne. Peut-être pas à la hache… Bon, c'est tout ? C'est pour ça que vous êtes venu cogner de même à ma porte ?

— Je voulais vous surprendre à buller, vous savez bien. J'aime assez le côté humain que ça vous donne.

— Huit heures. On y va, Patrice ?

— J'ai droit à un café, non ? Déjà que vous êtes speedée… Si je veux suivre. »

Il a son sourire des bons jours, le sourire du gars qui a gardé un joker dans sa manche. Elle commence à le connaître, son Patrice: « C'est quoi ? Vous avez trouvé du nouveau ?

— J'ai surtout réfléchi... et deux choses me semblent peu crédibles. »

Il prend le temps de sucrer son café, de le remuer. Vicky s'impatiente: « Je suis supposée deviner ?

— On se calme ! Deux questions. Un: comment Corinne a-t-elle réussi à cacher à sa meilleure copine que l'enfant qu'elle lui confiait était celui de sa sœur ? Et deux: vous y croyez, vous, à cette union conjugale entre Paulette et le curé ? »

Vicky ne voit pas trop où il s'en va avec ces questions plutôt accessoires, mais elle répond sans rouspéter: « L'enfant, je pense que c'était surtout pour son amie que Corinne se taisait. Pour qu'il n'arrive pas... comme sali par ses origines. En ce qui concerne Paulette et Yvan... Non, je ne crois pas que la pauvre fille ait jamais désiré un homme après ce qui lui est arrivé. Elle a un côté absent, encore en état de choc. Yvan ne nous a pas confirmé que les ragots étaient vrais, d'ailleurs. Corinne a pris sa sœur chez elle parce qu'il y avait des rumeurs, pas parce qu'elles étaient vraies. Où vous allez avec ça ?

— Ça m'agaçait, cette idée de liaison. Ça sentait encore l'abus. Et Yvan ne cadrait pas.

— Bon, O.K., c'est réglé pour la deux. Maintenant, qu'est-ce que ça change si Émilienne savait d'où venait son fils ?

— Tout ! Ce qu'elle comptait révéler à son fils le jour du meurtre, c'est l'identité de son père.

— Vous trichez, Patrice, vous tordez les faits: la question est pendante parce que Rivest aurait pu dire "c'est l'autre" et vice-versa.

— Justement: voilà la clé ! L'autre est au Vatican, il se promène dans le Saint des Saints ou pas loin, et voilà qu'on le menace avec son passé. Tenons pour certain que Rivest est honnête – je sais, mais tentons l'hypothèse – il est vraiment repentant, il veut s'amender. Qui se trouve menacé par son sursaut de pénitent ? L'autre, celui qui monte dans la hiérarchie et qui ne veut certainement pas en redescendre. Si ça se trouve, cet autre a fait une fleur à son complice en le recommandant pour l'évêché. Vous croyez que c'est possible, que c'est coutumier ?

— Pas en 83, non. L'autre n'était sûrement pas cardinal à ce moment-là.

— Merde !

— Non, non : on peut faire du millage avec votre idée. Les deux violeurs ont certainement fait un pacte. De silence, de non-dénonciation mutuelle. Parce que, s'il fallait qu'il y en ait un qui parle…

— … l'autre est cuit !

— Pourquoi, tout à coup, en 1985, dix-huit ans après le viol, pourquoi Rivest a-t-il voulu parler ? Ou disons plutôt demander pardon ? C'est long, quand même, pour se décider.

— Effectivement. Ils sont peinards. L'Église les a gardés dans son giron. Elle les a même bichonnés, ces salopards. Elle a payé la forte somme pour museler Yvan Gauthier… Peut-être, et c'est con j'en suis conscient, peut-être qu'Yvan les a menacés ?

— Pas après avoir pris l'argent et signé un papier qui le rendrait menteur ou peu crédible, non. C'est pas lui qui a changé d'idée, c'est Rivest. Il faut voir les lettres, ses fameuses lettres de contrition. On comprendra peut-être.

— Quand même : on le sacre évêque et il se met en tête de bousiller dix-huit ans d'efforts et de silence pour… pourquoi ? La rédemption, la contrition, l'absolution, vous y croyez, vous ? Il avait vraiment des remords ? À ce point ?

— Peut-être que le Saint-Esprit lui est tombé sur la tête avec la mitre ? Je le sais pas, mais c'est sûrement lié. Et l'autre ? Il est où, lui, en 1985 ? Il est déjà évêque, sur le chemin de Rome ? Il tire ses ficelles, il pose ses collets et voilà Rivest qui se met à demander pardon.

— Vous savez quoi ? Dans ce cas de figure, c'est Rivest qu'on aurait dû retrouver mort. Pas Émilienne.

— Oui, mais c'est elle qui est morte. Et c'est son fils qui est en prison. Vous pensez qu'avec ce qu'on a ce serait suffisant pour qu'un procureur essaie de faire rouvrir le procès ?

— Évidemment : le loup dans la bergerie et cette histoire sordide de viol, ce sera amplement suffisant. Mais à voir la réaction de

Corinne au secret gardé par Yvan, ce ne sera pas jojo dans la paroisse si ce qu'on a appris devient public. Du coup, Paulette et Corinne devront partir.

— Corinne sera pas fâchée de s'éloigner, mais Paulette, elle… pas facile.

— Elle en mourra, la pauvre. Sans son curé chéri, elle en crèvera.

— Corinne peut ben être en maudit : même si elle voulait, elle ne peut pas partir.

— Venez, on va distraire Yvan Gauthier de ses sombres pensées. »

***

Le pauvre curé n'est pas facile à distraire. Déprimé, il les reçoit sans façon. Pour l'instant, aucun autre repentir que le sien ne lui importe. Il leur remet les lettres de Serge Rivest et ils ont bien du mal à l'intéresser à leurs questions. Il n'y a que le nom de Corinne qui le tire de son accablement.

« Elle me pardonnera jamais. Elle va faire comme Gontran et me fuir pendant des années. Sont de même dans famille. Quand son frère m'a boudé, ça a tout pris pour qu'y me reparle.

— À quel moment vous êtes-vous réconciliés ?

— Avec Gontran ? Après la mort de son père. Quand y a défroqué. Y avait plus le choix : plus personne y parlait ! À Chicoutimi, ça a été le gros scandale. Y ont dit tout ce qu'y pouvaient pour justifier sa décision. C'est fou : y ont même inventé la vérité qu'on avait cachée.

— Laquelle ?

— Qu'y avait engrossé une pauvre fille et que l'Église l'avait mis dehors.

— Ce qui serait accorder beaucoup de crédit à l'Église quand on voit combien elle protège les écarts sexuels de ses membres.

— Quand on sait ce qui était arrivé à Paulette, ça faisait dur, laissez-moi vous le dire ! Gontran s'est mis en tête de faire payer

Rivest et Dumond. Maudit qu'y avait la tête dure, lui. Comme sa sœur, tiens !

— Il voulait reprendre les démarches que vous aviez abandonnées des années auparavant ?

— C'était comme une manière de ne pas penser au reste. Ça l'obsédait. Comme s'il fallait que quelqu'un paye pour ses années de prêtrise malgré lui. C'était quand même pas la faute des abbés s'il avait été ordonné prêtre ! Y buvait pas mal… disons que ça l'aidait pas à s'éclaircir les idées.

— Il savait pour le chèque de l'archevêché ?

— Ben sûr ! Il voulait même rembourser pour pouvoir les poursuivre ! Y avait pas une cenne, et c'est certainement pas Corinne qui l'aurait aidé, même si elle en avait les moyens. Y était ben confus et… – il cherche ses mots – haineux. C'est un homme qui est mort fâché, Gontran. Ça nous a tous fait du mal. Corinne est restée tellement triste, elle voyait pas le bout de sa peine. C'est pas manque de l'avoir aidé, pourtant. Elle l'a soigné comme une mère.

— Il est mort de quoi, exactement ?

— De rage. Non, c'était un cancer. On a pensé à une cirrhose alcoolique au début. On a essayé de l'aider à arrêter de boire. Ça s'est passé ici, au presbytère. Corinne pouvait pas s'occuper de tout et je me suis proposé. J'étais content de retrouver Gontran, de le soutenir de mon mieux. Mais ça a pas marché. En plus, c'était le pancréas, pas le foie. On l'a su en juin 84, et c'était fini, y avait rien à faire. Y était gros comme un pic et y voulait tellement pas mourir ! Y s'est battu comme… un diable dans l'eau bénite. – Il sourit tristement. – On a mis du temps à s'en remettre. Même Paulette… elle l'aimait tellement, son frère. Elle faisait les quarts de nuit, à la fin. Elle le veillait comme Corinne, comme Émilienne qui avait fait son cours d'infirmière dans le temps. Comme moi. On l'a entouré. On l'a pas lâché.

— Et le reste de la famille ?

— Leur mère était à Chicoutimi et leur autre sœur à Joliette. C'était pas pratique.

— Venez pas me dire que Chicoutimi, c'est le bout du monde ! On en arrive et ça prend, quoi ? trente minutes ?

— Madame Gagnon s'est mal remise de la mort de son mari. Avec Gontran qui a fait scandale la même année en quittant la prêtrise… elle a refusé de le voir.

— Quoi ? Il est mort sans revoir sa mère ou sa sœur ? Elles étaient fâchées ? Elles se sont liguées contre lui ?

— Liguées… liguées… Elles ont pensé avec les principes du notaire Gagnon : pour elles, sortir des ordres, c'était un affront que Gontran faisait à la mémoire de son père. Et monsieur Gagnon était idolâtré par les siens. Gontran s'est pas beaucoup expliqué, vous savez. Il s'est contenté de blasphémer et de boire, c'est pas ce que j'appelle faire de son mieux pour se faire comprendre. Ben, y ont pas compris ! Corinne leur en a voulu, mais il faut se mettre à leur place. »

Patrice se retient de révéler que Corinne avait de bonnes raisons d'en vouloir à ses parents. Yvan continue sur sa lancée : « Y sont tous pareils dans famille : *buckés*. Le père, la mère, les enfants… Gontran en voulait à la terre entière. Si vous l'aviez entendu quand il a su que Rivest devenait évêque ! Ça aurait été un bon suspect, ça. Je pense qu'y l'aurait tué si y était pas tombé malade. »

Vicky reprend en note la chronologie des évènements : en janvier 1983, le notaire meurt, en juin, Gontran défroque. À l'été, en juin ou juillet – Yvan ne peut être plus précis – Rivest devient évêque. En janvier 1984, Gontran essaie d'arrêter de boire et, en juin, son cancer du pancréas est diagnostiqué. Il meurt en janvier 1985 et Émilienne est tuée en octobre de la même année, « alors que tout le monde commençait à se remettre de la mort de Gontran ».

Puisqu'ils en sont à revoir les dates, Patrice essaie de savoir où officie Rivest maintenant, et ce que faisait l'autre abbé, Dumond, en 1985.

Yvan ne leur est d'aucune utilité : il n'a jamais prononcé le nom de Dumond lors de la visite de Rivest en 1985. En fait, il n'en a pas du tout parlé. Tout ce qu'il sait, c'est que Dumond avait revêtu la soutane rouge depuis un bon bout de temps déjà.

« Il a été élevé à la dignité cardinalice en 2005, après la mort de Jean-Paul II.

— Et monseigneur Rivest, où est-il, aujourd'hui ?

— Vous voulez le rencontrer ? Maintenant ? Vous êtes pire que Gontran ! Pensez-vous que vous allez lui arracher des aveux ? C'est complètement fou ! »

Vicky montre les lettres qu'ils viennent de récupérer : « Et ça ? C'est pas une sorte de preuve ?

— Voyons donc : pensez-vous qu'il a écrit qu'il a violé ? Contrit peut-être, mais pas fou. Il s'accuse d'avoir péché. Gravement. À ce compte-là, on est tous coupables et on a tous fait des aveux. Vous avez rien avec ces lettres-là ! Sauf des belles phrases. Je me suis même demandé s'il ne les avait pas copiées. Je l'ai pas connu aussi raffiné, ça c'est sûr. Ses sermons étaient poches, pas brillants ni intéressants. Même en 1985, après des années de pratique, c'était très ordinaire.

— Ça vous dérangerait beaucoup d'effectuer la recherche ? J'aimerais vraiment savoir où le rejoindre. Ça pourrait nous aider.

— Pour ce que j'ai à faire… Ça va au moins m'occuper. »

Sa peine et son angoisse lui retombent dessus comme une chape de plomb. Vicky ne sait pas ce que Corinne lui a dit, mais elle l'a blessé. Durement.

***

« Yvan ? »

Ils sursautent, tous les trois. Personne n'avait entendu Paulette arriver. Elle se tient dans l'embrasure de la porte de la cuisine, effrayée par la réaction qu'elle a déclenchée.

Yvan va vers elle, rassurant : « Paulette ? Pourquoi t'es là ? J'avais pas besoin que tu passes ce soir.

— Corinne va pas. »

Elle le regarde comme s'il était capable d'un miracle. Son visage est inquiet, ses yeux implorent. Yvan n'est que douceur. Il prend ses mains dans les siennes: « Je sais. Ça va passer.

— Qui va mourir ? »

Yvan soupire, essaie d'être convaincant. Elle l'écoute en hochant la tête et en ponctuant ses phrases d'un « ben sûr » qui ne surprend pas Vicky.

Dans le silence qui suit le laïus d'Yvan, elle se retourne vers les deux enquêteurs: « Vous devriez partir. »

Ils ne savent pas si elle parle de quitter le presbytère ou la région, mais elle est ferme, presque sans crainte.

Patrice sourit de tant d'amabilité: « Ne vous bilez pas. Nous partions, justement. »

Elle se détourne et s'adresse à Yvan : « Corinne pleure. Je l'ai vu.

— Elle a des soucis, Paulette. Ça va passer. Inquiète-toi pas.

— Qui est mort ? »

Comme si toute larme n'accompagnait que le deuil ! Yvan répète lentement ce qu'il a déjà dit.

Vicky s'approche avec douceur: « Vous voulez que je vous raccompagne, Paulette ? Et que j'essaie de voir ce que je peux faire pour Corinne ? »

Paulette la considère avec un soupçon de dédain, comme si cette seule idée était d'une présomption sans nom: « Yvan peut. »

Le pauvre homme le voudrait bien ! Il est bouleversé à l'idée d'avoir provoqué un tel drame.

« C'est gentil de sa part de l'offrir, non? Tu devrais rentrer, Paulette. Tout va s'arranger. Inquiète-toi pas.

— Mais qui va mourir ? »

Elle n'en démord pas: les larmes viennent avec la mort. Patrice se dit que si cette femme continue, c'est l'agonie d'Yvan qu'elle va provoquer. Il s'essaie à son tour: « Désirez-vous qu'on vous raccompagne en voiture ?

— Corinne va pas. Yvan ? »

Patrice regarde Vicky avec un soupçon d'exaspération: cette Paulette a du sang d'entêté, exactement comme Yvan le disait. Il fait un signe de tête discret à Vicky, qui referme son calepin. Cette fois, c'est Yvan qui les surprend : « Peut-être… peut-être qu'on pourrait y aller ensemble ? »

Deux réactions opposées lui répondent. Au moment où Vicky dit : « Je ne pense pas, non », Patrice s'écrie : « Essayons ! »

Paulette prend la main d'Yvan et boite vers la porte d'entrée. Vicky s'interpose : « Pourquoi on laisserait pas les hommes aller la chercher ? On attendra ici. Ça fait beaucoup de monde, sinon. Corinne pourrait trouver que c'est trop. »

Paulette hésite, consulte Yvan du regard. Il faut qu'elle aime beaucoup sa sœur pour se sacrifier. Ses yeux vont de Patrice à Yvan, incertains. Elle évalue le risque que Corinne refuse de parler devant tant de monde. Ils sont là, debout, prêts à agir. Ils attendent qu'elle se décide.

Paulette lâche la main d'Yvan : « Laisse-la pas mourir. »

Yvan promet de revenir très vite.

Dès qu'ils sont partis, Paulette se précipite à la fenêtre. Elle écarte le rideau et se place entre la vitre et la mousseline brodée. Vicky ne voit plus qu'une forme sombre qui bombe le rideau. Ce ne sera pas bavard, cette attente. Au bout de cinq longues minutes où Paulette semble l'avoir oubliée, Vicky va à la cuisine préparer du thé.

Pendant que l'eau bout, elle entend le pas claudicant qui s'approche. Comment ont-ils pu ne pas l'entendre entrer, tout à l'heure, Vicky ne comprend pas.

Paulette lui prend la boîte de thé des mains et elle referme la porte de l'armoire : « Je vais le faire. Moi, je sais. »

Effectivement, cette femme sait se débrouiller dans une cuisine. Et celle-ci est la sienne, de toute évidence.

Vicky prend la décision de ne rien demander, rien commenter… de laisser Paulette agir à sa guise.

Une fois le thé brûlant versé, Paulette le pose sur la table de cuisine, elle éteint la lumière crue du plafonnier et s'assoit à son tour. Tout est rituel avec elle.

Quand elle s'aperçoit que la lumière au-dessus de la cuisinière n'est pas à la bonne intensité, elle se relève et l'ajuste à « veilleuse ». Elle revient s'asseoir et ferme ses deux mains sur la tasse, sans boire.

Elle lève des yeux momentanément rassurés sur Vicky : « On va attendre ici. »

Vicky murmure un « ben sûr » très apaisant.

Elle a le temps de souffler sur le liquide, de poser sa tasse, d'attendre encore et, enfin, de boire une gorgée avant que Paulette ne dise : « Papa est mort. »

Vicky se demande bien quel est le lien. Elle s'occupe à effectuer un calcul mental pour éviter de parler et, juste comme elle arrive au chiffre 24 qui sépare cette mort d'aujourd'hui, Paulette ajoute : « Corinne le sait pas. »

Oups ! Petite dérive du réel, ici : Vicky se demande si elle doit corriger le tir. La pauvre femme a l'air très satisfaite de sa déclaration et Vicky s'en tient à sa politique de départ. Elle se contente d'un murmure consentant.

Paulette se lève tout à coup, elle s'agite, sort le sucrier, une cuiller, remplit le petit pot de lait, place le tout sur la table… et elle se rassoit en reprenant sa tasse. Elle rectifie l'ordonnance des anses du pot et du sucrier.

Il y a tellement d'anxiété dans ces petits gestes, tellement d'envie de contrôler les choses pour ne pas qu'elles explosent ou lui échappent que Vicky sent un point se former dans son dos : si cette femme ne dit rien, elle va hurler.

« Yvan le sait pas. »

Bon, ça continue, le délire. Vicky boit… et se brûle la langue et le bord de la lèvre.

« Faut pas faire de peine à Corinne. »

Vicky trouve que ça commence à s'améliorer. Paulette pousse un énorme soupir et elle plante ses magnifiques yeux dans ceux de Vicky : « Vous allez partir ? »

La question est posée comme si c'était une belle promesse qu'on lui avait faite.

Vicky répète son « ben sûr » jusque-là si payant.

« Je l'ai jamais dit. »

C'est comme si la lumière devenait plus nette. Vicky en arrête de respirer. Chaque phrase se tient. Cette pauvre femme lui confie quelque chose qu'elle n'a jamais dit. Le viol ? La naissance de Paul ? Autre chose ? Tous les sens de Vicky sont en éveil. Elle pose sa tasse, serre ses mains autour, exactement comme Paulette le fait, et répète très bas le « ben sûr » vague.

« C'est pour mon bien. »

Bon, une phrase creuse de parents, ça, ou d'autorité quelle qu'elle soit. Quelqu'un a dû le lui répéter, mais ça peut aller du violeur au laitier. Vicky cherche encore le sens quand Paulette ajoute : « Pauvre Corinne… Elle l'a jamais su. »

Cette fois, le « ben non » de Vicky est presque fébrile.

« C'est mieux de plus jamais en parler. »

Oh non ! Vicky voudrait tellement qu'elle parle, au contraire. Pourquoi « Pauvre Corinne » ?

Dans un effort de pacification, Vicky imite Paulette et boit exactement comme elle le fait, espérant que le mimétisme lui permettra de croire un instant qu'elle se parle à elle-même.

« Papa s'en occupe. »

Des yeux pleins d'eau la fixent : « C'est mieux de même… »

Hou là ! Est-ce qu'elle parle des abbés ? de son père ?

« Papa est fâché… Gontran est fâché… C'est pas de ma faute ! »

Vicky pose une main apaisante sur la table tout près de celle de Paulette. Son « ben sûr » est ferme et doux. Elle y met tout ce qu'elle a de rassurant.

« Tout le monde est mort. Je l'ai jamais dit. »

Vicky a bien du mal à ne pas hurler : quoi ? Qu'est-ce qui est dit avant qu'on meure ? Le père est intervenu et a imposé le silence « pour son bien » ? Mais quel silence ? Savait-il pour le viol ? A-t-il avoué à cette pauvre fille qu'il avait fait du mal à Gontran ? C'est pas possible !

« Corinne va pas bien. Faut pas lui dire.

— Ben sûr…

— Ça fait mourir tout le monde.

— Ben sûr…

— Je l'ai encore… C'est pas de ma faute…

— Ben non, ben sûr…

— Papa est mort… est-ce que je peux le sortir ? »

Vicky n'ose pas donner sa réponse habituelle. Ça semble si urgent, si important pour Paulette. Elle a l'air d'attendre, et Vicky ne sait pas quoi. Elle avance prudemment un : « Je vais partir bientôt » en souhaitant que cette perspective soit toujours rassurante aux yeux de Paulette… et qu'elle ouvre la valve des aveux. Mais rien ne se produit. Paulette est plongée dans ses réflexions.

« Ça fait pas de bien. Ça fait mourir. »

Elle a beau vouloir ne pas se montrer contrariante, Vicky aimerait bien obtenir quelques précisions.

« Est-ce que je peux le sortir ? Papa est mort, tout le monde est mort. »

Pourquoi Vicky déroge-t-elle à sa réponse habituelle, elle ne le sait pas. Elle a trop besoin de savoir, sans doute. Elle demande doucement : « Pourquoi pas me le donner ? Je vais partir… »

L'horreur qui frappe les traits de Paulette lui confirme qu'elle vient de commettre une grave erreur. Toute l'angoisse s'abat de nouveau sur Paulette : « Corinne ? Il faut aller voir Corinne ! »

Elle se lève, range tout et repart vers le salon sans écouter un mot de ce que Vicky dit.

Dès qu'elle est sortie, Vicky prend une feuille sur le comptoir et note fébrilement tout ce dont elle se souvient des phrases sibyllines de Paulette.

Une fois terminé, elle a beau tenter de trouver un sens, c'est impossible. C'est indéchiffrable. Elle essaie de se calmer, de déterminer les raisons de la panique qui la tient depuis que Paulette est entrée au presbytère.

Elle pose les mains sur la feuille : la solution est là, Paulette la possède. Et elle n'arrive pas à la décoder.

Tout ce qu'elle sait, c'est que malgré son apparente confusion mentale, Paulette détient une logique. Celle du meurtre.

***

Si Paulette prête foi à l'apparence de bonne entente que jouent pour elle Corinne et Yvan, c'est qu'elle est bien crédule.

Les voir arriver ensemble a l'air de suffire à la rassurer. Elle propose même une partie de cartes que les deux autres, épuisés, refusent avec un empressement identique. Corinne conclut qu'elles doivent rentrer maintenant.

« Vicky aussi va partir. »

Étonnée d'entendre Paulette utiliser son prénom, Vicky confirme et entraîne Patrice. Paulette s'avance vers elle et effleure sa joue du dos de la main, avec une grande gentillesse : « Tout le monde va mieux. Personne va mourir. Merci. »

Patrice s'informe de la provenance de toute cette reconnaissance dès qu'ils sont en route pour Chicoutimi. Vicky lui fait le récit de son attente et de la « conversation » qu'elle a eue avec Paulette.

Patrice stationne la voiture au bord de l'eau : « On peut marcher ? »

La soirée est douce, c'est un automne aux airs d'été indien qui enchante Patrice.

Il raconte la difficile mission qu'il vient d'effectuer. Pendant qu'Yvan s'entretenait avec Corinne, il a tenu compagnie à Bob, un homme affable et sportif qui n'a parlé que de football américain, sport que Patrice connaît peu.

Quand Vicky lui demande de le décrire, Patrice résume : « Presque totalement chauve et bas sur pattes : elle doit faire dans les vingt-cinq centimètres de plus que lui. Drôle de couple. Mais il est sympa… si on aime le foot américain !… Vous le dites si je vous ennuie.

— Du tout ! Au contraire, vous m'éclairez beaucoup.

— Ravi de vous l'entendre dire. Ça vous embêterait de partager vos lumières ?

— J'y arrivais : le couple, le vrai couple, c'est Corinne et Yvan. Ces deux-là partagent plus que la responsabilité de Paulette. Ils sont ensemble, Patrice. En tout cas, ils l'ont été. Et on vient d'assister à une grosse chicane d'amoureux. Rappelez-vous ce que Corinne disait : il m'a trompée, trahie…

— Vous croyez ? À l'insu de tous ? Tout ce temps ?

— Paulette servait de paravent : les rumeurs avaient une base véridique, le curé couchait bel et bien avec une paroissienne. Mais pas Paulette. Regardez tout ce qu'ils ont traversé ensemble. En tout cas, s'ils n'ont pas consommé leur union, elle existe quand même.

— Je veux bien, mais de là à entretenir une liaison de… quoi ? Combien ? Quarante ans ? C'est de la bigamie !

— Ben voyons donc : pour vous, une liaison doit être d'une durée limitée ? Sinon, c'est un mariage ? C'est quoi, le plafond, Patrice ?

— Moquez-vous ! Vous ne feriez pas la différence, vous, si Martin vous informait d'une liaison de six mois ou de six ans ? »

Une chance qu'il fait noir, parce qu'il la verrait pâlir : « O.K., Patrice. Mais si c'est vrai, pourquoi ne pas défroquer ? »

Patrice soupire. Il lance son mégot, qui luit sur le sol avant de s'éteindre.

« Parce que ce type est le roi des contradictions. Si ça se trouve, il n'a pas voulu effrayer Paulette. Ou alors, Corinne. Elle a quatre enfants, elle ne peut tout de même pas les planter là. – Il rit. – Ce n'est pas le peintre Veilleux, elle, elle ne rigole pas avec ses obligations morales. Elle est comme Yvan, tiens ! Plus j'y songe, plus ça s'avère plausible, ce couple. Lui a charge d'âmes et elle s'est fait un point d'honneur de ne pas l'éloigner de ses responsabilités. Ça se tient. Pas mal, Vicky, vous avez le nez creux, y a pas…

— Sauf que ça ne change rien à notre problème.

— Ne dites pas ça : voilà qui règle le cas de leur alibi pour octobre 85.

— Vous pensez qu'ils étaient ensemble ?

— Après la retraite spirituelle et avec Paulette qui est au loin : parfait timing pour atteindre le septième ciel !… qui m'apparaît nettement préférable au ciel tout court.

— Ils ont même prétendu avoir la même activité : ils faisaient du ménage.

— Parions que l'ordre en question procédait d'un certain désordre.

— Ça vous plaît beaucoup, je le sens.

— Beaucoup ! J'adore quand les gens sont imparfaits. J'adore le détail qui ajoute un peu de saleté à la vérité trop propre. Ils sont plus crédibles avec cette liaison, voyez-vous… Le dévouement infini à la pauvre boiteuse, c'est édifiant, mais pendant quarante ans ? C'est vachement long. Vous avez froid ? Vous voulez ma veste ? »

Sans attendre sa réponse, il la retire, la met sur ses épaules. Vicky n'a pas vraiment froid. Elle essaie d'expliquer ce qui la trouble. Paulette a de la force et plus de finesse et d'intelligence qu'il n'y paraît. Elle savait parfaitement bien qui ils étaient tous les deux, elle avait une conscience aiguë de la crise que traversait le couple de Corinne et Yvan… et elle a agi pour les rabibocher.

« Et alors ? Où est le mal ?

— Paulette les protège. Pas le contraire. Je sais : c'est une effrayée, une angoissée, une personnalité limite. Ça n'empêche pas qu'elle sait plus de choses qu'on ne croit et que rien ne va la forcer à les dire. Rien. Franchement, Patrice, je pense qu'elle sait tout.

— L'identité du meurtrier ? Le mobile ?

— Oui. Je ne suis pas certaine qu'elle a fait les liens entre les éléments, mais…

— … elle les détiendrait tous ? Sans que quiconque s'en soit aperçu ?

— Même pas elle, Patrice.

— Alors là, je suis largué ! Faudrait quand même choisir : ou elle est forte, ou elle est con.

— C'est comme si elle me donnait des éléments d'information à partir de la fin. Quand on est partis, elle m'a dit "Tout le monde va mieux. Personne va mourir"… Et ça, c'était le résultat de son intervention. Parce que Corinne et Yvan étaient en danger pour elle. "Ils sont tous morts", ça revenait souvent.

— C'est une trouillarde. Je ne dis pas qu'elle n'a aucune raison de l'être, mais elle voit à travers ses craintes, comme nous tous au demeurant.

— Parce qu'elle ne tire pas les bonnes conclusions de ce qu'elle sait.

— Et quelle serait la bonne conclusion, selon vous ?

— On tourne en rond ! Elle a parlé de papa, de se taire, de Gontran. Ça se résume à : les gens sont fâchés, il faut se taire, les gens meurent. Et il ne faut pas que Corinne ou Yvan meure.

— Eh ben voilà : vous y êtes ! Qui est mort ? papa, le frérot, Émilienne… tiens, elle n'en a rien dit, de cette dernière ?

— Pas nommément.

— Dommage. En l'incluant, c'était complet. Où en sommes-nous ?

— Paulette est une angoissée qui ne veut pas me révéler ce qu'elle sait.

— Comme vous le dites si bien : on tourne en rond ! »

Le cellulaire de Vicky vibre. Elle répond et n'émet que des onomatopées. Elle termine par : « Merci beaucoup. Ça ira ? »

La réponse est courte : « Yvan Gauthier nous a faxé les coordonnées de l'endroit où réside monseigneur Rivest. Vous allez être content : c'est tout près de Montréal. Mais ne vous réjouissez pas trop : il est à demi paralysé depuis un accident cardiovasculaire. Il est tombé, alors qu'il célébrait la messe.

— Mort au combat ! Sur la scène même du théâtre. Vous savez quoi ? Je ne serai pas mécontent de quitter cet endroit. C'est joli tout plein et ça fourmille de secrets trop bien gardés. Vous ne lui avez pas soufflé mot de son péché de la chair ?

— Vous ne trouvez pas qu'il a eu son compte pour aujourd'hui ? Venez, on va travailler.

— Comme si on n'avait rien foutu de la journée ! »

***

À minuit passé, ils sont si fatigués que plus rien n'a de logique. Ils ont refait le parcours des évènements dans tous les sens. Et c'est à n'y rien comprendre, comme le dit Patrice qui débouche une bouteille de vin en proclamant qu'elle a le teint blême et qu'il y a une limite à l'inintelligible.

Il lui tend un verre et elle le prend en jetant ses lunettes sur les papiers éparpillés. Elle marche des fenêtres à la table en lui demandant combien de fois dans sa vie de commissaire il a dû abandonner.

« Hé ! Nous n'abandonnons pas ! Le meurtre remonte à vingt-deux ans. Les mémoires se sont émoussées, des témoins essentiels sont morts… on peut s'estimer heureux d'avoir obtenu de si bons résultats en si peu de temps. Et nous n'avons pas dit notre dernier mot. Il y a un monseigneur amoché qui doit prier pour que personne ne vienne lui poser de questions relatives à ses conneries de jeunesse.

— Et qui ne nous dira rien. S'il est venu tuer Émilienne pour la faire taire, imaginez-vous pas qu'il va vous aider.

— Allez savoir… Le voilà diminué, à demi paralysé… Il pourrait perdre pied.

— Et vous allez faire quoi avec lui ? Même si vous pouvez l'accuser, le diocèse va le protéger.

— Le diocèse fera son devoir et je ferai le mien. Le diocèse a longtemps cru que son autorité était supérieure à celle de la justice. Ils ont magouillé, acheté le silence des victimes, ils ont traficoté des ententes ignobles, sans égard pour leurs ouailles. Eh bien ! C'est terminé, Vicky. Le règne des corrompus qui instaurent la morale est terminé !

— Je ne vous savais pas si anticlérical.

— Vous voulez mon avis ? Ce truc qu'ils ont inventé pour agenouiller le bon peuple, cette confession, c'est un sommet de perversité. Grâce à cette pratique, ils ont pu agir avec un cynisme dégoûtant. Chez eux, tout crime est lavé. Il suffit de l'avouer en secret, bien au chaud, quoi ! Et vous voilà assuré du silence. Priez, maintenant ! Dieu vous pardonne. Et à qui les évêques se confessent-ils ? À leurs confrères bienveillants qui la bouclent aussi sûrement qu'un macchabée. Imaginez maintenant un homme comme Bob, le mari de Corinne, qui s'agenouille devant Yvan pour obtenir le pardon de ses péchés. Quel tableau ! Et l'autre qui lui donne l'absolution. Putain ! Il baise sa femme et il lui pardonne. Avouez qu'on perdrait la foi à moins.

— C'est pas certain, Patrice. C'est une idée que j'ai eue. On n'a pas de preuve.

— Elle cadre rudement bien, votre idée ! Elle s'impose, même. Le dévouement sans limites, je veux bien. Mais la boiteuse, il faut se la farcir. Pour consolider l'élan, rien de tel qu'une perspective de jambes en l'air. N'est pas saint François qui veut. Et dieu sait que le clergé est humain. »

Le téléphone de Vicky vibre sur la table. À une heure pareille, ce ne peut être que Martin. Elle se précipite, sous l'œil attentif de Patrice qui s'est redressé et ne perd rien du spectacle.

À la voir s'emparer d'un stylo et se mettre à écrire, il se dit qu'elle doit quand même être déçue.

Il s'apprêtait à se moquer de ses attentes amoureuses, mais elle ne lui laisse pas le temps.

« Corinne a revu sa dernière soirée avec Émilienne à la lumière de ce qu'elle a appris aujourd'hui à propos de l'identité du prédicateur. Ce qu'elle a confondu à l'époque avec du radotage copié des sermons lui apparaît maintenant comme une sorte de… d'arguments que Rivest aurait servis à son amie. Émi parlait de pardonner – tiens ! vous allez être content ! – et de croire en la possibilité du rachat. Un de ses arguments qui avait beaucoup choqué Corinne, c'était qu'une erreur de jeunesse pouvait avoir une conséquence heureuse : le fils qu'elle a eu venait peut-être d'un péché, mais il était tout son bonheur. En révélant à Paul qu'il était adopté, elle lui prouvait qu'il était honorable, une âme noble, quoi.

— Comme c'est tordu : détruire un enfant pour le complimenter sur sa grandeur d'âme. Taisez-vous, c'est dégueulasse !

— Exactement ce que Corinne a dit : "T'es folle, Émi, tu vas le tuer avec tes histoires." Et c'est là que ça devient intéressant : Émi a dit qu'elle avait une lettre écrite à la naissance de Paul par son père. Une lettre admirable qu'elle voulait lui offrir. Paul-Émile est mort alors que Paul avait cinq ans. Corinne a cru que la lettre venait de ce père-là. C'était impossible qu'il en soit autrement, les abbés n'avaient eu aucun rapport avec le couple. L'amour paternel était sûrement celui de Paul-Émile. Mais ce soir, pour la première fois, elle a un doute… Et si la lettre avait été écrite par le père biologique ? Elle m'a donné toutes les raisons pour lesquelles c'est impossible. Mais le doute reste là et elle ne pouvait pas dormir sans me le dire. »

Patrice est déjà en train de chercher ses lunettes, fébrile. Il farfouille dans leurs notes : « C'est possible, vous croyez ? Ça se bidouille comment, cette histoire ? Attendez, attendez ! »

Après bien des détours, ils arrivent à une seule conclusion : si Serge Rivest a jamais écrit une lettre d'amour paternel l'année de la naissance de Paul, c'est qu'il a appris très tôt la grossesse de Paulette. Il devait même se sentir assez repentant de ses actes pour les admettre. Un moment, du moins. Sous le choc de la nouvelle. Et la seule personne qui peut le lui avoir dit, c'est Gontran. Puis, le temps passant, Rivest a probablement trouvé ses aveux regrettables. Comment il a appris cette naissance, ils le devinent : un soir de soûlerie en compagnie de Gontran, son tortionnaire qui ne le lâchait pas. Comment il a su surtout que c'était Émilienne qui avait adopté l'enfant issu de cette erreur demeure un mystère. Et comment une telle lettre – arrivée alors que Paul-Émile vivait toujours et qu'il veillait à préserver le secret – avait-elle pu demeurer aussi bien cachée, ça frisait le miracle, selon Patrice.

Émilienne avait donc des secrets pour sa meilleure amie ? Son désir d'éclairer Paul sur ses origines survenait tout à coup pour ses dix-huit ans ?

Même si elle avait confessé à Rivest qu'elle avait la fameuse lettre et qu'elle désirait dire toute la vérité à son fils, monseigneur n'était sûrement pas parti, la hache à la main, pour obtenir la lettre et détruire sa propriétaire.

Patrice estime que les chances de Rivest d'apprendre qu'il était père d'un fils ou d'une fille sont nulles. Savoir en plus qu'Émilienne est la mère adoptive est de la pure fantaisie. Même si une femme lui confesse son envie de dire la vérité à son fils, il n'avait aucune chance de deviner que cet enfant était le sien.

Vicky soupire : « On délire, Patrice. Même si la lettre existait, elle ne serait jamais parvenue à Émilienne. Jamais. Pour le meurtre, c'est encore plus extravagant : si monseigneur avait ordonné à Émilienne de se taire, elle l'aurait fait. Une femme aussi pieuse n'aurait pas résisté, il faisait ce qu'il voulait avec elle. Pas besoin de la tuer. Mais de quoi avait-il peur ? Même si elle existait, il avait la possibilité de la renier, sa lettre !

— Il a bien pu la signer autrement que "papa", cet imbécile. Il est au faîte de sa gloire, il est évêque depuis deux ans. Et l'autre, le complice qui est aussi évêque et qui vise Rome, il le talonne sans doute, il n'a aucune envie de bousiller son plan de carrière pour les aveux touchants d'un père.

— Ça fait beaucoup de peut-être pour un meurtre aussi sordide.

— Mais si l'un est le confesseur de l'autre, si ces deux salopards ne se sont pas lâchés depuis cette nuit-là, il y a fort à parier que la décision a été prise en duo. La lettre pouvait gêner l'ascension de l'autre, comment s'appelle-t-il ? Dumond ! »

Ils continuent à nourrir les hypothèses les plus farfelues. Ils discutent pendant plus d'une heure de la possibilité qu'un des deux abbés ait réussi à savoir qu'il était père et qu'Émilienne héritait de l'enfant. Ils ont beau retourner la question dans tous les sens, cette lettre qui tombe du ciel ne constitue pas un mobile suffisant pour tuer quelqu'un à la hache.

Vicky inscrit en gros sur une fiche : *Deux abbés violent Paulette et, des années plus tard, ils savent qu'il faut demander à Émilienne la lettre écrite alors qu'un des deux s'est ému de devenir père !!! Méchant trou !*

« Voilà ce que j'appelle un cul-de-sac. Je vais dormir, Patrice. Demain, mon avion est à treize heures. Je pourrai prendre un taxi si vous êtes occupé ailleurs.

— Mais enfin, vous me faites quoi, là ? Je repars demain, dès que nous en aurons terminé ici.

— Non. Mon billet est acheté. J'en discute même pas.

— Vous déconnez ! Je dois être à Montréal pour rencontrer l'évêque. Pourquoi partir chacun de son côté ?

— Parce que je suis certaine que si je vous fais confiance, je ne serai jamais à Montréal à l'heure où je dois y être. On n'a pas les mêmes priorités, Patrice. J'ai fait ce que j'ai pu. On arrête ça là, O.K. ?

— Vous foutez le camp et me laissez me débrouiller ?

— Exactement ! Je vous ai offert ma fin de semaine de congé, vous n'aurez rien d'autre.

— Quel veinard, ce Martin, et quelle autorité ! Il siffle et vous rappliquez.

— Patrice…

— Non, mais c'est vrai : je vous ai connue moins docile.

— Moi, je ne vous ai jamais connu moins entêté. Essayez pas de m'avoir avec votre manipulation d'orgueilleux. C'est non. Et c'est non négociable. Bonne nuit ! »

Patrice incline la tête et va lui ouvrir la porte : « Dormez bien. » En refermant la porte, il finit sa phrase : « Entêtée et demie ! »

***

Vicky est si fatiguée qu'elle n'arrive plus à dormir. Elle tourne et se retourne dans son lit, à la fois irritée par l'acharnement de Patrice, déçue de ne pas avoir élucidé l'affaire et anxieuse de ses retrouvailles avec Martin. De quelque côté qu'elle oriente ses pensées, elle trouve du désagrément et de l'inquiétude. Si Patrice savait à quel point son dépit lui est peu de chose à côté de celui de Martin !

Les propos de son collègue sur l'infidélité lui reviennent et la hantent d'autant qu'elle est plus âgée que Martin. Elle a beau en faire un gag à l'usage exclusif de sa belle-mère, il y a des circonstances où elle ne se trouve plus drôle. Et cette heure de la nuit est plus propice à l'angoisse qu'à l'humour.

Comment a-t-il passé ces trois jours ? Une sourde inquiétude la tenaille : et s'il s'était bien amusé pour lui démontrer à quel point elle n'est pas indispensable à son bonheur ? Ou du moins à sa joie. Elle l'aurait bien mérité, elle l'admet, mais elle espère que l'admettre suffira à la démonstration.

Elle se lève et boit un peu d'eau. Pourquoi toujours sauter aux pires conclusions ? Elle répond tout bas : « Pour bien me punir » et se secoue. Inutile de s'énerver, Martin est allé escalader une montagne ou s'épuiser en vélo. Il a brûlé son dépit en s'activant. Et elle a augmenté le sien en enquêtant et en ne trouvant rien. En plus, elle n'a pratiquement pas dormi en deux jours ! Elle va arriver à Montréal cernée, exténuée et nerveuse. Fantastique ! Il va être content de la retrouver, Martin !

Elle se recouche et s'oblige à respirer calmement, posément.

Et plus elle se dit qu'elle doit dormir, moins elle dort. Il n'y a que le message de Martin qui réussit à l'apaiser, et elle le répète, comme un mantra. « Je t'aime. Tu m'aimes. O.K. ? » Elle allait enfin sombrer quand les paroles de Paulette s'imposent à leur tour : « Personne va mourir. Tout le monde va mieux. »

Elle se relève.

***

Vicky essaie de pondre un rapport assez efficace pour qu'un procureur envisage de se pencher sur l'affaire, quand on frappe à la porte : un Patrice fringant, rasé de près et portant beau entre en trombe.

« Encore en peignoir ? Nous n'avons que peu de temps devant nous, alors faites fissa !

— Installez-vous pas : vous pourrez pas fumer ici.

— Qui parle de fumer ? J'ai trouvé. »

Il pose deux feuilles sur la table. Elle le trouve assez excité pour avoir quelque chose d'important à lui révéler. Elle s'assoit. Il ne la laisse pas placer un mot et s'embarque dans sa démonstration : « Concentrons-nous sur nos deux abbés, ceux qui ont commis le premier crime. Tout repose sur leur cynisme et leur absence de scrupules. Ils sont dans le bon camp, celui qui détient l'autorité de pardonner. Et cet aspect des choses est primordial, parce que cela leur procure une certaine invulnérabilité. Ces deux abbés ont, au moment du viol, respectivement vingt-cinq et trente-deux ans. Dumond est le plus âgé. L'autre est un bleu dans le genre naïf. Dumond, lui, a décidé de soulager sa tension sexuelle. Il a tout cadré dès son arrivée au presbytère, parce que c'est un pervers qui n'en manque pas une. Il mate Yvan qui joue les prudes, Paulette qui se tortille d'envie et le Gontran qui est noir dès que la messe est dite.

« Il entraîne le jeunot dans son projet. Pourquoi agit-il de la sorte ? Pour se couvrir, tiens ! Pour être en mesure d'accuser l'autre s'il survient un pépin. Cet avisé n'est jamais pris au dépourvu : ses méfaits, en aucun cas il ne les assume. Il a toujours une carte dans sa manche, un pauvre couillon qui s'est foutu dans la merde et qui panique dès que les choses se compliquent. Et notez ce cas de figure parce qu'il reviendra, et plus d'une fois.

« Donc, Dumond et Rivest se font la petite. Ça se passe mal. Ou bien… c'est selon. Je m'explique : il n'est pas exclu que la violence soit partie intégrante du plaisir pour Dumond. L'autre, j'en doute : il est puceau, il n'a qu'un seul mode opératoire, et c'est se soulager, le plus vite étant le mieux. S'il n'en tenait qu'à lui, le tout aurait été expédié en trois minutes chrono. Mais Dumond a une autre idée de la satisfaction et il se paie la totale. Ils ont bu, ils n'ont plus aucune inhibition et, si ça se trouve, le vieux convainc le jeune d'y aller brutalement. Bref, ils s'amusent bien et longtemps.

« Laissons Paulette de côté et demeurons avec nos abbés. La contrition a dû apparaître chez Rivest dès le lendemain matin. Il s'est réveillé avec une gueule de bois et une forte envie de se confesser. Dumond n'a qu'une idée en tête : déguerpir avant que Gontran ou Yvan ne lui tombe dessus. C'est ce qu'il fait, en entraînant l'autre, probablement penaud et contrit, mais toujours sous sa férule. Il lui explique qu'il doit dorénavant la boucler, qu'ils sont liés par une promesse et qu'en aucun cas ce qui est arrivé cette nuit-là ne doit être confié à quiconque. La seule confession possible sera faite de l'un à l'autre. Là-dessus, il absout notre abbé repentant et... il le garde à l'œil, en attendant de trouver l'occase de remettre ça. Parce que je suis convaincu que Dumond est un récidiviste en ce domaine. Ce n'était pas son premier viol. Il a la vocation.

« Gontran, le frère abbé, n'a pas dit son dernier mot. Il pige que Dumond tient du calcaire à la place de la contrition, mais que l'autre, Rivest, est déjà tout dégoulinant de remords. Il ne le lâche pas, il le harcèle, lui présente les résultats de son crime sans ménagement, à répétition. Et tout à coup, c'est la cata : il y a un enfant en route. Gauthier arrête tout et cesse les démarches auprès de l'évêché, et voilà Dumond et Rivest qui, peinards, se font indiquer un nouveau lieu à investir de leur vertu. Lieu gentiment laissé dans l'ignorance de leur disposition au plaisir. Ils se refont une virginité, quoi !

« Gontran, frustré, enragé, veut poursuivre les violeurs. À bout d'arguments, Yvan lui confie la grossesse de Paulette et la nécessité de la jouer profil bas. Générique de fin.

« Mais Gontran n'en a rien à foutre, lui ! Il a entamé sa guerre sainte et elle dépasse de beaucoup sa sœur : c'est son propre cas qu'il veut faire expier aux abbés. À travers ce qu'ils ont fait subir à Paulette, c'est ce que lui-même a subi qu'il cherche à venger. Il exige une sorte de dédommagement moral. Il en perd de vue sa sœur et il s'entête. Pas con, il se concentre sur Rivest et laisse tomber Dumond. Et il le travaille si bien que Rivest s'effondre et raconte tout. Gontran lui ordonne de faire amende honorable, de demander pardon à genoux, de se rouler dans les ronces, quoi ! Et l'autre, trop content de mettre fin au supplice, trop content de se soulager, y va d'une épître vachement convaincante. C'est qu'il est vraiment bouleversé, ce con. Il se vautre dans la contrition comme il l'a fait dans le stupre auparavant. C'est un pauvre type qui balance entre ses penchants pervers et la pureté. Un exemple parfait du débat intérieur entre la vocation visqueuse et l'appel des sens. Il écrit sa lettre et il se croit racheté.

« Gontran se saisit de ces aveux et, selon moi, il les garde comme preuve. C'est signé, voilà tout ce qu'il cherchait. C'est son joker.

« Maintenant, qu'est-il arrivé ? Paulette accouche et personne ne le sait outre le médecin, Corinne et Yvan. On ajoute Gontran. Celui-ci voit la femme du docteur arriver dans le patelin avec son poupon. Deux et deux font quatre : il pige l'astuce vite fait. Pourquoi envoie-t-il les aveux contrits à Émilienne ? C'est un point qu'il reste à éclaircir. A-t-il voulu boucler la boucle, lui démontrer que le mal avait entraîné du bien, je l'ignore. Peut-être était-il bourré le jour où il a décidé d'agir. Peu importe.

« Chose certaine Dumond, qui a son comparse toujours à l'œil, a été renseigné en ce qui a trait aux aveux et il a pigé que leur jolie escapade risquait de leur coûter cher. Il va trouver Gontran, ce fauteur de troubles, et il le menace carrément. Il a de quoi le faire flipper : son penchant pour l'alcool est connu et il a sûrement déjà coûté quelques efforts d'indulgence à l'Église. Gontran l'envoie sur les roses, la lettre d'aveu n'est plus en sa possession, Dumond peut toujours courir.

« Or, Dumond ne court jamais : il délègue, il envoie son sous-fifre récupérer ses stupides aveux. Rivest s'exécute, mais il ne sait pas aux mains de qui sa lettre a passé. Il fait tout de même sa petite enquête et conclut – à raison, je dois l'admettre – que lettre ou pas, Paulette ne fera jamais un témoin crédible. Et que Gontran ne l'est pas davantage.

« Le temps passe. Dumond devient évêque et il considère déjà l'étape suivante : Rome. Si je ne m'abuse, Dumond est évêque depuis un moment quand son complice le devient en 1983. Ils se congratulent, se font des mamours et se trouvent exemplaires d'avoir si bien géré leurs erreurs de jeunesse. Gontran quitte la prêtrise en 1983. Hasard ? Je ne le crois pas. Gontran reprend son bâton de pèlerin et se met en tête de pourrir la vie à ces deux monseigneurs de guignol. Dumond ne bronche pas, Rivest s'inquiète un peu, quand même. C'est le maillon faible, ne l'oublions pas. Contrairement à l'autre, il garde une étincelle d'humanité dans cette mauvaise conscience qui le taraude.

« Gontran le sait, il joue avec lui, lui fait peur. Il dit bien ce qu'il veut, et nous n'en saurons jamais le quart, mais c'est de lui que vient la menace la plus cuisante. Et le voilà qui meurt ! Là-dessus, Rivest décide de ne pas laisser les choses au hasard. Il est évêque, maintenant. Il ne rigole pas avec la mitre. Il écrit de jolies lettres de repentance, comme il sait si bien le faire et use de son autorité pour forcer Yvan Gauthier à l'inviter. En octobre, c'est chose faite. Il prêche, il confesse. Il pousse l'audace jusqu'à rendre visite à Émilienne, j'en suis sûr et certain. Il conduit son repérage… il va même jusqu'à décrocher la cloche de l'église pour que l'homme de main d'Émilienne soit occupé ailleurs. Manque de pot, le monsieur ne se montre pas une seule fois pendant les trois jours de la retraite.

« Plan B pour Rivest : il fait mine de partir, il revient en taxi, se fait déposer assez loin du village, il se change, planque sa soutane dans les buissons et monte chez Émilienne. Il ne veut pas la tuer. Il veut sa lettre. Maintenant, ce n'est plus du tout le même enjeu. Il s'est pardonné, Dieu lui a pardonné et il n'est pas question qu'une lettre écrite dans un accès aigu de repentir le cloue au pilori. Émilienne doit comprendre. La pauvre n'a jamais dû saisir un traître mot de ce discours. Il la massacre et là, vraiment, je crois qu'il s'emballe. Dix-huit ans de silence et de trouille trouvent leur point de rupture. Il quitte les lieux, récupère son bagage, enfile des vêtements civils et il marche longtemps avant d'appeler un taxi et de retourner dans sa bonne ville où il peut se dévouer sans s'inquiéter. Ça colle, non ? »

Vicky hoche la tête, considère les questions qu'elle a jetées sur le papier pendant le discours de son collègue.

« Ça colle, comme vous dites… en gros, ça a de l'allure. Reste une question ou deux… mais la principale, c'est : est-ce que cela est suffisant pour faire innocenter Paul ?

— En tout cas, ça détruit leur principal argument : celui de l'ADN. Comme il s'agit de son père, ce qu'ils ont analysé à l'époque devait présenter quelques différences qu'ils n'ont pas prises en compte, l'ADN de Paul étant partout. Je vous accorde que trouver un indice dans ce foutoir relevait de l'héroïsme, mais ils l'ont bel et bien loupé ou confondu.

— C'était donc Rivest, le père ? Pas Dumond ?

— Alors là, faudrait pas pousser ! Celui qui a fait le coup était le père, point barre.

— Bravo Patrice, ça se tient.

— Quelque chose vous agace, je le vois bien. Allez, posez vos questions…

— Non. Il faut que j'assimile votre théorie. Je vais réfléchir en faisant mes bagages.

— Ne vous pressez pas, nous aurons amplement le temps en quittant à treize heures.

— Patrice… Vous avez un rapport à remettre à Jasmin Tremblay. Vous rentrerez doucement.

— Vous rigolez ou quoi ? Nous partirons ensemble, après avoir rencontré le directeur du musée. »

Vicky ferme son ordinateur et commence à ramasser ses papiers en silence.

Patrice la regarde faire, soufflé : « Dites-moi que je peux du moins compter sur votre inestimable présence pour l'entrevue avec l'évêque Rivest ?

— Je travaille demain. Vous me raconterez, Patrice.

— Vous êtes chiante, Vicky ! Et têtue comme c'est pas permis ! »

Pour toute réponse, elle s'enferme dans la salle de bains et ouvre les robinets de la douche. Il va pourtant finir par comprendre !

***

C'est à croire qu'ils se sont tous donné le mot : en autant d'appels, elle reçoit trois offres de raccompagnement à l'aéroport.

Jasmin Tremblay est prêt à changer l'heure de son rendez-vous avec Patrice pour y arriver. Il est évidemment déçu de devoir le rencontrer seul à seul, et il le dit. Vicky le rassure : le commissaire a peut-être des réactions vives, mais au fond, il suffit de lui donner le temps de s'habituer : « J'ai deux questions à vous poser. La première : est-ce qu'un prêtre ou un évêque s'est jamais montré intéressé au sort de Paul depuis que vous êtes directeur ? Ou même avant, si vous le savez ?

— Non… non, personne à ma connaissance. Mais Paul ne me dit pas tout. Vous voulez que je lui demande ?

— Oui, s'il vous plaît. Ma deuxième question est plus délicate…

— J'écoute.

— Est-ce que Paul est homosexuel ?

— Je pense, oui.

— Est-ce que sa mère était au courant ?

— Ça, je ne le sais pas du tout. On n'en parle jamais. C'est une impression que j'ai. Vous ne voulez pas me demander de poser cette question-là ?

— Bien sûr que non.

— Si c'est important, je le ferai. Surtout si vous me dites que le commissaire risque de la poser. Je voudrais pas qu'il blesse Paul avec… sa vision des choses. »

Vicky peut l'assurer que son collègue ne s'aventurera jamais de ce côté.

Yvan Gauthier, lui, n'a sûrement pas dormi plus qu'elle. Il a la voix grave et l'humeur chagrine. Il est catégorique : jamais Paulette n'a deviné qu'Émilienne avait son enfant. C'est quand Vicky lui demande si Gontran, lui, pouvait le savoir qu'il devient beaucoup plus hésitant : Gontran ne voulait pas abandonner les poursuites, même si l'Église avait payé, même si tout le monde était d'accord pour se taire. Lui n'y arrivait pas. Et parmi toutes les questions qu'il lui avait posées par la suite, il s'était effectivement inquiété de Paul Provost et avait avancé l'hypothèse de l'adoption du fils de Paulette.

Yvan n'a jamais confirmé, évidemment, mais la question était revenue à quelques reprises.

« Et a-t-il revu les deux abbés responsables du viol ? Je veux dire après avoir défroqué ?

— Non. Il les haïssait et ne voulait ni leur parler ni leur pardonner. Et puis, il est tombé malade, comme vous savez. Il en a parlé beaucoup quand il a été ici, au presbytère, pour tenter d'arrêter de boire… J'avoue qu'il n'a jamais avalé qu'on les nomme évêques.

— C'est assez choquant, non ?

— Gontran a passé sa vie à les haïr, qu'est-ce que ça lui a donné ? Paulette a une meilleure vie que lui, et c'est pourtant elle, la victime.

— Elle a pardonné ?

— Je ne sais pas.

— Oublié, alors ?

— Sûrement pas ! Il faut la voir quand une soutane s'approche.

— Et vous ?

— Moi ?… Je suppose que oui.

— Même si vous avez passé votre vie à réparer les erreurs de ces deux violeurs ?

— Je ne suis pas une victime, Vicky. J'ai eu une belle vie, heureuse… »

Elle remarque qu'il utilise le passé et lui dit au revoir sans soulever la question qu'elle garde pour Corinne.

***

Dès que Vicky s'assoit dans la voiture, Corinne prend les devants : « Je sais que vous êtes venus ici pour enquêter et trouver la vérité, mais je veux vous demander une faveur. Ce qui m'est sorti, hier, à propos de mon frère Gontran et mon père, est-ce que ça peut rester entre nous ? Ça n'apporte rien à votre enquête et, vraiment, j'aurais dû me taire.

— Et si ça apportait quelque chose ? Je voudrais vous le promettre, Corinne, mais je n'en suis pas certaine pour l'instant. Si on peut ne pas en parler, on ne dira rien, promis. »

Ce qui n'est visiblement pas suffisant pour rassurer Corinne.

Elle conduit en silence, rapide, assurée. Elle n'hésite jamais et ne brusque jamais rien non plus. Elle a beau être inquiète, sa conduite demeure impeccable. Vicky voudrait bien avoir un contrôle aussi ferme sur ses émotions. « J'ai quelques questions à vous poser, si ça ne vous dérange pas. »

Le sourire de Corinne est franc : « Et même si ça me dérange ! Allez-y !

— Paulette… est-elle retardée ou non ? Comment était-elle avant le viol ?

— Sensible et naïve. Intelligente, ça c'est sûr. Pas une première de classe, mais ça, ça ne veut rien dire dans une famille où arriver premier est obligatoire. C'est vrai qu'elle a l'air un peu débile… mais c'est le choc et la peur, pas l'intelligence. On dirait que ce qu'elle a subi a fermé le passage à son intelligence. Elle ne veut plus comprendre. Elle n'entend plus que ce qu'elle veut. Et elle ne se souvient jamais de rien. Ça peut être pas mal énervant. Si je l'envoie faire une course, il faut écrire les choses dont j'ai besoin parce que, le temps de se rendre à l'épicerie, elle va oublier ce qu'elle est allée chercher. C'est son mécanisme de défense : depuis sa nuit d'horreur, Paulette oublie tout.

— Vous êtes infirmière, c'est vous qui l'avez soignée, lavée… les blessures qu'elle avait indiquaient les actes de violence, je veux dire…

— Vous voulez dire jusqu'à quel point ça parlait ?

— Oui : qu'est-ce que ça disait des violeurs, de leurs intentions ?

— Des monstres, des malades, des pervers, c'est ça que ça disait.

— Qu'est-ce qu'ils lui ont fait ? En détail…

— Tout. Elle avait des bleus et des lacérations partout. Ses mamelons étaient transpercés, ses cheveux… on aurait dit qu'ils les avaient arrachés par poignées. Tout. Ils lui ont tout fait. Et ne me demandez pas s'ils ont épargné une partie de son corps : je pense qu'ils lui ont mis du sperme jusque dans les oreilles. Et c'est pas une figure de style. Alors, tout ce que vous pouvez imaginer, ils l'ont fait. Et aussi tout ce que vous ne pourrez pas imaginer parce que vous n'êtes pas malade comme ces deux écœurants-là !

— Votre père ne l'a jamais su ? Vous êtes certaine ?

— Mon père ? En dehors de son fils, il n'a jamais montré d'intérêt pour aucune de nous autres. Le soir du jour de l'An, quand Paulette gardait supposément, il a juste trouvé que c'était risqué de laisser mon enfant à quelqu'un d'aussi sans-génie. C'est le genre de compliment que mon père faisait. Y a regretté que les deux abbés amis de Gontran ne soient pas là, par exemple. Ça, ça le désolait ben gros. Devinez si j'avais envie de lui crier tout le bien que je pensais de ces deux-là ! Il aurait été bien embêté s'il l'avait su : entre son amour paternel et son à-plat-ventrisme pour l'Église... on pesait pas lourd. Paulette aurait pas gagné, je vous le garantis.

— Et Yvan Gauthier ?

— Quoi, Yvan Gauthier ?

— Votre père en pensait quoi ?

— Du mal. Trop grand, trop rieur, pas assez ci, trop ça... Yvan, pour mon père, c'était un raté qui s'était trouvé une paroisse à sa hauteur : moins de cinq cents âmes, c'était juste bon pour son manque d'ambition. Pour mon père, on était prêtre pour devenir curé et curé pour devenir évêque. Si vous l'aviez entendu quand l'abbé Dumond est devenu monseigneur ! Y se pouvait pus : "On l'a reçu ici !" Il s'est fendu d'une belle lettre de félicitations. Une maudite chance que l'autre écœurant le soit devenu après sa mort, parce qu'y aurait encore sorti l'encensoir. Pis les parents d'Émilienne qui faisaient des donations ! Faut-tu que ce soit pourri. Y ont payé plus que leur banc à la cathédrale, eux autres. S'ils avaient su d'où venait leur petit-fils adoré... Mais Paul serait mort sans eux. Parce qu'ils l'ont aimé et ils l'ont cru, cet enfant-là. Avec Émilienne, Paul pouvait pas trouver une meilleure famille.

— Pensez-vous que Paulette l'a deviné ?

— Non. Je vous l'ai dit : elle s'en fichait, de cet enfant-là ! Elle l'a senti passer, mais elle ne l'a jamais regardé. L'accouchement ressemblait à un deuxième viol pour elle. Le lendemain déjà, sa mémoire l'avait effacé.

— Vous êtes sûre ? Je voudrais que vous y pensiez.

— Sûre et certaine. Pourquoi ? »

Sans répondre à sa question, Vicky passe à autre chose : « Parlez-moi de Gontran, de ses rapports à Paulette. Dites-moi comment ils étaient ensemble.

— C'était sa préférée, ça c'est certain. La plus jeune, la plus fragile aussi. Gontran était très protecteur avec elle. Une fois que j'ai su ce qui lui était arrivé avec papa, j'ai mieux compris son entêtement à ne jamais la laisser seule avec lui. "Mon petit homme est jaloux de sa sœur", papa disait ça, et Gontran venait rouge de rage. Faut dire aussi que ça avait pas d'allure de traiter Gontran de même : il avait onze ans quand Paulette est née. C'était le "bébé-surprise", vous comprenez ? Je suppose que papa avait trouvé son exutoire avec son fils et que maman était pas mal délaissée… En tout cas. J'aime vraiment pas ça, vous parler de ma famille. Vous vouliez savoir quoi, déjà ? Ah oui ! Gontran et Paulette. Ils étaient très, très proches. Quand Paulette a eu la polio, notre frère a été extraordinaire avec elle. Il était au Petit Séminaire et il venait la voir tous les jours. Il la faisait rire, il lui racontait des histoires qui avaient aucun bon sens. Moi, j'habitais plus là, j'étais jeune mariée. Mais comme j'étais infirmière, j'allais la voir et la soigner. Après Gontran, c'était moi la plus proche de Paulette. À la fin de cette année-là, Gontran est entré au Grand Séminaire, et il restait rien que Paulette et Monique à la maison. Ses deux préférés partis, Paulette s'ennuyait. Elle venait m'aider avec mes bébés et elle voulait jamais retourner à Chicoutimi. Elle s'ennuyait de Gontran. Et papa la trouvait ennuyante. Je ne pense pas qu'il l'ait jamais trouvée intéressante. Je veux dire, comme mon frère l'était à ses yeux. La nuit du viol, Paulette était vierge, j'en suis certaine. Pour mon petit frère, ça a été épouvantable. Je pense que je l'ai plus revu être lui-même après. Sauf à sa mort. »

Elle se tait et Vicky respecte son silence. Elle peut discerner toutes les émotions contradictoires qui envahissent Corinne.

« Je veux dire : la mort de mon père. La dernière messe que mon frère a célébrée a été celle des funérailles de papa. Imaginez ! Son bourreau était mort, il savait qu'il quitterait l'Église, il n'avait plus aucune foi : c'était l'acte le plus répréhensible qu'il pouvait commettre. Et il l'a fait en pleurant. De mon point de vue, aujourd'hui, ça n'aurait pas dû lui faire de peine. Mais c'est jamais aussi simple, han ? Gontran aimait et haïssait papa. Dans cet ordre-là. Et il s'haïssait. Il se méprisait tellement ! Rien de bon ne pouvait sortir de lui. Et quand Paulette a été violée, c'était encore des gens qu'il fréquentait qui avaient apporté le malheur. Ça le tuait.

— Dans le fond, Paulette et Gontran se ressemblent beaucoup : deux enfants abusés…

— Mais non, c'est arrivé beaucoup plus tard pour Paulette. Gontran avait… je sais pas, cinq ou six ans quand c'est arrivé.

— Et ça a duré ?

— Je sais pas. Une fois, ça doit déjà être trop long… Paulette, sa nuit d'horreur, elle dure encore, si on la considère handicapée à vie.

— Est-ce que Gontran a deviné pour Émilienne et l'enfant de Paulette ?

— Peut-être… J'ai jamais rien dit, mais il avait une méchante envie de savoir, et il a cherché assez pour tout savoir. J'ai aucun doute là-dessus. Mais j'ai pas de preuves non plus. Ça change de quoi ?

— Je pense pas, non. Ça confirme que Gontran était le plus menaçant pour les deux abbés et leur magnifique avenir.

— D'évêque ? Ça, c'est certain ! L'abbé Rivest devait faire très attention à ce qu'il disait ou faisait parce que mon frère le surveillait. Même quand l'enfant est né, Gontran a continué de chercher. Il faisait à sa tête de cochon, comme toujours. Lui pis ses messes basses avec Paulette !

— Vous pensez qu'il lui parlait de ça ?

— Non : Paulette se serait fermée. Non, ils se racontaient des histoires de fous, comme quand ils étaient petits. Quand Paulette avait la polio. Puis, quand c'est Gontran qui s'est retrouvé au lit, ma Paulette l'a veillé, elle s'en est occupée comme une mère. C'est la seule fois de ma vie que j'ai vu ma petite sœur être une mère. La seule fois où elle est devenue grande, responsable. Elle savait tout sans jamais rien demander. La nuit, je pouvais la laisser auprès de lui et dormir sur mes deux oreilles. Au moindre changement, elle venait me chercher. Elle ne s'est jamais trompée. Elle ne m'a jamais sortie du lit pour rien. C'est un gros détour, mais ça vous montre à quel point elle est intelligente. Elle comprend avec son instinct, son cœur, pas avec sa tête.

— Est-ce qu'elle était là quand Gontran a parlé de son enfance, de la peur de son père ?

— Non ! Mon dieu, non ! Jamais il n'aurait dit ça devant elle, je pense. Quoique, avec les analgésiques… ça change bien des choses. Il avait tellement mal, on aurait dit que rien ne pouvait calmer sa douleur. Il criait beaucoup. Ça, Paulette n'a jamais enduré les cris. C'était deux jours avant sa mort. Il ne voulait pas mourir. Il le disait de toutes ses forces. Mon frère s'est débattu, vous savez, y a pas abandonné une seconde. Pourtant… j'aurais bien voulu qu'il lâche un peu, qu'il meure sans se battre comme ça. C'est quand il m'a crié qu'il ne voulait pas que papa soit là… qu'il l'attende avec ses mains sales, sa bouche sale… J'ai-tu compris, vous pensez ? Je pense que j'ai jamais autant radoté de ma vie : Paulette en revenait pas de m'entendre dire que papa était mort et enterré, qu'il nous ferait plus jamais de mal. Gontran était à l'agonie et je répétais ça pour qu'au moins il meure en paix. Pas terrorisé comme un enfant de cinq ans.

— Qui était là, à sa mort ?

— À la maison ?

— Je veux dire avec lui, près de lui.

— Paulette, Yvan, Émi et moi. Émi a été extraordinaire, tellement patiente avec Paulette, tellement douce. Quand Gontran est mort, elle nous a laissés organiser les funérailles, Yvan et moi, et elle a emmené Paulette avec elle à la maison. En sécurité avec toutes les poupées, ce que Paulette adorait. Et moi, j'ai pu pleurer tout mon soûl avant qu'elle revienne et que je m'occupe d'elle. Ça a été long avant que son angoisse se calme. Là-dessus, Émi et Yvan ont été d'un grand secours. Toute seule, j'y serais jamais arrivée. Quand Émi est morte, à la fin de cette année-là, je pensais que je deviendrais folle. Je vais vous le dire : j'ai *dumpé* Paulette chez Yvan, parce que je l'aurais tuée. Elle me suivait partout ! Elle m'attendait à la porte des toilettes, elle couchait pas au pied de mon lit, c'est ben juste. Bob disait qu'elle voulait dormir dans notre lit, et je pense qu'il avait raison. Pas endurable ! Y avait rien à faire pour la calmer. Pas une phrase, pas un mot, pas une poupée, rien. Quand elle a parlé d'aller chez Monique à Joliette, c'est pas mêlant, j'aurais été la reconduire à pied, tellement j'étais soulagée. Même Yvan était dépassé, et c'est pas parce qu'il est pas patient. Y est niaiseux, mais patient. »

Du coup, au souvenir du curé, son visage se ferme et elle effectue son virage vers l'aéroport sans rien ajouter.

Elle arrête la voiture devant l'entrée et va chercher le sac de voyage de Vicky dans le coffre. Elle lui tend la main et la serre fermement : « Je peux poser une question, moi aussi ? Pourquoi vous ne repartez pas ensemble, Patrice et vous ? Il conduit si mal que ça ? »

Vicky éclate de rire. Elle hésite et finit par dire en regardant Corinne dans les yeux : « Il faut que je sois à Montréal tantôt. Pour mon amoureux. J'ai exagéré, et je veux m'excuser. Des fois, on peut se montrer très dure avec les gens qui nous aiment. Parce qu'y nous aiment et qu'on sait qu'y nous feront jamais défaut. Mais vous le savez autant que moi : c'est pas vrai, ils pourraient se tanner et partir. Même un homme aussi patient qu'Yvan Gauthier le pourrait. Merci. »

***

Vicky n'est pas du tout surprise de voir Corinne arriver et s'asseoir près d'elle.

« J'ai décidé de stationner et d'attendre avec vous. Ça vous dérange pas, toujours ?

— Du tout.

— C'est Yvan qui vous l'a dit ?

— Non. C'est sa peine. Son angoisse de vous perdre… ou de vous avoir perdue. Je l'ai su par identification, ou par projection si vous voulez.

— Personne sait ça.

— Personne le saura si ça dépend de moi.

— C'est pas moi que ça dérangerait le plus… À mon âge, y a pas mal moins d'affaires qui me dérangent.

— Mais le perdre vous dérangerait ? »

Corinne l'observe sans rien dire. Puis, elle hausse les épaules : « On a tellement essayé de se perdre, vous le croiriez pas ! Vous avez pas l'air scandalisée une minute.

— Je ne le suis pas.

— Finalement, ou bien je partais, ou bien on fonçait. Y avait pas d'entre-deux possible et il fallait être discrets : c'était pas juste un conjoint qu'il trompait, lui, c'était toute une paroisse. De mon côté, y avait Bob et Paulette. Du sien, notre sainte maudite mère l'Église et ses paroissiens.

— Ça fait beaucoup.

— C'est pour moi que c'était plus facile. Lui… c'était énorme. Mais qu'est-ce qu'on pouvait faire contre ça ? Le feu a pogné, comme on dit. On a tellement résisté que c'était comme souffler sur des tisons. Ça a flambé.

— Belle flambée ?

— Très. Très belle.

— Ça a commencé quand ?

— Avec Gontran. Je veux dire avec la maladie de Gontran. Quand il est revenu de Québec défroqué et malade de boire. Quand Yvan l'a pris au presbytère. On était les deux seuls à s'en occuper. Il gueulait trop pour Paulette… Mais ça s'est pas fait avant 85, avant la mort de mon frère. Quand je vous dis qu'on a résisté, c'est pas des farces. Mais une fois partis, on n'a jamais pu arrêter.

— Ça devait être compliqué.

— Savez-vous, pas tant que ça. Ça m'a étonnée, d'ailleurs : mentir, voler du temps à ma famille, à mes enfants, à Paulette, vraiment, c'était une *peanut* ! Convaincre Yvan de pas défroquer, de pas tout lâcher, lui faire comprendre que, même s'il devenait libre, je le serais pas pour autant, ça c'était compliqué. J'avais quatre enfants ! Cinq avec Paulette. C'était pas Bob qui pesait le plus lourd.

— Il voulait faire sa vie avec vous ? Le dire ?

— Imaginez ! Ça a beau être fort, l'amour, faut y donner un coup de main !

— Qu'est-ce qui l'a convaincu ?

— La mort d'Émilienne. Regardez-moi pas comme ça, on l'a pas tuée ! Mais la paroisse aurait dit ça. Ils auraient dit qu'on l'avait tuée pour la faire taire, parce qu'elle nous aurait menacés de tout révéler si on n'arrêtait pas. Comme si on pouvait tuer quelqu'un pour une niaiserie pareille !

— Elle le savait, pour vous deux ?

— Non, et c'était pas facile pour moi de lui cacher une affaire aussi importante. J'ai failli lui faire la confidence, la veille de sa mort. Si elle m'avait pas tant faite enrager avec l'histoire de Paul, j'y aurais dit.

— Alors ? Comment Yvan a changé d'idée ?

— On était ensemble quand elle s'est faite massacrer. Au presbytère. Paulette était encore à Joliette, Bob à la chasse, le monseigneur était enfin parti, on a passé l'après-midi au lit. Y faisait beau sans bon sens ! Une journée parfaite... on était tellement heureux. Jusqu'à ce que le téléphone sonne et que ce pauvre monsieur Villeneuve bégaye qu'il fallait absolument faire de quoi, que Paul avait viré fou. On est partis pis on est arrivés ensemble. Personne n'a rien remarqué. Mais après... on était démolis, on n'était plus capables d'en prendre. On s'est accrochés l'un à l'autre pour passer au travers l'année qui a suivi. On avait trop besoin de l'autre pour risquer de se perdre. Y avait Paulette qui allait mal et qui me suivait encore à la trace, y avait Paul qui était à l'asile avant de savoir si y finirait en prison, le procès, les histoires que chacun inventait, les racontars, les inventions qui sont sorties quand les gens ont appris pour l'adoption de Paul. Non, on pouvait pas en rajouter. Pour quoi, d'ailleurs ? Pour se voir, être ensemble ? On se voyait en masse. On était ensemble. Yvan l'a bien compris, ça. Rien ne nous a jamais séparés. Sauf sa menterie d'hier.

— Son omission. Il n'a pas menti, il ne l'a pas dit. Et il n'avait pas le choix d'inviter l'évêque à prêcher.

— Ah arrêtez ! Rajoutez rien. Y en finit plus de répéter ça. Il m'a expliqué toutes ses bonnes raisons. Je le sais même pas pourquoi j'y en veux tant. Ça va me passer. Mais pas tout de suite. Si y avait fallu que Paulette soit là !

— Mais elle n'y était pas. Et il a fait très attention à ce qu'elle n'y soit pas, non ?

— C'est vrai. Mais ça l'excuse pas de m'avoir rien dit.

— Lui avez-vous dit, vous, pour votre frère et votre père ?

— Non, mais c'est pas du tout la même chose ! L'abbé qui a violé ma sœur, ça me regarde. Mon père et ses abus sur Gontran, ça regarde pas Yvan. De toute façon, il le savait peut-être et il me l'a pas dit. Si jamais mon frère s'est confessé après être sorti de chez les curés, c'est avec Yvan. Encore une cachette qu'Yvan m'aurait faite.

— Exagérez donc : il était quand même pas dispensé du secret de la confession avec vous ! »

En riant, Corinne se déclare de très mauvaise foi. On annonce le vol et Vicky se lève en hâte. Elle a déjà le cœur lourd à l'idée de ce qui l'attend comme explication : « Donnez-lui une chance, Corinne ! »

Celle-ci la serre contre elle avec affection : « Vous pensez que ça va vous en donner une, c'est ça ? O.K., allons-y bravement, chacune de notre bord. »

Elle lui plante deux becs sonores sur les joues et la regarde partir.

***

En montant l'escalier vers l'appartement, Vicky sait que Martin est arrivé et qu'il est de bonne humeur : le CD de Joni Mitchell joue et ça sent le gâteau. Elle en pleurerait de soulagement.

Dès qu'elle referme la porte, elle le voit s'étirer depuis la cuisine : « Une heure d'avance ! »

Elle s'approche, il est affairé à disposer des pétoncles dans une mixture: « Pétoncles au thym et à l'orange, risotto légèrement safrané. Légèrement, je le répète. Petite salade verte et gâteau aux carottes. »

Il lui tend son verre: « Sancerre. Ça a été dur? Le musée des horreurs a été ouvert? » Il prend la bouteille dans le frigo, se verse un autre verre de vin. Il est joyeux, léger, rien n'est moins bienvenu que les souvenirs de cette fin de semaine: « Oui. Et j'en parlerai demain. Toi?

— J'ai fait des kilomètres de vélo, je me suis aéré, épuisé, j'ai monté ma tente, repris mon vélo: y me manquait rien... ou presque.

— Le presque te fait des excuses, extrêmement sincères.

— Extrêmement?

— Oui, parce que je me suis trompée en sacrifiant notre congé. Je me suis trompée en faisant comme si t'étais pas parfaitement capable de t'organiser tout seul, et je me suis trompée...

— ... parce que t'as pas résolu l'affaire?

— Non. En partie seulement.

— Et le commissaire est en bas, dans l'auto? Tu es venue te changer et tu repars?

— Es-tu fou? Je l'ai laissé là-bas et je suis revenue en avion. »

Martin savoure ce cadeau, surtout qu'il connaît son aversion pour les petits bimoteurs. Il s'approche, prend son verre et l'observe attentivement. Avec Martin, quand les choses sont dites, elles sont pardonnées. Jamais de rancœur. C'est un amoureux qui ne thésaurise pas les erreurs de l'autre pour constituer des réserves de munitions en vue du jour où il sera en manque d'arguments. Ou tout simplement pris en faute. Avec lui, il n'y a pas de compétition pour la perfection: ils ont chacun leurs bons et leurs mauvais côtés, point. À chacun de faire sa part pour s'adapter.

Il l'enlace avec douceur: « Quand tu reviens, des fois, t'as une sorte de tristesse dans les yeux. Un jour, j'arriverai pas à te consoler de ce que tu as vu.

— Qu'est-ce que tu penses que je faisais avant toi, Martin?

— Tu te consolais pas du tout?

— Prétentieux ! T'es pire que Patrice !

— Mais j'ai des meilleurs arguments que lui… »

Il en fait une démonstration immédiate… et efficace.

La nuit est tombée quand il la réveille pour qu'elle vienne manger. Un instant, elle se demande où elle est. C'est dans le soulagement de se savoir enfin chez elle, près de Martin, qu'elle se rend compte à quel point le marathon de trois jours qu'elle vient de s'imposer l'a épuisée.

C'est le soir de l'Action de grâces et, comme d'habitude, la mère de Martin a voulu les avoir à souper, et elle a mis sur le dos de Vicky le refus de son fils adoré.

Ils mangent en discutant d'un projet pour « combler le trou » du congé raté. Les amis partis sans eux sont revenus enchantés des paysages qu'ils ont vus. Ils les recommandent sans réserve. Il n'y a que l'épuisement qui ralentit l'élan de Vicky. Elle a beau essayer de se projeter dans une quelconque excursion, elle tombe de fatigue.

Quand Martin lui demande combien d'heures elle a dormi en trois jours, elle s'endort presque en les calculant.

Il éteint et déclare qu'elle peut remercier le ciel comme il se doit en ce jour béni où elle a le droit de se reposer enfin. Elle dort déjà.

***

Le soleil est très haut quand elle se réveille. Martin n'est plus dans le lit. Un coup d'œil au réveil la fait sursauter : onze heures ! Elle a dormi tout ce temps-là. Elle se lève, affolée. Elle travaille aujourd'hui ! Elle a raté la réunion hebdomadaire ! C'est insensé ! Pourquoi Martin ne l'a pas réveillée ?

Sur le frigo, bien en vue, un message de Martin :

Crime : te reposer

Alibi : un début de gastro (j'ai appelé Brisson qui s'est félicité de ne pas t'avoir frôlée. Il avait pitié de moi.)

Sentence : prends ta journée, sinon je ne te… plus.
Martin

Pour un homme qui déteste se faire organiser, elle apprécie.

Il fait encore un temps splendide. Elle sort prendre son café sur la terrasse. Quel luxe de s'offrir une – elle compte – sixième journée hors du bureau. Elle se dit qu'elle va le payer, ce luxe. Elle appelle Martin qui jure avoir tout essayé pour la réveiller : rien à faire. Il y a même un café refroidi sur la table de nuit qui devrait témoigner de ses efforts. Il est pressé, il doit aller en réunion. Elle le laisse en le remerciant d'avoir « pris le contrôle de sa vie » et en l'assurant qu'il devrait goûter à ça un jour. Ce n'est pas si mal.

Elle défait son sac de voyage, étale ses notes sur son bureau : tout Sainte-Rose semble avoir pris une telle distance !

Elle a la tête dans la laveuse quand son cellulaire sonne : Patrice Durand affecte une certaine désinvolture. « Poli, le mec. J'ai attendu la pause déjeuner avant de vous appeler. Brisson ne trouvera rien à y redire.

— Vous êtes encore là-bas ?

— Du tout. J'ai suivi le programme, je viens d'arriver. Et l'évêque est difficile à rancarder : pire que le pape ! J'ai finalement obtenu une “audience” demain, en fin de journée. Dites-moi que vous m'accompagnerez. »

Vicky hésite. Elle ne sait pas comment va s'organiser sa semaine, s'il y a des urgences à régler, si l'équipe l'attend de pied ferme ou non. « Laissez-moi vous rappeler cet après-midi, Patrice. »

Il est déjà ravi de n'avoir pas essuyé un refus catégorique.

C'est Mathieu Laplante que Vicky rejoint. Son collègue est non seulement le plus calé en informatique, mais il possède cette rare qualité qu'est la discrétion. Il est content de la savoir en meilleure santé que ce que Brisson a annoncé à la réunion du matin. Il lui dresse un portrait assez complet des activités de l'escouade pour la semaine et il finit par trouver que, tout compte fait, la seule urgence, c'est qu'elle se remette sur pied. Quand elle lui demande « un petit service », il éclate de rire : il se doutait bien qu'elle travaillait sur quelque chose. Mathieu promet une réponse rapide et un silence sans faille.

Vicky envoie ensuite un texto à Martin qui tient en quelques lignes : *Patrice est en ville. Il veut discuter. On l'invite à souper ou non ?*

La réponse de Martin est limpide : *Souper sans cadavres ou horreurs : oui. Seulement si vous discutez avant, pas pendant.*

***

Patrice est bien étonné de la savoir chez elle, au repos. Elle ne le laisse pas s'inquiéter et lui transmet son invitation à un « apéro discussion » et à un « dîner sans allusion à l'affaire », ce qui le comble.

Elle passe l'après-midi à étudier ses notes, le rapport de Patrice, et à échafauder une suite d'évènements qui soit plausible. Finalement, toutes les théories se valent, elle peut en inventer autant qu'elle veut, ils n'auront jamais de preuves pour aucune. Et c'est ce qui la désespère.

Mathieu Laplante lui envoie la réponse à sa question : fait évêque en 1978, Vanier Dumond est devenu cardinal en 1995, à l'âge de soixante ans.

Quand Patrice arrive, le repas mijote et elle lui tend un verre de vin en répétant les consignes de la soirée : ils ont une heure et demie pour discuter, et ensuite ils dîneront sans embêter Martin avec leurs histoires sanglantes.

Patrice prend la chose très sérieusement : « Voilà donc comment vous y arrivez ? Je n'ai jamais pu demeurer maqué bien longtemps. »

Vicky garde pour elle les doutes qu'elle entretient sur les causes professionnelles de ces échecs amoureux. Tout comme elle n'explique pas que Martin n'est pas tenu à l'écart, mais qu'il écoute et discute de ses affaires quand il en a envie. Et non pas systématiquement.

Ils échangent les informations qu'ils ont obtenues depuis la veille. Patrice relate la réaction effarée de Jasmin Tremblay à sa théorie, et il y voit un indice de ce qu'ils auront à combattre comme réactions incrédules. Malgré tout ce qui circule depuis des années sur les hommes d'Église, ils gardent une réputation presque intacte. Profaner ces pieuses personnes ne sera pas facile.

Vicky partage ce point de vue : la présomption d'innocence est doublée d'une présomption de sainteté avec eux. Pire : toute accusation est vécue comme un martyre immérité que les mécréants qui osent attaquer paieront un jour ou l'autre. Ils ont même l'enfer à brandir pour ces païens.

Elle lui dit qu'elle a travaillé sur la théorie qu'il lui a soumise. Selon elle, ça se tient. Il y a des points sur lesquels elle veut revenir : « Je suis d'accord avec votre analyse des deux abbés : un dominant, un dominé. Un pervers déluré, et un puceau qui s'étouffe avec sa testostérone. J'ai encore des recherches à compléter, mais je suis aussi persuadée de l'expérience – si on peut dire – de Dumond. Ce n'était ni son premier ni son dernier viol. Il est vraiment dans le genre récidiviste. L'autre, non. L'autre, c'est un pauvre garçon perdu au pays du sexe interdit. Disons que son baptême de la chose l'a secoué… sans jeu de mots, Patrice. Je règle tout de suite le point de la paternité : Rivest est certain d'être le père pour une raison très simple, il est probablement le seul à avoir pu le faire. Je soupçonne Dumond de pratiquer d'autres jeux sexuels, plus violents, mais aussi plus proches de ceux du notaire. Il a sûrement déjà tripoté des enfants de chœur. Pas certaine du tout que les jeunes filles de quinze ans soient son passe-temps préféré. Passons. On sait une chose : Rivest est le père. Ce qui permettra toujours à Dumond de prétendre qu'il n'a rien fait d'autre qu'assister Rivest. Il a regardé. C'est tout.

« Là où je vous suis encore, c'est dans l'interprétation des mobiles profonds de Gontran dans sa poursuite des violeurs. C'est sûrement les abus de son père qu'il tentait de punir à travers les deux abbés. Son père si intransigeant, mais si docile avec l'Église et ses représentants. Ils vont bien ensemble, le notaire et les abbés.

« Bon, en partant de là, on peut déduire que Dumond a mené le bal et qu'il a poussé Rivest au meurtre. Une fois bien manipulé, Rivest peut le faire. Parce qu'il a peur et qu'il se sent coupable, mais aussi parce qu'il a fait des gaffes après le viol.

« Ce qui m'agace dans votre théorie, c'est Paulette. Vous n'en tenez presque pas compte. Pourtant, s'il y a quelqu'un qui sait ce qui s'est passé, c'est elle. Elle sait tout du viol. Elle sait tout de l'enfant. S'il y a un témoin à éliminer, c'est elle. Si quelqu'un représente un danger pour ces deux-là, c'est encore elle. Il y a beaucoup de "si" dans ma réflexion, Patrice. Le premier est le suivant : Rivest est un maniaque du stylo. Quand il n'en peut plus, quand ses émotions débordent, il écrit. Je pense que la première chose qu'il a faite en rentrant dans sa paroisse après le viol, ça a été d'écrire une lettre d'excuses à Paulette. Il ne l'a peut-être pas envoyée sur le coup, mais probablement dans les deux semaines qui ont suivi. Et sa lettre, c'était pour exorciser certaines horreurs dont il ne soupçonnait pas l'existence, et que sa sainteté de collègue – Dumond – lui a enseignées cette nuit-là.

« Revenons à Paulette. Gontran et elle étaient très proches. J'ai essayé de raisonner avec la logique de Paulette... qui n'est pas la nôtre, parce qu'elle est dominée par la peur et l'oubli. Paulette oublie tout. Je ne l'invente pas, c'est Corinne qui le confirme et le déplore. C'est vraiment dommage que vous n'ayez pas assisté au discours de Paulette le soir de la chicane entre Corinne et Yvan. Elle était dans un état de grande tension. Et je pense qu'elle a dit des choses vraies... même si elle mélangeait les contextes. Supposons que tout ce qu'elle a dit ce soir-là était vrai et qu'il ne nous reste qu'à remettre chaque chose à sa place. J'ai fait l'exercice et ça donne ceci : papa est fâché, Gontran est fâché. Il ne faut pas le dire. J'ai rien dit. Gontran le sait pas. Ça fait mourir. Papa s'en occupe. Corinne ne sait pas. Je l'ai encore. C'est pas de ma faute. Personne ne va mourir.

« À première vue, c'est du délire. Mais je vous jure que ça se rattachait à des moments précis de sa vie. Des bribes de vérité. Arrachées à l'oubli.

« Mon interprétation de tout ça, maintenant. J'hésite entre deux théories : la première, le notaire a abusé de Paulette comme de son fils, ou alors il a fait autre chose qui l'a traumatisée.

« J'ai choisi la dernière option, parce que Gontran surveillait de très près et aussi parce que le notaire semble avoir eu une fascination pour son fils, pas pour ses filles. Sa tentation m'a tout l'air d'avoir été exclusive. De toute façon, à cinq ans, Paulette est atteinte d'une poliomyélite qui a fait qu'elle était très entourée. Bref, j'écarte tout abus du père.

« Il reste quoi ? "Papa est fâché", et tout de suite après, Gontran. Ça ne peut pas être pour la même raison. Ou alors, Gontran est fâché que le père l'ait été. Je dois encore supposer. Et si, en 1983, en devenant évêque, Rivest avait fait ce qu'il a toujours fait pour se sortir du pétrin ? S'il avait écrit au notaire ? Pas des aveux de viol, évidemment, mais le genre de repentir à propos d'une lettre d'amour envoyée sur un coup de tête. Une lettre inconvenante pour un jeune abbé, mais encore plus compromettante pour un nouvel évêque… le genre de choses qu'on peut comprendre. Le papa n'y voit que du feu et s'empresse de parler à sa fille pour sauver l'honneur d'un monseigneur qui a eu un élan épistolaire… après un baiser répréhensible, mais qu'est-ce que c'est, après ce que lui a fait à son fils ? La lettre, j'en suis certaine, ne contient pas les mots compromettants de "viol" ou "violence" ou même l'évocation d'un consentement. Ça doit être de la jolie périphrase qui épargne plus l'auteur que la lectrice de la lettre. Donc, le notaire convoque sa fille et il la terrorise avec son discours. Comme elle se ferme et qu'elle n'a plus l'air de rien comprendre parce qu'il crie, il la menace. Mauvaise tactique : Paulette devient un bloc, elle est tétanisée.

« Je suis certaine que la lettre existe et que Gontran l'a su. L'a-t-il gardée ? Je ne sais pas. Comment l'aurait-il eue ? Si c'est Paulette qui la lui a remise, il s'est peut-être fâché qu'elle la lui redemande. Mais il est aussi possible qu'il ait été fâché pour n'importe quoi : il semblait frustré, mal en point et très amer.

« Pour finir, je pense que Gontran a pu être un élément aussi majeur que Paulette. Il obtenait d'elle ce qu'il voulait. L'ennui, c'est qu'il est mort.

« Je pense qu'une fois défroqué il s'est remis à effrayer nos deux abbés qui n'avaient plus beaucoup de marge de manœuvre pour se protéger. Gontran a réussi à les faire paniquer, mais je ne sais pas avec quoi. Et ils ont réglé leur panique en tuant Émilienne. La seule chose qui pouvait orienter Rivest vers Émilienne, c'est la possibilité qu'elle lui ait dit posséder une lettre quand elle a confessé son envie de révéler l'adoption à Paul.

— C'est tout ? Désolé de vous décevoir, mais Rivest n'est devenu évêque qu'après la mort du notaire. Ce qui exclut votre première théorie. Il est évident que Rivest aura une ou deux choses à éclaircir demain, mais je doute fort qu'il nous entretienne de son meurtre.

— Ce que je ne comprends pas, c'est pourquoi arrêter de chercher la lettre après le meurtre d'Émilienne ? S'il ne l'a pas trouvée ? Qui a la lettre ? Si c'est bien une lettre qu'il cherchait…

— Là, par contre, je suis d'accord avec vous : à l'origine, c'était sûrement Gontran. S'il y a eu lettre, il l'a récupérée et l'a mise en sûreté. Et coup de pot pour les deux curés, il meurt. Gontran était bien le seul à leur tenir tête de la sorte.

— Vous croyez ça possible, vous, que Gontran meure sans mettre sa preuve en sécurité chez une personne de confiance ?

— Bien d'accord, mais chez qui ? Qui sera jamais aussi pugnace que cet homme ? Corinne et Yvan ont affiché leurs couleurs depuis longtemps : protection de Paulette, protection de l'enfant, point barre. Ils ne s'embarrasseront pas d'une lettre qui servirait une poursuite judiciaire qu'ils ont déclinée et pour laquelle ils ont reçu du pognon. Émilienne, c'est exclu et nous le savons à cause du meurtre.

— Reste Paulette.

— Vous avez dit : "Une personne de confiance", permettez-moi de rigoler. Paulette, ce serait vraiment la dernière extrémité.

— Peut-être qu'y était rendu là…

— Mais c'est n'importe quoi, Vicky ! Comment voulez-vous que cette pauvre femme utilise une telle preuve ? Comment voulez-vous que son frère prête foi à pareille absurdité ?

— Non, je veux dire qu'elle la garde et la donne à Yvan ou Corinne le jour où ils en ont besoin. Vous avez raison : c'est ridicule !

— Le vrai problème, c'est que nos deux lascars ont arrêté après le meurtre d'Émilienne. Si la lettre était leur motif, s'ils ne l'ont pas récupérée, alors, comment pouvaient-ils être peinards ? Comment pouvaient-ils être sûrs et certains que rien ne viendrait plus les embêter ?

— Parce que Paul était en prison ?

— Il détiendrait quelque preuve sans le savoir, alors ? Sinon, il s'en serait servi pour se disculper lors du procès.

— C'est à Paul qu'Émilienne voulait remettre la lettre, peut-être qu'elle l'a fait et qu'on l'ignore ?

— Par-delà la mort ? Vous poussez grave… Corinne lui a parlé la veille et elle s'apprêtait à passer à l'action. Le lendemain, elle était morte. Je ne vois pas comment elle aurait pu le faire. Nous devons peut-être conclure que cette foutue lettre a été retrouvée par le meurtrier. Voilà pourquoi le jeu s'est calmé. »

Ils se taisent, essaient de voir où cette hypothèse les mène. Patrice soupire en répétant que Paulette ou Paul ne sont pas des adversaires dignes des abbés et que la preuve en est que Paul fera près de vingt-cinq ans de taule pour un crime qu'il n'a pas commis.

« Après le procès, ils étaient tranquilles, les mecs. Si Paul n'a pas saisi l'occase alors qu'il était menacé de perdre sa vie en prison, ce n'est pas demain la veille qu'il s'y mettra. Après tout, il ne s'agit que d'une lettre et il y a prescription chez vous aussi, non ? Après tout ce temps, inutile de la chercher si ces deux types ont cessé de le faire. »

Vicky trouve que sa jolie démonstration a le bec à l'eau.

Généreux, Patrice estime que la théorie vaut certaines vérifications qu'ils doivent faire. Gontran a peut-être laissé quelque chose qui éclairerait son plan de protection de sa sœur. Et là-dessus, il y a fort à parier que Corinne ou Yvan ont été les dépositaires et les responsables de ce plan de secours. Un dossier compromettant ou quelque chose qu'il aurait récolté du temps où il poursuivait les violeurs.

« Si ça se trouve, son plan était efficace puisque les mecs ne sont jamais revenus embêter Paulette. »

Patrice s'occupe de Gauthier pendant que Vicky appelle Corinne.

À part la promesse de Corinne de vérifier auprès de sa sœur Monique si quelque chose a été laissé chez elle par Paulette il y a vingt-deux ans, rien de neuf ne ressort de la conversation. Corinne répète que Paulette n'a jamais su qui avait élevé son enfant et qu'elle ne l'avait jamais demandé. Lorsque Vicky trouve quand même cela étrange, Corinne lui explique que, selon elle, Paulette n'a jamais vraiment compris qu'elle était enceinte. Elle a cru que le viol avait duré et occupé son corps tout ce temps-là.

Patrice n'est pas plus avancé qu'elle : Gauthier n'avait pas envie de parler, ou alors, c'est qu'il le dérangeait.

Selon lui, Rivest s'est montré humble et repentant lors de sa visite de prêcheur. Il s'est même informé de la fin de Gontran, de l'état de sa pauvre sœur infirme – mais rien sur l'éventualité d'un dossier laissé par Gontran. Aucune autre question sur Paulette, sur sa vie. Et non, Yvan n'a pas trouvé son bureau ou ses affaires dérangés. « Peut-être » étant ce qui s'approchait le plus d'une possibilité que Rivest ait fouillé le presbytère. Vicky sursaute : « Comment ça, "peut-être" ?

— C'est ce qu'il a dit.

— Peut-être ?

— C'est exact.

— Et le dossier de Gontran, il est où ? C'est lui qui en a hérité ? »

Là-dessus, la réponse a été plus complète. Yvan s'étant toujours opposé à cette obsession qui entretenait la rage et le ressentiment de Gontran, il n'a pas été surpris de ne plus entendre parler de cette enquête et du dossier que Gontran avait effectivement constitué. Il confirme qu'il y a eu un dossier, qu'il l'a même vu, mais qu'il ignore totalement ce qu'il en est advenu.

Ils n'ont rien.

Découragée, Vicky rappelle Corinne et elle tombe sur sa boîte vocale. Elle laisse un message pour savoir qui pourrait bien avoir reçu le dossier de son frère sur les abbés. Quel ami, quelle relation, qui était assez proche de Gontran pour en hériter ?

Son sourire quand elle referme le téléphone fait sourciller Patrice : « On peut savoir ce qui vous amuse ?

— Vous avez trouvé Yvan un peu pressé, non ?

— Pas très bavard, et alors ?

— Parce que je pense que nos deux témoins se sont réconciliés, Patrice… et qu'on a dérangé les célébrations.

— Allons donc ! Et ça se tiendrait au plumard, cette formalité ? Ils ne sont pas un peu défraîchis pour ce genre de sauteries ?

— Attention, Patrice : préjugés apparents et terrain dangereux.

— Mais enfin, admettez qu'ils ne sont pas dans la fleur de l'âge !

— J'admets. J'admets. Et je pense que ce n'est pas une condition pour pouvoir être au lit à cinq heures de l'après-midi.

— Je ne comprendrai jamais d'où vous tenez de telles certitudes : le curé n'a qu'à quitter l'Église s'il tient tant à cette femme.

— L'ambivalence, la contradiction… ça ne vous dit rien ?

— Ce serait quand même balèze, toutes ces années à entretenir une liaison quasi conjugale…

— Pas quasi, Patrice, carrément conjugale ! Venez, on va passer à la cuisine, j'ai des petits légumes à préparer, moi ! »

À son grand étonnement, Patrice est très habile et il sait travailler en silence. Ou plutôt en écoutant religieusement deux cantatrices québécoises dont Vicky lui a gardé la surprise. Elle prépare son entrée en pensant à Corinne et à son amoureux. Elle n'a rien demandé tout à l'heure, n'a posé aucune question sur son retour à Montréal et ses retrouvailles avec Martin. Cette discrétion indique qu'elle ne pouvait pas aborder le sujet… parce qu'elle n'était pas en position de le faire. Et son « très bien » en réponse au « ça va ? » de Vicky résonnait comme le ronron d'une chatte satisfaite. Vicky voudrait être certaine d'avoir cette vitalité à plus de soixante-dix ans !

« Mais enfin, qu'est-ce que vous avez à vous marrer ?
— Vous avez quel âge ?
— Dites donc, ne vous gênez surtout pas !
— Soixante ?
— Hé ! Ho ! Pas encore ! Et vous ? »

La porte de l'appartement s'ouvre, Martin arrive. Vicky sourit : « On ne demande jamais ça à une dame, Patrice ! »

***

La seule avancée de l'enquête leur arrive en fin de repas, alors qu'ils sont encore à table. Corinne est tout à fait disposée à placoter, et c'est au tour de Vicky de devenir monosyllabique. Elle obtient deux confirmations : Corinne et Yvan étaient effectivement ensemble quand Patrice et elle ont appelé – et cette nouvelle lui est offerte sans qu'elle ait à le demander – et tout ce que Paulette a laissé chez Monique à Joliette, c'est une vieille poupée de chiffon assez abîmée. Ce qui réjouit beaucoup Vicky qui prend note des coordonnées de Monique. Patrice ne perd pas un mot de la conversation. Vicky le regarde en demandant : « Je peux vous poser une question indiscrète, Corinne ? »

Les yeux de Patrice !

« Les rapports de Paulette avec Monique… ils sont comment ? Chaleureux ? aimants ? »

Patrice hausse les épaules : elle l'a bien eu.

Corinne confirme que, depuis toujours, sa sœur Monique ayant pris le parti de leurs parents contre Gontran et ses comportements honteux, Paulette et elle s'en sont éloignées. Elle ajoute enfin que le dossier de Gontran n'est pas chez elle. Elle est persuadée qu'il existe effectivement, mais elle n'a aucune idée de l'endroit où il peut être. « Vous savez, il a eu le temps de s'organiser. Il a eu quand même six ou sept mois. »

Patrice les quitte tôt pour réfléchir aux nouvelles données et préparer leur entrevue du lendemain avec l'évêque. Stratégiquement, il suggère de prendre Vicky au bureau vers quinze heures pour se rendre chez monseigneur et d'en profiter pour aller à Joliette récupérer la poupée.

Vicky ne dit pas non, sans accepter pour autant : elle doit voir ce qui se passe au bureau avant.

Patrice se montre très conciliant : « J'attendrai donc votre appel en fin de matinée. »

C'est Martin qui commente l'attitude de Patrice avec le plus de justesse : « Il commence à te connaître, le Français : il insiste pas. Il tire pas sur la corde… Vas-tu y aller ? »

Elle étend une crème odorante sur son visage et son décolleté : « Quand je vais avoir soixante-quinze ans, Martin, penses-tu qu'on va baiser encore ?

— Oups ! J'ai-tu manqué de quoi ? Soixante-quinze ans ?

— Cet après-midi, quand Patrice a appelé chez le curé, j'ai téléphoné à Corinne sur son cellulaire. Elle était avec le curé. Au lit. Et elle a au moins soixante-quinze ans.

— Excuse-moi, mais as-tu dit au lit avec le curé ?

— Mmm ! »

Elle essaie de résumer l'affaire, ce qui provoque beaucoup de plaisir chez son amoureux. Il lui jure que même à quatre-vingt-cinq ans, ils baiseront encore.

***

En entrant dans son bureau, la pagaille est telle que Vicky a la tentation de repartir sans avertir. Au moins, Brisson n'arrive pas à toute allure pour lui confier tout ce qui cloche ou le retarde. Elle sait fort bien que l'excuse de la gastro est un puissant répulsif pour son patron : il va la fuir pour au moins le reste de la semaine. C'est le genre de virus qui le terrorise.

Elle arrive donc à classer en paix les messages qui encombrent son espace de travail. Elle s'attaquait à l'ordinateur quand Mathieu Laplante glisse sa belle tête dans l'entrebâillement de la porte : « Ça va ? »

À lui, elle peut avouer que sa santé est resplendissante. Mathieu ne comprend pas comment elle fait pour utiliser le bon mensonge: « Tu le croiras pas: Poupart est sur le dos et je te jure qu'il l'a, lui, sa gastro!

— Brisson doit porter des gants.

— Il doit même avoir un masque! Ça te dérangerait de regarder ça et de me dire si le gars est normal? »

Mathieu est un as de l'informatique et un béotien de la psycho. Quand il doit analyser un comportement, il est presque aussi démuni que Vicky devant un *hacker* ou une astuce informatique raffinée. Même si sa tâche n'est pas celle d'un fin psychologue, il doit parfois essayer de fouiller certains actes délinquants jusqu'à leurs racines profondes. Il déteste cet aspect du travail et le refile généralement à quelqu'un d'autre. Il veut bien trouver les clés d'un système de fraude, pas leurs raisons d'être.

Les deux feuilles sont posées sur le seul espace enfin libéré de la surface du bureau. Vicky grimace: « Ça presse?

— Disons que j'attends... avant de décider si on poursuit ensemble.

— Ah bon?

— Comme tu sais, je suis un peu... primaire. Pour moi, quand un gars triche toute sa vie, y a pas de raison qu'y s'arrête juste parce qu'y est tanné. La présomption d'innocence marche pas pantoute pour moi: tant qu'y s'est pas fait avoir, y va continuer.

— Es-tu en train de l'avoir?

— Je peux te garantir tout ce que j'ai trouvé sur lui... mais j'arrive pas à faire le lien du pourquoi il a commis ces actions-là. Ou ben y est fou. Ou ben ses raisons m'échappent.

— Va prendre un café, Mat. Je le lis tout de suite. »

Faire sourire Mathieu Laplante est une récompense en soi.

En vingt minutes, elle a encerclé trois mots et pris des notes au verso du rapport. Mathieu est plus qu'admiratif. Elle l'arrête: « Quand on n'est pas dedans, c'est tellement plus facile de voir. Pas pour rien qu'on travaille en équipe! Tes déductions étaient bonnes, c'est la chronologie, ton problème.

— T'es géniale pareil!

— Va dire ça à Brisson: je veux obtenir un autre congé.

— Exactement le genre de choses qui m'arrange pas. Pour quand?

— Le mois prochain.»

Martin lui est arrivé avec ça, ce matin: il veut lui offrir un voyage pour son anniversaire. Une destination-surprise. Elle devrait prendre une semaine complète. Il a annoncé que c'était chose faite pour lui: il a obtenu son congé.

Évidemment, c'est tentant, mais après les deux jours pris pour allonger le congé de l'Action de grâces, plus celui d'hier, ce ne sera pas facile à arracher à Brisson.

D'un autre côté, comme ce voyage la mettrait à l'abri des célébrations familiales de son cinquantième anniversaire qu'elle voyait venir sans enthousiasme, ça vaut la peine d'insister auprès du patron.

Un léger coup frappé à la porte interrompt Mathieu qui l'assurait de son soutien inconditionnel. Patrice, la figure attristée, entre en exhibant un Perrier: «On m'a dit que vous n'étiez pas bien...

— Patrice? Qu'est-ce que vous faites là?

— Moi aussi, je suis ravi de vous revoir. J'étais de passage dans la région et je me suis arrêté saluer votre directeur.

— Patrice Durand...

— Vous êtes libre à déjeuner? Bonjour monsieur... rappelez-moi votre nom?

— Laplante.

— Voilà! Monsieur Laplante!»

Vicky met fin à ces simagrées et, dès que Mathieu a refermé la porte, elle engueule Patrice, qui ne se montre pas très ébranlé.

«Vous avez fini de vous agiter? J'ai la permission du boss de squatter votre bureau... et même vos talents pour la journée.»

Elle ne le trouve pas drôle du tout et elle le lui dit: sa façon de s'immiscer dans sa vie professionnelle et de forcer ses décisions lui déplaît infiniment. Elle lui demande de partir. Ce n'était pas leur entente, elle ne veut plus rien savoir de lui.

Voyant qu'elle ne cédera pas, Patrice s'exécute et sort.

Furieuse, elle se rassoit quand son cellulaire sonne : c'est Patrice qui fait semblant d'appeler comme prévu pour savoir si elle l'accompagnera en fin de journée.

Il est tellement culotté qu'elle éclate de rire. Et refuse.

Quand elle le rappelle, elle constate qu'elle l'a inquiété pour la peine : toute douceur, il demande une cessation des hostilités. Il a réfléchi et il voudrait avoir la chance de lui proposer un plan d'attaque.

Ils discutent longuement avant de se mettre d'accord sur deux points : tout d'abord, la lettre d'excuses que Rivest aurait pu envoyer à Paulette n'a fort probablement existé que dans l'imagination de Vicky. Par contre, si la lettre du « bon père » existe – et c'est ce qu'ils croient parce qu'ils ont des preuves verbales – ils doivent essayer de la trouver avant de rencontrer l'évêque.

Le deuxième point restera en suspens pour l'instant : c'est le sort qui a été réservé au dossier monté par Gontran, dossier incriminant les deux violeurs. Ils doivent encore chercher qui peut être la personne de confiance qui en a hérité.

Ils réussissent à devancer l'heure de leur visite à Monique Gagnon et partent pour Joliette.

***

Monique est un amalgame des deux sœurs qu'ils connaissent déjà : bâtie et grande comme Corinne, elle a les yeux de Paulette. Deuxième enfant de cette famille, elle doit avoir dans les soixante ans passés et, comme les autres, elle ne les fait pas.

Elle ne pose aucune question, elle répond poliment aux leurs, et elle s'empresse d'aller chercher la poupée de chiffon usée : « Quand je pense à tous les trésors qu'elle avait, je ne comprendrai jamais Émilienne d'avoir offert une poupée si *cheap* à ma sœur. Je l'ai lavée, mais ça l'a pas beaucoup améliorée.

— C'est Émilienne qui l'a donnée à votre sœur ?

— C'est ce que Paulette disait... maintenant, est-ce que c'est vrai ? »

Monique ne les laisse pas ignorer son opinion : rien de ce que prétend Paulette n'est digne de confiance. Elle a toujours été diminuée intellectuellement et ça ne s'est pas arrangé avec son opération ratée à la jambe. Selon elle, sa sœur en est revenue déprimée en plus d'en être affectée mentalement. « Corinne a beau penser ce qu'elle veut », Monique est persuadée que sa sœur est retardée.

« Vous enquêtez sur quoi, exactement ? Qu'est-ce qu'elle a fait de mal, Paulette ? »

Ce n'est pas l'affection qui lie les sœurs, c'est évident. Ils répondent vaguement qu'ils essaient de voir clair dans le meurtre d'Émilienne Provost.

Monique réagit avec acrimonie : « Je ne peux pas croire qu'on perde encore du temps là-dessus. C'est nos impôts qui payent ça en plus de le nourrir en prison, celui-là ?

— Rassurez-vous, c'est la manière qu'a trouvée Paul Provost de dépenser son héritage.

— Ah ! Pas fin, fin, celui-là non plus... »

À l'écouter, le monde entier souffre de limites intellectuelles.

Ils allaient se lever quand elle pose une question : « L'avez-vous vu ? Trouvez-vous qu'il ressemble à quelqu'un de la paroisse, vous ? »

N'ayant pas connu toute la paroisse, ça leur est facile de répondre. Elle sourit, comme si elle gardait poliment son idée pour elle-même. Puisqu'elle se meurt d'envie de le dire, Vicky lui demande ce qu'elle en pense. « C'est un bâtard qu'ils auraient mieux fait de laisser là où ils l'ont pris ! Mais y ressemble pas au curé Gauthier, malheureusement. »

Sur ces charitables paroles, ils prennent congé.

***

« En voilà une pour qui l'ambivalence demeure une notion bien vague. »

Patrice les conduit à quelques rues de là avant de stationner la voiture : « Tout à fait le genre de harpies qui doit constamment être à l'affût à sa fenêtre. »

Ils examinent la poupée. Vicky la tâte, l'ausculte : « Je peux pas vous dire comme j'ai eu peur quand elle a dit qu'elle l'avait lavée ! Rien ! Rien, Patrice ! Paulette n'a rien caché dans cette pauvre poupée.

— Merde ! On a tout faux. Et je n'ai même pas mon Opinel. »

Vicky sort de son sac à main un découseur et s'applique à ouvrir la couture dorsale. Doucement, sans se hâter, elle glisse un doigt et explore la bourre. Elle doit élargir l'ouverture pour atteindre les cuisses de la poupée.

Elle tire délicatement sur un petit tube cylindrique en plastique – le genre de tubes dans lesquels on vend les pinces à épiler. Roulé à l'intérieur, un papier.

« Paulette connaît bien sa sœur.

— Pas aussi gourde qu'on le croit, la demeurée ! Vous aviez raison : il suffisait de penser comme elle. »

La lettre est exactement dans le ton qu'ils avaient supposé : enflammée, émotive, d'un romantisme qui frise la niaiserie, c'est un tissu de bonnes intentions et de « promesses qui ne coûtent rien », comme les qualifie Patrice.

Ce qui frappe Vicky, c'est l'absolue inconscience de l'auteur qui signe : *Ton papa inconnu qui priera tous les jours pour toi*. Comment peut-il ne pas penser au drame qui est à l'origine de cette filiation ? « Franchement, Patrice ! Comme si c'était le résultat d'une nuit d'amour coupable.

— Lisez correctement : *Dieu a voulu que de l'interdit émane la beauté absolue !* Ce qu'il y a de formidable avec l'absolution, voyez-vous, c'est qu'un salaud peut se croire un type bien qui a commis un faux pas. Comment Émilienne a-t-elle pu ajouter foi à un tel fatras de lieux communs ?

— Parce qu'elle était romantique et très croyante : avec Dieu, un peu de sentiments sucrés et ça passe. Imaginez comme il faut avoir un ego d'acier inoxydable pour écrire une lettre pareille à celle qu'il a violée à répétition pendant toute une nuit.

— Ça, pour être convaincu de son importance, il l'est ! Et de son talent littéraire : comment ne pas expédier une telle œuvre d'art dégoulinante de bondieuseries à la pauvre conne qu'on a embrochée et qui nous offre un tel cadeau ?

— Il a dû la regretter en maudit, sa belle lettre pleine d'émotion.

— Allons voir la bête !

— Pour la première fois, nous avons une preuve, Patrice. Pas signée, bien sûr...

— Et c'est à votre perspicacité que nous la devons ! Une analyse graphologique réglera le point de la signature manquante. Reste à trouver comment cette lettre a transité de son auteur à la maison d'Émilienne pour ensuite échouer dans cette poupée. Parce qu'il l'a quand même cherchée, notre Rivest. »

Le cellulaire de Vicky sonne. C'est Corinne qui vient de recevoir un appel de sa sœur Monique. Elle veut savoir ce qu'ils cherchaient et s'ils l'ont trouvé.

Vicky promet de le lui dire dès qu'elle le pourra.

« Ma sœur vous a servi sa rengaine habituelle sur la débilité de Paulette ?

— À peu de chose près, oui. Dites-moi, c'est vraiment une poupée offerte par Émilienne ?

— Oui. Et c'est Paulette qui voulait celle-là ! Elle ne date pas d'hier.

— Quand Paulette veut se confier, elle parle à qui ? À ses poupées ?

— À personne. Quand ça ne va pas, Paulette frotte. Elle nettoie même ce qui est propre. Elle devient une maniaque du chiffon et de la guenille.

— Merci. Je vous rappellerai.

— Voulez-vous dire à Patrice que ma sœur l'a trouvé très séduisant ? "Un vrai bel homme d'une très grande élégance", ce sont ses mots ! Elle l'aurait bien gardé à souper ! »

Vicky répète consciencieusement le compliment à un Patrice dépassé : il s'est comporté en gentleman, non ?

Elle rit et lui explique que ce doit être le « blues hormonal des dames délaissées vivant en banlieue », une théorie qui impressionne beaucoup son collègue.

Ils mettent au point une stratégie d'attaque pour la rencontre avec l'évêque : elle sera la rectitude du système judiciaire québécois, il jouera la souplesse et le sens des arrangements à l'amiable réputés français.

***

L'endroit est agréable, grâce au soleil qui entre généreusement par les larges fenêtres. Pour le reste, c'est une esthétique institutionnelle qui oscille entre l'hôpital et la maison de retraite pour religieux. Les crucifix et images inspirantes ne manquent pas.

« Très sanctifiant, tout cela ! » glisse Patrice à l'oreille de Vicky.

Monseigneur Rivest les attend dans sa chambre. La religieuse qui les y conduit leur explique son état et le courage quotidien de ce saint homme qui n'a pas encore récupéré la parole, malgré des efforts soutenus. Le côté droit est entièrement paralysé, et c'était un droitier ! Mais il se fait un devoir de les recevoir, et comme il aura la délicatesse de cacher l'exigence physique qu'une telle rencontre suscite, la fatigue pourrait survenir très rapidement. Elle leur demande d'être attentifs et de ne pas le surmener, quitte à revenir une autre fois.

La chambre est grande, et l'homme qui l'occupe est massif. Vêtu d'un pyjama bleu pâle, il est en position assise dans son lit à la tête relevée. Il a le teint rouge, le crâne dégarni et il les voit s'approcher avec une crainte évidente dans l'œil. Les chairs avachies, le menton épais, il a une bouche lippue, très ourlée, une bouche dénonçant tous les appétits. Un filet de salive s'écoule du côté droit. L'œil valide est presque tressautant tant il bouge. Une peur absolue exsude de cet homme. À tel point que la religieuse le réconforte en essuyant la bave qui descend dans les plis de son premier menton. « Ce sont les gens de la police qui voulaient vous voir. Ne vous inquiétez pas, ils savent que vous ne pouvez pas parler. »

Elle confie un mouchoir immaculé à Vicky, afin qu'elle essuie la bouche du pauvre monseigneur, et elle s'éloigne en les rassurant tous : elle ne sera pas loin.

On dirait une énorme baleine échouée sur une banquise trop étroite pour la soutenir. Le soleil est impitoyable : il met en lumière tous les manques et les impuissances du religieux.

Vicky se demande encore comment s'y prendre quand Patrice s'assoit en prenant la main droite du malade et en s'inclinant vers la bague rubis. Elle voit bien qu'il n'y pose pas les lèvres, mais l'œil du patient peut avoir raté ce détail.

Muette, elle assiste à une démonstration de flatterie peu commune. « Monseigneur » par-ci, « Ma Dignité » par-là, Patrice s'incline et déverse un flot de mensonges. Son ministère entretient d'excellents rapports avec le Vatican. Il a déjà résolu des « dossiers sensibles » pour le clergé de France qui, comme on sait, a commis quelques entorses à la règle religieuse. Il se dit même spécialiste des causes apparemment vouées à la vindicte de ceux « qui se font un plaisir de méconnaître les efforts de l'Église pour assurer un soutien constant à ses fidèles ». Il déclare nourrir une admiration profonde pour tout ce que l'appareil catholique a généreusement offert à ses fidèles. Il se fait un devoir de combattre ceux qui cherchent à salir un ordre tout entier afin de punir un seul pécheur. Qui peut jeter la première pierre ? Qui peut se vanter de posséder une absolue pureté ? Le point central, n'est-ce pas la contrition au cœur de laquelle réside la rédemption ? Et, de cela, chaque pécheur est seul juge avec Dieu. Patrice est venu offrir ses humbles services à monseigneur Rivest... pour la simple raison qu'il bénéficie d'un soutien épiscopal, voire même cardinalice. Il tient d'ailleurs à lui présenter les aimables salutations du cardinal Dumond.

À cet énoncé, un gargouillis sort de la bouche crochie par l'effort : une sorte de « schlurp » indistinct et pressant.

Patrice confirme aimablement : « Eh oui ! Le cardinal s'est enquis de votre santé, et il se soucie de votre bien-être. Cela vous étonne ?

— Hon ! »

Patrice fait comme si cette réponse était limpide et continue : « Il vous considère comme un ami très cher.

— Hi ! »

Ce qui signifie sans doute un « oui ». Une fois établi que Patrice est de son côté, pour ne pas dire l'envoyé spécial du cardinal, Vicky se penche un peu pour être visible par l'œil encore vaillant et bien apeuré : « Vicky Barbeau, de l'Escouade des crimes non résolus de la Sûreté du Québec. »

Tout le beau travail de Patrice s'effondre : une vraie panique emplit le regard inégal de l'évêque, soulève sa main gauche aux doigts boudinés en l'agitant pour refuser cette rencontre et repousser Vicky comme si elle était le diable en personne.

Patrice se soulève et s'interpose, tout miel : « Attendez, Vicky ! Reculez. Quelque chose vous importune, monseigneur ? Cette visite vous déplaît-elle ?

— Heu ! Heu !

— Ne vous fatiguez pas. Elle ne posera aucune question exigeant un développement quelconque.

— Hon !

— Non ? Vous préférez reporter l'entrevue ?

— Hi !

— C'est que… je ne serai probablement plus au Canada quand cette dame reviendra vous voir…

— Hon !

— Attendez, attendez, je m'y perds.

— Bon, ça va faire, monsieur ! Si on parle en même temps, on s'y perd, comme vous dites. Ça vous dérange pas que j'enregistre, monseigneur ? J'ai juste deux questions…

— Hon ! Hon !

— Pardon ? J'ai pas encore posé une seule question !

— Hon ! »

Le doigt grassouillet indique nettement la porte. L'homme est aussi rouge que sa bague. Le filet de bave forme une rigole et le souffle du patient émet un sifflement qui s'apparente à une crise d'asthme. La sueur luit sur son front lisse, il halète, on le dirait frappé d'apoplexie.

Patrice joue le grand jeu : « Alors là, ça suffit. Vous êtes inqualifiable, mademoiselle ! Vous voyez bien que ce pauvre homme souffre le martyre. C'est de l'acharnement, voire du harcèlement auquel vous vous livrez sans scrupules. Et à quelles fins, je vous le demande ? Ce sont des broutilles qui remontent à Mathusalem ! Ce saint homme est cloué sur un lit de douleurs et vous osez l'accabler. Je m'y oppose catégoriquement. Et croyez bien que vos supérieurs en seront avisés. Sortez, mademoiselle, ou c'est moi qui vous indiquerai le chemin !

— Pour qui vous vous prenez, vous, le Français ?

— Pour qui je suis : le défenseur dévoué d'un homme qui n'a rien à se reprocher.

— Ça reste à voir, si ça vous fait rien. Monseigneur…

— Au contraire : cela me gêne. À ce que je sache, la justice canadienne n'autorise pas la torture en vue d'obtenir des renseignements. Vos manières tiennent de la torture. Je m'inscris en faux contre cette procédure abusive et inhumaine.

— Ben là !

— Je vous demande poliment de sortir et de me laisser seul avec mon client. Parce qu'il s'agit de mon client. Je n'abandonnerai jamais un homme de Dieu à des mains aussi peu scrupuleuses. »

Vicky hausse les sourcils : il veut vraiment qu'elle sorte ? Patrice s'empare de la main gauche de l'évêque et la tapote avec douceur. Ses yeux fixent ceux de Vicky et il les baisse sur le magnétophone posé sur le côté droit de l'évêque.

Vicky s'assure que le drap n'étouffera pas les sons. Elle soupire et déclare qu'ils vont en entendre parler, tous les deux.

***

« Mais d'où sort-elle, cette gonzesse ? Les autorités canadiennes n'ont rien de mieux à offrir ? C'est inconcevable ! Je n'ai, de ma vie, jamais vu quelqu'un d'aussi arrogant et brutal. Un peu d'eau, monseigneur ? Attendez que je vous aide… Si vous le permettez, j'épongerais votre front… et voilà ! Le soleil vous gêne, peut-être ? Je peux tamiser un chouïa, si vous le désirez… »

Il se démène, le distrait. Il glisse la paille entre les grosses babines et observe, médusé, la torsion de la bouche scindée par la paralysie. Il tète avidement. Tout est avide chez cet homme, pense Patrice. Avide et répugnant.

« Je vais vous laisser vous reposer, maintenant.

— Hon !

— Non ? Alors, je reste un peu… Ne vous fatiguez pas à essayer de parler.

— Heu…

— Ah ! Quelque chose vous incommode, je le vois bien… Cette femme de la police ?

— Hi !

— N'y pensez plus, je m'en charge. Elle ne vous importunera plus. »

Un énorme soupir soulève le torse de l'évêque. Patrice craint même que le magnétophone ne soit déplacé. Il s'étire légèrement : tout va bien.

Rivest tend soudain le doigt vers le mur qui lui fait face. Patrice constate qu'il a le choix des interprétations : il y a là la porte de la salle de bains et, sur le mur, un magnifique crucifix et des photos.

Espérant qu'on ne lui demandera pas d'accompagner le dix tonnes aux toilettes ou de lui porter la bassine, il murmure : « Oui ? Les photos ? Vous désirez voir une photo ?

— Hi ! »

Soulagé, Patrice s'approche du mur en se disant que monseigneur, dans son état, doit porter une couche. Il essaie de ne pas imaginer le travail que représente le changement de cet attirail. Devant le mur, là encore, le choix est multiple et dangereux. Il ne connaît pas Dumond et a prétendu le contraire. Rapidement, il fait le tour des options : un visage revient plus souvent. Le personnage se retrouve sur cinq des huit photos. Jeune, c'est une tête noble, d'une beauté indéniable. Plus âgée, la tête a blanchi et le visage s'est aminci jusqu'à l'austérité, mais une austérité encore séduisante. La dernière photo le montre en compagnie de Jean-Paul II, probablement en train d'obtenir la promesse de son futur statut. Cet homme a changé au cours des années, mais il n'a perdu ni son charisme ni le pli orgueilleux de la bouche. Une bouche qui doit avoir bien du mal à ne pas paraître méprisante. « Ah ! Voilà notre cher ami le cardinal ! Vous désirez voir une photo ?

— Hon !

— Le crucifix, peut-être ? Cherchez-vous votre chapelet ? Non ? Excusez-moi, j'ai du mal à saisir... »

La main gauche s'agite, lui fait signe de revenir. Patrice s'exécute. Il s'assoit : « Qu'est-ce qui vous ferait plaisir ? Des nouvelles du cardinal ?

— Hi ! Hi !

— Bon ! Nous y voilà ! Je l'ai croisé, tout simplement. J'ai dû évoquer mon départ pour ce magnifique pays et... voyons voir, je ne me rappelle plus très bien... »

L'œil attend et le sourcil gauche frétille d'inquiétude. Patrice reprend prudemment : « Il m'a parlé de vous, de votre amitié...

— Hi...

— ... et de votre malaise cardiaque. Bon, je ne vous cache pas qu'il s'est inquiété de votre état d'esprit, il a évoqué une conscience tourmentée... par des vétilles, voilà ce qu'il m'a dit. Ce qui, au demeurant, est tout à votre honneur. Une conscience, voilà bien ce qui fait cruellement défaut à notre époque. Notre ami souhaitait que la paix soit avec vous, ce qui ne vous étonnera pas ?

— Hon. »

Le doigt pointe la porte de la chambre, cette fois.

« Le cardinal ? Non, il est à Rome. Il ne viendra pas.

— Hon ! Hon ! Hé !

— L'inspecteur ? Y a pas de soucis, je m'en occupe.

— Hon ! »

Une certaine autorité exaspérée colore ce dernier son. Monseigneur s'impatiente. Le bras indique clairement le mur et ensuite la porte : évidemment, il veut savoir ce qui les lie, tous les deux.

« Effectivement, Son Éminence m'a confié qu'une enquête demeurait pendante et il m'a demandé d'effectuer quelques vérifications à cet effet. Routine, rien que de très banal. Ne vous tourmentez pas avec de telles bêtises. »

Ces paroles semblent avoir l'effet contraire. Il le fixe de son œil brillant. Une larme glisse sur sa joue. Si ce n'était pas du côté paralysé, Patrice pourrait le croire ému.

« Le cardinal a parlé de vous avec une immense indulgence. Il prie pour vous tous les jours. Ce qu'il m'a confié... »

Ça y est, le malade respire mal, Patrice ne perd rien des réactions de Rivest et il avance prudemment : « ... restera entre nous, comme de bien entendu. À mes yeux, ce sont des confessions. Vous ne doutez pas de sa sincérité, tout de même ? »

Comme l'incertitude règne dans ce regard... il n'émet aucun son.

Patrice trouve la glace bien mince : « Il m'a confié que vous écriviez beaucoup... »

La main grasse se pose sur la poitrine, comme si une douleur se réveillait.

« Il n'a jamais douté de votre bonne foi.

— Hon ? »

Pitoyable, cette question, presque touchante. Le pauvre a l'air bien abattu soudain.

« Mais bien sûr que non ! Comme vous le savez sûrement, il est possible d'être en désaccord sans porter de jugement. Là réside la vertu, d'ailleurs... Vos lettres... »

Ça y est, la main se pose sur l'avant-bras de Patrice et l'étreint avec force.

« ... vous ne les avez jamais récupérées, n'est-ce pas ? »

Un miaulement désolé accompagne le traitement brutal de son avant-bras : « Hon-on...

— Et ce n'est pas faute d'avoir essayé, n'est-ce pas ?

— Han ? »

Patrice rajuste le tir : « Je voudrais bien éclairer un point ou deux avant de m'entretenir avec cette pimbêche de la Sûreté. Accepteriez-vous de m'aider ?

— Hi.

— Émilienne Provost, ça vous dit quelque chose ?

— Hon.

— Vous ne la connaissez pas ?

— Hon.

— Ça ne vous dit rien du tout ?

— Hon.

— Et Paulette Gagnon ?

— Hon.

— Gontran Gagnon ?

— Hi… i.

— Yvan Gauthier ?

— Hmmph ! Hummm ! »

Rivest ferme les yeux, l'air complètement épuisé et de bonne foi. Patrice comprend que, même sur son lit de mort, cet homme ne dira rien. À la limite, il a complètement effacé ce passé. Ne demeurent présents dans sa mémoire lavée que ses lettres et ses rapports à Dumond.

Soudain, une idée traverse l'esprit de Patrice : « Merci, monseigneur. Soyez assuré que je tiendrai le cardinal informé de vos réponses. »

Que cet œil est vainqueur ! Il a donc cru qu'on le testait depuis Rome. Patrice lui sert une formule passe-partout et s'empare du magnéto.

Il allait sortir quand il entend un « Hé ! » autoritaire.

Il se retourne et aperçoit Rivest qui lève la main gauche et esquisse une bénédiction. Il se dépêche de sortir avant de vomir.

***

Patrice jure que son approche obséquieuse et mensongère lui a été directement inspirée par la lecture de la lettre de repentance de l'abbé. Vicky le croit à peine et elle déclare que sa disposition à jouer la comédie la rendra plus méfiante dorénavant.

Elle a beaucoup ri, mais elle s'amuse moins devant l'échec de la rencontre. La conviction est renforcée et les preuves s'amoindrissent. Le pire cas de figure, comme le dit si bien Patrice. À coups de « Hi » et de « Hon », ils ne convaincront personne et ils le savent.

Comme si souvent dans ces enquêtes non élucidées, les hypothèses les plus solides ne peuvent être vérifiées. Et dans ce cas précis, ils les trouvent fantaisistes, leurs hypothèses.

En réécoutant l'enregistrement, ils ne peuvent déduire qu'une certitude : le cardinal fait peur à l'évêque et celui-ci mourra avec sa conscience troublée.

Même s'ils le pouvaient, aller à Rome rencontrer Dumond ne leur apporterait rien. Rivest est déjà convaincu d'avoir été lâché par son complice et de porter tout le blâme sur son dos.

« Il ne nous reste que Paulette… À elle seule, elle pourrait justifier une première accusation que nous pourrions peut-être…

— Patrice, non ! Un "peut-être" ne pourra jamais justifier les conséquences qu'un interrogatoire aurait sur Paulette. Vous entendez d'ici ce que Corinne penserait de ça ? Et Gauthier ? Non. Même moi, je trouverais ça cruel et inutile. Pas vous ?

— Si, bien sûr. Ne vous énervez pas comme ça. Je suis aussi sensible que vous à cette femme qui n'a plus que des débris pour toute vie. Mais en renonçant à la questionner, vous donnez raison à tant de victimes de se taire.

— C'est à nous de rendre la délation moins dure pour elles. Pas le contraire ! Je ne sais pas comment c'est chez vous, mais ici, on dit le mot "viol" et c'est parti ! Est-ce que c'est vraiment une victime ? Est-ce que les circonstances, les attitudes, les gestes n'ont pas invité l'agresseur ? Si on dit "agression", c'est pire : agressée jusqu'où ? Comment ? Si j'étais Corinne, je mettrais ma sœur à l'abri et j'empêcherais le viol de se perpétuer à travers les questions et les jugements des autres.

— Et vous laisseriez un violeur courir et recommencer en toute quiétude à agresser d'autres femmes qui n'auront plus que leurs yeux pour pleurer? À quoi sert la justice, alors? À quoi servons-nous, Vicky?»

Un silence découragé envahit la voiture. Ils réfléchissent aux maigres résultats de leurs démarches.

Arrivée devant la porte de son immeuble, Vicky soupire: «Bon, ben, je pense qu'on est au bout du rouleau, Patrice. On a fait le tour. Et si vous écrivez un rapport aussi perfide que votre approche du monseigneur, Paul Provost ne fera pas les dernières années de sa détention.

— Je ne pige pas pourquoi ces deux types ont cessé de chercher cette foutue lettre. Et je ne pige pas comment elle se retrouve dans une poupée de coton, alors que sa détentrice devait l'offrir le soir de son assassinat.

— Ou bien ils étaient sûrs de leur coup, ou alors ils ont estimé que plus personne ne les menaçait vraiment.

— Ne me dites pas qu'une pauvre femme aussi crédule qu'Émilienne Provost les menaçait! Vous oubliez la qualité littéraire de la lettre qui la poussait à tout révéler à son fils! Être nunuche à ce point, ça ne devrait pas être permis. Que Gontran et sa hargne déterminée leur aient foutu la trouille, d'accord, mais elle? Ils n'avaient qu'à déverser un paquet de poncifs et elle fondait.

— Ça nous dit à quel point Rivest paniquait.

— Ce salaud! C'est une larve, vous l'avez bien vu. Un couillon qui chie dans son froc. Vous l'imaginez avec une hache, vous?

— Avec vingt kilos et vingt ans de moins, avec la peur panique que j'ai pu voir dans son œil, oui. Oui, je l'imagine.

— On n'a rien, Vicky! On n'a rien de rien! Des présomptions qui ne pèseront pas lourd devant l'armure de l'Église. Une lettre idiote… si idiote qu'il faut se pincer pour frémir de peur plutôt que de dégoût. On n'a que cette fichue lettre et ça ne suffira pas à inquiéter ces soutanes violettes. Du vent!

— Voyez-vous si c'est drôle : ça vous enrage parce que c'est pas assez. Pour moi, ça me dit que Paulette a trouvé la façon d'arrêter d'avoir peur et de vivre. Et notre gros monseigneur est cloué dans un lit avec sa panique. Le pire, c'est qu'il a peur de tout le monde : de ses victimes et de son complice. Il est dans son cercle vicieux et il va y rester jusqu'à la fin de ses jours. Y en a pas de pardon pour lui, et ça, c'est pas du vent. C'est une prison.

— Allez raconter vos bobards à cet enfant qui pourrit dans une prison bien réelle depuis plus de vingt ans ! Vous verrez s'il estime que justice a été rendue.

— Pourquoi Paul n'a rien dit, vous pensez ?

— Mais c'est du délire ! Il n'a cessé de clamer qu'il n'y était pour rien. Qu'il ignorait tout de son statut d'adopté. Il nous a même dit qu'il s'en tapait à la limite : sa mère était sa mère, quoi qu'on en dise. Si ce n'est pas de la foi, ça…

— Non, mais se débattre, crier son innocence.

— Je ne vois pas où vous voulez en venir. Il a fait ce qu'il a pu, il a même indisposé le juge en affirmant qu'il n'y a pas de justice. Et notre Prix Nobel de littérature si ému d'être père l'a laissé moisir en taule.

— Mais il n'a jamais su que c'était bien son fils. Émilienne a adopté un enfant, pourquoi ce serait le sien ?

— Que se passe-t-il, Vicky ? L'échec vous fait perdre la mémoire ? À cause de la lettre : il l'a tout de même écrite. Et il a aussi cherché à la récupérer. Vous croyez vraiment qu'une fois son méfait perpétré il n'a pas suivi l'affaire dans les journaux ? Émilienne, notre bonne pâte, a dit que la lettre l'avait touchée au point de révéler la vérité à son fils. Elle l'a dit à Corinne, elle a même ajouté qu'elle en avait parlé au prédicateur de la retraite… Hou-ou ?

— O.K. Mais c'est quand même bizarre de tuer à la hache pour une lettre qui se prétend un exemple d'humanité repentante.

— Au contraire : ça nous donne le portrait exact de ce putois. Voilà ce que provoquent les pouvoirs divins, dès lors qu'ils sont conférés à ces trous du cul…

— Bon, repartez pas avec vos théories anticléricales, je suis fatiguée, Patrice. On fait quoi, en admettant qu'y reste quelque chose à faire ?

— On réfléchit.

— Jusqu'à quand ? On ne va pas continuer si on n'a rien ! »

Cette seule idée fait rager Patrice. Ils s'entendent pour que Vicky utilise ses outils de recherche afin de savoir où était Dumond, le soir du meurtre, et de mettre au jour ses « activités suspectes » avant de devenir cardinal. « La moindre irrégularité, la moindre allégation d'inconduite sexuelle ou autre constituerait une bénédiction. » Patrice le dit sans même sourire, ce qui laisse entrevoir à Vicky le débat que suscitera l'abandon de l'enquête.

***

Martin est d'excellente humeur, lui, et Vicky a bien du mal à ne pas encombrer leur repas de ses préoccupations. Une fois la cuisine rangée, il lui propose d'aller marcher et d'évaluer avec elle la cote de son enquête.

Il pleut. Une pluie fine qui ne suffit pas à leur faire rebrousser chemin. Vicky relate l'affaire dans l'ordre des dernières découvertes. Elle ne cache pas son découragement.

Sur une échelle de dix, Martin estime que le taux probable de réussite est de trois. Ce qui invalide la poursuite des activités, s'ils s'en tiennent à leur barème habituel. Martin l'achève en déclarant que le statut de prêtre du meurtrier enlève encore un point à son évaluation, qui se ramasse à deux sur dix. Les raisons que donne Martin sont si plausibles qu'elle ne peut pas les contester : depuis des siècles, l'Église a cultivé le secret et les pratiques occultes. Secret de la confession, secret des finances, de la gestion des avoirs de l'Église, de ses interventions politiques, secret des pratiques douteuses à saveur sexuelle, secret des punitions accordées aux délinquants religieux… ou à l'absence de punition. « C'est une culture, Vicky ! Regarde ce que ça leur prend pour s'excuser des abus avec les enfants.

Regarde combien il y a eu de vies détruites et comment ils ont réussi à cacher des coupables dans des paroisses où ils ont pu recommencer leurs mauvais coups! Et tu penses que tu vas ébranler un système pareil? Les dénoncer? Je donne même pas un sur dix à ton affaire. Ça se peut pas!»

Il a raison. Elle le sait. L'Église a toujours eu gain de cause en exhibant une apparente ignorance. Les scandales des dernières années sur les cachotteries et les arrangements à l'amiable avec les prêtres délinquants lui enseignent déjà que ses efforts seront inutiles.

Martin s'excuse d'ajouter à son accablement et lui offre d'organiser un souper entre amis en fin de semaine. Ils pourraient inviter ceux avec lesquels ils devaient partir et les écouter raconter toutes les merveilles qu'ils ont ratées.

Elle lui demande s'il est devenu maso. Quand Martin lui répond qu'il faudra lui changer les idées parce qu'elle devra convaincre Patrice de repartir sans avoir réussi son coup, elle l'interrompt précipitamment: elle ne veut pas y penser, elle a déjà du mal à accepter l'échec pour elle-même. Qu'est-ce que ce sera pour lui?

Elle allait s'endormir quand Martin murmure d'une voix ensommeillée: «Pourquoi y ont pas tué la fille qu'ils ont violée, déjà? Me l'as-tu dit?»

Il dort.

Vicky se lève et sort ses papiers pour tenter de répondre une xième fois à cette question si pertinente.

***

En prenant le problème par la lorgnette des «témoins à abattre», ceux qui sont potentiellement dangereux parce qu'essentiels à l'accusation, elle en trouve quatre. Yvan, Corinne, Gontran et, en premier lieu, Paulette. Même s'il est mort au moment du crime, elle n'écarte pas Gontran qui s'est avéré le plus zélé de tous dans la poursuite des deux abbés.

Gontran monte un dossier en protégeant sans doute sa sœur, en la mettant à l'abri du passé comme de l'avenir. Il ne pouvait ignorer la faiblesse qu'aurait eue son témoignage, à cause de son apparente confusion et de son incapacité à répondre directement. La question que Vicky se pose est la suivante : le dossier était-il solide ? Et où est-il ?

Est-ce que la protection de Paulette s'est éteinte avec son frère ? Le meurtre a-t-il quelque chose à voir avec le fait que Gontran est mort ? Sinon, pourquoi attendre dix-huit ans avant de récupérer la lettre ?

Yvan Gauthier, par son statut de curé remplaçant et de gardien de l'Église, devenait un témoin dangereux. Rien d'inquiétant ne lui est arrivé. Pourquoi ?

Corinne et Paulette, maintenant : Paulette a la « chance » de paraître demeurée, ou du moins peu fiable. Ses faiblesses la rendent paradoxalement moins vulnérable. Vicky inscrit : *Quand on abuse à ce point d'une personne, le mépris qu'elle nous inspire peut-il rassurer assez pour ne plus la craindre ?*

Corinne, par contre, est en possession de tous ses moyens, elle peut témoigner et elle serait une adversaire de taille. Rien non plus. Aucune menace.

Il n'en demeure pas moins que le plus susceptible d'inquiéter les violeurs, c'était Gontran.

Vicky sort une nouvelle feuille.

Si, en extrapolant, Rivest ou même Dumond ont poussé l'audace jusqu'à se confesser à Yvan Gauthier, celui-ci les a non seulement absous, mais rassurés. Yvan n'avait qu'un seul souci : que Paulette soit laissée en paix. Il est probable qu'une promesse en ce sens, faite en prenant Dieu à témoin, a pu suffire à Gauthier. Malgré le cynisme qu'une telle promesse recélerait.

Vicky inscrit : *À vérifier.* Mais elle connaît déjà la réponse : si Yvan a fini par accepter le retour du coupable en prédicateur de retraite, c'est qu'il n'a jamais été conscient de son pouvoir. Et encore plus inconscient de la justice qu'il aurait pu imposer.

Corinne… Vicky se reporte en 1967, année du viol. Corinne a trois enfants et elle est enceinte. Sa sœur devient son cinquième enfant. Elle n'a pas beaucoup de moyens, sans être carrément pauvre. Tout ce qui lui importe, c'est la même chose que le curé Gauthier : que

Paulette soit à l'abri et qu'elle cesse de trembler. En ajoutant la grossesse qui survient, le père notaire qui jugerait très mal un tel scandale, les préoccupations de Corinne ont dû aller au plus pressant. Exit la poursuite des abbés. Mais ceux-ci ne pouvaient pas connaître la vie et les idées de Corinne. A-t-elle été inquiétée ? A-t-elle riposté ?

Vicky ajoute Gontran, parce que de tous les membres de la famille Gagnon, c'est le plus ouvertement dangereux pour les violeurs. Ils se fréquentent, ils se connaissent, c'est Gontran qui les a emmenés avec lui à Chicoutimi, qui les a présentés à sa famille, et qui a bu avec eux.

Vicky inscrit : *Alcool ?* Parce que le penchant de Gontran pour la bouteille risquait d'infirmer son témoignage. À la limite, les abbés pouvaient l'accuser d'avoir participé au viol. Le temps de prouver qu'il était soûl mort, et sa crédibilité était anéantie. Il a bien pu se démener pour bâtir une preuve contre ces deux-là, le pauvre ! Mais l'a-t-il obtenue, cette preuve ?

Qu'a-t-il fait de ce dossier, alors ?

Il ne l'a pas détruit et, s'il l'a caché, quelqu'un doit tout de même savoir où, puisque c'est ce qui peut freiner les deux brutes. En tout cas, c'est ce qui les a freinées pendant les dix-huit ans qui séparent le viol du meurtre.

Chose certaine, si Gontran a réussi à empêcher les deux coupables de harceler, menacer ou même toucher les témoins de cette nuit-là, il n'a pas prévu le meurtre d'Émilienne. Sa protection ne s'étendait pas jusqu'à elle.

Vicky inscrit un gros point d'interrogation sur le lien entre le décès de Gontran et le sort réservé à Émilienne.

Même s'il avait deviné la direction qu'avait prise l'enfant du viol, il n'a pas cru bon d'inclure Émilienne dans sa protection. Pourtant, c'est le seul qui a pu dire à Rivest qu'un enfant avait été conçu. Lui qui, en dévoilant la grossesse, a provoqué la contrition escomptée, doublée d'une soupe de bonnes intentions. Que voulait obtenir Gontran en dehors de ce repentir dégoulinant ? Probablement pourrir la vie des deux abbés, les poursuivre, leur rappeler sans cesse leurs méfaits et exalter leur culpabilité. Mais sûrement pas aggraver la situation de sa sœur ou – pire – menacer ceux qui ont pâti du viol.

Vicky jette son stylo sur les feuilles : elle en revient toujours à la même conclusion. Gontran cherchait à inquiéter, à picosser et à harceler les prêtres coupables, mais pas à les dénoncer. Sa propre souffrance qui l'empêchait d'accuser son père avait eu le même effet pour les violeurs : « Sachez que je sais, que je ne pardonne pas, mais que je ne m'exposerai pas non plus à l'humiliation supplémentaire que vous m'offririez si je le disais publiquement. » Ou comment censurer le censeur.

Elle retourne se coucher et elle doit pousser Martin qui s'est approprié son espace. Elle se colle contre lui et il grogne parce qu'elle réchauffe ses pieds froids contre sa peau chaude.

« Ça t'apprendra à troubler mon sommeil avec tes questions. Endure ! »

***

Incrédule, Patrice examine le mince et vierge dossier de Vanier Dumond que Vicky lui a tendu. Elle savait que cela le contrarierait, mais pas à ce point. Il fulmine ! Il ne peut pas croire que rien ne peut être retenu contre cet homme ! Rien ! Blanc comme une pucelle, toujours là où il ne faut pas, à l'autre bout de la province au moment du meurtre d'Émilienne. Les paroisses où il a officié sont exemptes de la moindre poursuite, de la plus petite rumeur d'inconduite sexuelle concernant le clergé.

« Tout juste s'il n'a pas un alibi béton pour la nuit du viol ! »

Patrice rejette les feuillets et se met à douter du professionnalisme des collaborateurs de Vicky. Elle sourit, parce qu'elle s'y attendait. Patrice est tout à fait le genre à tirer sur le messager, et elle le lui dit.

Celui qui a effectué les recherches est un expert et il a fouillé méticuleusement pendant toute la journée de jeudi.

Elle le laisse digérer la nouvelle et attend la suite. Il ouvre les bras, dépassé : il a écrit un rapport exhaustif, il a répété ce qu'ils savent et qu'ils ne pourront jamais prouver. Pour Patrice, l'Église est pire que la mafia, et, curieusement, ces prospères organisations viennent toutes deux d'Italie.

« C'est à se demander qui a pris des leçons de l'autre ! »

Vicky lui soumet sa liste de questions restées sans réponses, fruit de sa nuit de travail de l'avant-veille, et encore une fois, Patrice tombe d'accord avec elle : rien pour retourner la moindre pierre.

« Quand bien même Corinne nous apporterait la preuve qu'elle a failli être renversée par une voiture en 1975, cela ne nous mènera nulle part. Ces deux couillons ont fort probablement persisté dans leurs mœurs douteuses sans jamais être inquiétés. Même si le viol s'est avéré un cas isolé, une explosion soudaine de violence sexuelle imputable à l'abstinence forcée, nous ne le saurons jamais. Et s'ils ont remis ça, l'un comme l'autre, ils avaient suffisamment appris de l'expérience, et ils n'ont donné prise à aucun soupçon.

— Ils pouvaient quand même pas être sûrs que leurs victimes ne parleraient pas !

— À moins de les tuer, c'est exact.

— Pas de morts suspectes sur le passage du cardinal, on a vérifié, Patrice.

— Je sais. N'enfoncez pas le couteau, je vous prie.

— Il s'est peut-être dévoué à sa carrière ? Pas facile de devenir évêque si jeune. Et cardinal…

— Ça demeure toujours possible, en effet.

— Et l'autre, Rivest… d'après moi, il s'est mis à manger au lieu de baiser.

— Alors là ! Y a pas photo ! À voir ce porc avachi, il a compensé grave. On peut remercier le ciel que le chocolat existe. »

Elle le trouve toujours plus drôle quand il est contrarié, mais comme elle le comprend, elle ne passe aucune remarque qui pourrait l'ennuyer davantage.

Ils mangent en parlant d'autre chose. Quand elle s'informe de la date de son retour à Paris et des dossiers qui l'attendent Quai des Orfèvres, il devient vague.

Tout à coup, sans aucun rapport avec ce qu'elle disait, il l'interrompt : « J'ai relu vos hypothèses concernant Paulette et Gontran. C'est à la fois osé et sensé. Je ne vous ai pas dit à quel point vous êtes forte pour ce genre de spéculations. La suite vous a d'ailleurs donné raison : il y avait une lettre cachée que Rivest n'a jamais trouvée. »

Elle attend qu'il poursuive. Il ne se donne pas tout ce mal pour rien, elle le connaît, son oiseau ! Il finit son verre de vin, s'essuie la bouche, prend son air de ne pas y toucher : « Et vous faites quoi, ce week-end ? »

Ah ! Ah ! Elle l'aurait juré !

« Je ne vais pas à Chicoutimi, ni à Sainte-Rose-du-Nord, ni à Joliette, ni même visiter des malades paralysés. Je reste chez moi en compagnie de Martin et je préparerai un souper pour des amis.

— Vous avez un message pour notre bon curé Gauthier ? Je le salue de votre part ? »

Et il joue les mystérieux, en plus ! Elle le trouve tellement culotté qu'elle l'enverrait plus loin que Sainte-Rose ! S'il s'imagine qu'elle va demander ce qu'il va faire là-bas !

« Inutile, Patrice, je lui parle tous les jours, de ce temps-là. Vous me tiendrez au courant, si le cœur vous en dit. Mais je ne veux pas insister, c'est votre enquête, après tout. »

Patrice se contente de hocher la tête sans laisser de prise à son sarcasme. Vicky s'inquiète : « Vous n'allez pas lui dire qu'on sait pour son histoire avec Corinne ? C'est un secret que je vous ai confié.

— Vous me gonflez quand vous devenez protectrice. Je ne vais certainement pas mettre une enquête en péril pour éviter de dévoiler les secrets d'alcôve du curé. Vous ne trouvez pas qu'ils en ont assez fait jusqu'ici ?

— Mais c'est de la vengeance ! Vous n'avez rien à gagner en disant ça ! Mettre une enquête en péril ! Inventez-en pas ! Elle n'est pas en péril, elle est finie, l'enquête. Et c'est ça que vous ne prenez pas ! Faites-moi pas accroire que menacer le curé Gauthier peut vous être utile !

— Qui parle de menacer ? Qu'avez-vous à vous agiter de la sorte ?

— Ça s'adonne que c'est moi qui vous a dit ça. Ça s'adonne que c'est une indiscrétion de ma part et que Corinne va savoir d'où ça vient. C'est ma crédibilité que vous attaquez en faisant ça.

— Si l'enquête est terminée, comme vous le dites si bien, votre crédibilité n'a plus de raison d'être auprès des témoins.

— Quoi ? Où est-ce que vous allez avec ça ? Ma crédibilité a rien à voir avec l'utilité qu'elle a pour l'enquête ou non. Qu'est-ce que vous essayez de faire, là ? Essayez pas de me manipuler, Patrice, parce que vous allez le payer cher, je vous le garantis !

— Bon, ça va ! Ne vous énervez pas.

— C'est quoi, l'idée d'aller revoir le curé ?

— C'est de la frime, qu'est-ce que vous croyez ? J'en ai rien à foutre du curé ! J'ai dit ça comme ça, pour faire de la provoc. Ce que vous pouvez être soupe au lait !

— Chacun sa façon de prendre l'échec, Patrice.

— Vous avez vraiment dit votre dernier mot, alors ? »

Elle hoche la tête. Elle sait combien c'est difficile d'admettre l'impossibilité de prouver ce qu'on sait, elle le lui dit, mais Patrice ne renonce pas pour autant. Il a envie de retourner torturer Rivest.

Vicky le traite de sadique et elle lui offre une interprétation libre de son comportement : plus il est déçu, plus il en veut aux gens qui n'ont pas pu l'aider. Tout ce qu'il a en tête, c'est de les punir. Tout un justicier, celui qui frappe quand il n'obtient pas justice !

À sa grande surprise, Patrice se montre beau joueur : « Voilà pourquoi j'ai si peu d'amis. Hé ! Ho ! C'est une blague. »

Elle n'est pas sûre que la boutade ne soit pas l'entière vérité. Comme elle connaît l'orgueil de son collègue, elle donne un autre tour à la conversation : « Il me reste quand même un appel à faire avant de fermer le dossier. »

Elle ne pouvait rêver meilleure écoute que celle que Patrice lui offre.

***

Corinne se montre enchantée d'entendre Vicky : non seulement a-t-elle le temps de lui parler, mais elle peut enfin le faire à l'aise, sans témoins. Comme elle n'a jamais pu confier à personne ce qui la liait à Yvan, elle raconte sans réserve, en toute simplicité et avec sa franchise coutumière.

Yvan ne lui plaisait pas particulièrement. Bien sûr, elle avait remarqué son physique avantageux et son côté sportif, mais sans en être troublée. Elle ne passait pas l'heure de la messe à fantasmer, comme plusieurs paroissiennes, à commencer par Paulette. Après la nuit d'horreur de sa sœur, ils se sont soutenus et ont travaillé ensemble pour lui apporter le réconfort et la sécurité. À ce moment-là, Yvan était attiré par elle, mais elle n'en avait aucune idée. Enceinte d'un quatrième enfant, elle servait d'infirmière de secours quand Paul-Émile était occupé trop loin et, avec Paulette, elle avait autre chose à faire que de lorgner du côté du curé pour se donner des problèmes de conscience.

Après la naissance de Paul et son placement chez Émilienne, Corinne a enfin pu souffler. Son mari a monté sa propre affaire de bois, et l'argent a commencé à rentrer. En dehors des ragots sur Paulette et Yvan, Corinne n'a pas eu énormément à faire. Gontran était à son ministère à Québec, et, s'étant brouillé avec Yvan, il ne revenait que rarement dans la région. Elle a pu jouer au bridge à son goût et embêter ses enfants en les élevant selon ses principes. Puis, en 1982, l'église de Sainte-Rose a brûlé. Toute l'église. Ça a été un choc à la grandeur de la paroisse. Et là, comme tout le monde, mais avec son énergie particulière, elle a pris part à la reconstruction et elle a accepté de faire partie du comité mis sur pied par Yvan et les marguilliers. Elle a ramassé des fonds, négocié des prix, elle a même mis la main à la pâte pour certaines parties de l'intérieur. Toute cette belle activité l'a rapprochée d'Yvan, et là, elle s'est mise à le trouver de son goût et à se condamner d'une telle attirance.

En janvier 1983, à la mort de son père, Gontran est revenu dans la région. Il s'est réconcilié avec Yvan et s'est mis à les aider pour l'église. Les travaux ont été longs, malgré que tout se soit passé assez vite étant donné les délais habituels d'un tel chantier. Évidemment, Bob a été l'un des principaux donateurs, et on a trouvé le tour de jaser dans la paroisse en prétendant qu'il récupérerait sa mise au centuple. Avec le chantier, avec Gontran qui venait de défroquer, et le drame familial qui se jouait à Chicoutimi avec sa mère et sa sœur Monique, avec les fins de soirées désastreuses où Gontran titubait et gueulait et avec ce que la paroisse en disait, Corinne avait l'humeur batailleuse. C'est Yvan qui l'a aidée. Yvan qui l'aimait en silence et qui s'était convaincu que le sentiment caché pouvait vivre parallèlement à son ministère. Tant qu'il restait caché.

Yvan professait une foi infinie en l'amour, et sa vie entière a été dédiée à l'amour et au pardon. Ce qui lui a permis d'aider Gontran à arrêter de boire en supportant les manifestations houleuses de la privation.

« Yvan a eu ben de la grâce, vous savez, parce que Gontran était colérique, et il souffrait le martyre. Il a été très malade quand il a cessé de boire. Yvan ne m'a jamais rien dit de tout ce que mon frère lui a fait endurer, mais le connaissant, ce devait être un méchant calvaire ! Gontran a été sobre, quoi ? un an maximum dans sa vie. Et là, c'était un autre homme. Doux, rieur, mon petit frère était redevenu plaisant à vivre. Le jour où y a reçu son diagnostic, y en avait pour six mois. Yvan et moi, on était sûrs qu'il recommencerait à boire. Vous savez, comme un fumeur qui vient d'arrêter et qui se fait annoncer un cancer terminal du poumon ? Pas du tout. Gontran est resté sobre et… je ne sais pas quel mot utiliser… tranquille ? Moi, je dirais un saint. Il ne s'est pas révolté, même s'il se battait comme un fou. Bon, il s'est quand même pas remis à prier, mais il est resté droit et courageux… presque jusqu'à la fin. »

Elle s'interrompt et Vicky ramène la conversation sur Yvan et leur liaison. Corinne prétend que Gontran est pratiquement responsable de « leur péché ». Parce qu'il est mort chez elle et qu'il y a vécu les derniers mois de sa vie. Yvan l'a accompagné quotidiennement. Corinne parlait des heures avec lui. Elle s'apercevait bien que le réconfort qu'elle trouvait à ces conversations était mutuel. À la mort de son frère, après ses révélations sur les actes immondes de leur père, Corinne a traversé plus qu'une crise de foi. Toutes les bases de sa vie en ont été ébranlées. Elle ne croyait plus à rien, et Dieu n'était pas le plus important dans ce qu'elle perdait. Le monde, son monde, s'effondrait. Elle qui avait cru exister selon son cœur et ses normes voyait que tout l'édifice reposait sur un mensonge. Son père emportait toute son enfance à la dérive. Comme si l'Église avait été construite sur une base fissurée qui laissait entrer l'eau de partout. Elle se noyait. C'était comme si l'immense colère de son frère, cette colère qui s'était enfin apaisée, lui était tombée sur les épaules. C'est là qu'Yvan est devenu son amant. L'énergie colérique s'est muée en désir fulgurant. Plus rien ne pouvait l'arrêter parce qu'elle ne croyait plus à rien d'autre qu'à ces miettes d'allégresse que ces salauds qui occupent le haut du pavé n'avaient pas réussi à écrabouiller.

« À plus de cinquante ans, je croyais que ma vie de femme amoureuse était finie. S'il y a une seule transfiguration à avoir eu lieu dans ma vie, c'est celle-là ! Et laissez-moi vous dire qu'on n'a jamais rien regretté, ni Yvan ni moi. Ça a duré jusqu'à la mort d'Émilienne, le 9 octobre de cette année-là. »

Ce coup-là, même sans connaître l'identité du prédicateur de la retraite, Corinne l'a pris en pleine gueule. Elle suffoquait de peine. Toute son énergie s'est cassée, elle ne savait plus comment reprendre espoir. Le procès de Paul l'année suivante l'a achevée. À cette époque, il n'y avait qu'Yvan pour la tenir en vie. Yvan, et Paulette qui dépendait tellement d'eux.

Un jour de décembre, en la trouvant effondrée sur son lit à pleurer, Paulette l'avait prise par la main, l'avait habillée et l'avait emmenée au presbytère. Elle avait dit à Yvan : « Fais-la rire encore », et elle était partie. Ils avaient été tellement surpris et décontenancés qu'ils avaient effectivement ri. Et pleuré. Et parlé.

« Ce n'est pas à vous que je vais apprendre ça, Vicky, mais c'est un amour très fort et... très propre qui nous unit. Il est hors de question qu'il quitte la prêtrise ou que je quitte Bob. On a nos engagements, on a nos doutes et c'est la meilleure façon qu'on a trouvée pour vivre avec tout ça. »

Vicky comprend très bien : peu importent les coups ou les épreuves, l'essentiel est de découvrir et de sauvegarder le mince filon qui nous tiendra en vie.

Corinne était certaine que Vicky ne les jugerait pas. Elle essaie de savoir quelle sorte de retour à Montréal Vicky a eu, mais celle-ci reste discrète. Elle a encore des questions d'enquête à lui poser.

« Vous lâchez jamais, vous ?

— Presque.

— Allez-y ! Vous savez tout de moi, de toute façon.

— C'est à propos de Gontran. Il a monté un dossier contre les abbés. C'est peu probable qu'il l'ait détruit. Il ne vous l'a pas donné. Yvan dit qu'il ne l'a pas non plus... Je ne vois qu'une personne qui pourrait...

— Paulette ? Qu'est-ce qu'elle aurait pu en faire, la pauvre ? Vous la voyez aller à la police avec ça ? Y aurait été aussi bien de le donner à ces deux porcs-là !

— Voyez-vous, la seule question qui demeure pendante est celle-ci : comment Gontran a-t-il réussi à vous protéger tous ? Pas seulement Paulette, mais Yvan et vous.

— Me protéger de quoi, pour l'amour ? Pensez-vous vraiment que quelqu'un pourrait me faire ce qu'ils ont fait à ma sœur ?

— Non, je pense à ce qu'ils ont fait à Émilienne. Vous êtes un témoin aussi crucial que Paulette. Et Yvan l'est aussi. En cas de poursuites, vos témoignages seraient encore plus accablants que celui de Paulette.

— Ça en prend pas gros pour battre ça, mais c'est vrai.

— Selon nous, le dossier de Gontran vous a protégés tous les trois d'éventuelles attaques des abbés.

— Comment ?

— C'est la question à laquelle je vous demande de répondre. En trouvant le dossier, vous trouverez la réponse.

— Je veux bien essayer, mais Paulette est... C'est comme une boîte qui se ferme quand on parle de ça.

— Je sais. Mais ce serait encore pire avec moi ou Patrice.

— Ça, c'est évident. Laissez-moi essayer, je vous rappelle. »

***

Vicky allait quitter le bureau quand son cellulaire sonne. C'est Corinne. Elle vient de laisser Paulette et elle est rendue dans le milieu du bois pour « se dépomper ». Elle n'est arrivée à rien, malgré ses ruses et ses efforts. Paulette répète que tout va bien, que rien ne va arriver. Et quand elle a abordé le sujet de Gontran, ça a été pire : il s'occupe de tout, il va tout arranger.

En tout cas, si Paulette est la dépositaire du dossier, les violeurs n'ont eu à s'inquiéter de rien du tout, Corinne en est certaine. Tout comme elle est persuadée que jamais Gontran n'aurait pris un tel risque. « Et fatiguez-vous pas avec Yvan, je l'ai sondé et il n'a rien. Et garanti que ce coup-là, il me l'aurait dit s'il avait ce dossier-là !

— Je vous crois, Corinne. Merci... Gontran a laissé un testament, je suppose ? Qu'est-ce qu'il contenait ? Il y a peut-être un document...

— Lui ? Ma pauvre ! Y avait pas de quoi payer le notaire qui l'aurait rédigé ! Non, c'est pas là que vous allez trouver votre dossier.

— Une fille s'essaye.

— Mais il fallait faire le nôtre, par exemple ! Y nous a-tu achalés avec ça, lui ! Avant de mourir, il s'est mis dans tête de nous faire faire notre testament. Y nous lâchait pas. Et, évidemment, y avait choisi le plus gros compétiteur de papa à Chicoutimi pour qu'on l'enregistre. Même mort, il fallait que papa sache ce que Gontran pensait de lui !

— À qui il a fait faire un testament ?

— À Bob, à Yvan, à Paulette, à moi : toute la gang ! Imaginez Paulette : la pauvre comprenait rien là-dedans ! C'est Yvan qui a payé pour elle. Parce que ça faisait tellement plaisir à Gontran.

— Vous avez le nom du notaire ? Vite, avant que ça ferme…

— Ben voyons ! Y a rien là-dedans. Ce sont nos testaments, pas le sien.

— Le nom, Corinne ! Au cas…

— Euh !… Damphousse, Ghyslain Damphousse, rue Racine, à Chicoutimi. Gontran avait été à l'école avec lui. Voulez-vous que je l'appelle ? Pensez-vous qu'ils ont le dossier ?

— Je vous rappelle. »

Elle attrape de justesse la secrétaire de l'étude. Elle se montre très polie. Le notaire est encore avec des clients pour la vente d'une maison, il est absolument impossible de le déranger.

Vicky lui sert son numéro de « Police ! Plus personne ne bouge ! » où on entend presque la sirène de l'urgence. Elle obtient finalement de parler avec monsieur Damphousse, à qui elle expose l'essentiel de sa requête. Dès qu'il comprend qu'il s'agit de Gontran Gagnon et de sa famille, il l'interrompt : il a saisi, il comprend le problème et il la rappellera aussitôt que ses clients seront partis. Sans faute.

Il la rappelle au bout de douze minutes, ce qui est beaucoup plus rapide que ce que Vicky espérait. C'est un homme posé, avec un fort accent du Saguenay. La première question, c'est lui qui la pose : puisqu'elle est de la Sûreté du Québec, est-il arrivé quelque chose à l'un des membres de la famille Gagnon ?

Du coup, Vicky comprend qu'elle a raison : Gontran avait tout prévu pour protéger les siens.

Le notaire lui confirme qu'il est dépositaire d'une mission bien particulière liée à la famille Gagnon, et il se permettra d'en informer Vicky, puisqu'elle est de la police, dès qu'il aura vérifié son identité et qu'il aura lui-même rappelé la Sûreté sur une ligne fixe. Vicky comprend parfaitement les scrupules du notaire et offre même d'envoyer un officier de police de Chicoutimi à son bureau.

« Ce ne sera pas nécessaire. Laissez-moi vous rappeler. »

Il refuse qu'elle lui donne son numéro, son nom seul lui suffira.

Vicky comprend qu'il veut passer par la voie la plus certaine et la plus officielle possible.

En attendant, elle fait les cent pas et décide d'avertir Patrice au moment précis où son téléphone sonne.

Les vérifications effectuées, le notaire lui annonce qu'il n'est plus dans son bureau et que c'est à titre personnel qu'il s'adresse à elle. Vicky tique devant tant de précautions, mais elle attend la suite avec une telle impatience qu'elle se contente d'acquiescer. Le notaire lui confirme qu'il détient un mandat explicite en cas de mort suspecte ou de blessure grave de l'une des quatre personnes suivantes : Paulette ou Corinne Gagnon, Yvan Gauthier et un monsieur Jolivet.

« Pour être tout à fait clair, si quelqu'un essayait de faire du mal à l'une de ces personnes, j'ai ici un document scellé par mon ami Gontran, document qui doit être remis aux autorités policières. Il s'agit d'un acte déclaratoire que Gontran m'a confié en me demandant de le garder en mémoire. Je précise qu'il ne s'agit pas d'un testament et que cette demande était faite à l'ami. Les personnes que cet acte protégeait, sauf une, ont déposé un testament dans mon étude, ce qui a l'avantage de simplifier les choses, puisque je serai automatiquement informé de leur décès. Et ma mission amicale est valable jusqu'à la mort naturelle de ces personnes. »

S'ensuit une explication compliquée concernant l'extrême confidentialité de sa mission et la différence entre l'ami d'enfance et le notaire. En l'écoutant, Vicky comprend que Gontran a trouvé la seule personne capable de respecter intégralement ses volontés. Et que, comme elle le pensait, il a protégé farouchement les siens. Elle a beau tenter de savoir qui est monsieur Jolivet, le notaire Damphouse est comme une tombe : sa mission n'inclut pas ce genre d'information.

Ce n'est qu'après avoir établi formellement son identité professionnelle, et après avoir renseigné le notaire sur l'enquête qu'elle poursuit qu'elle obtient enfin son accord pour lui confier le document. Elle a dû faire preuve de diplomatie et de franchise, parce qu'aucun ordre de la Cour ne pouvait faire fléchir Damphousse. La qualification « d'autorité compétente et de moment opportun » ne relevant que de son entière discrétion. Alors, quand le notaire lui dit qu'il ne remettra le document qu'à elle seule et en mains propres, elle s'incline sans discuter davantage. Patrice serait enchanté d'apprendre qu'en tant que représentant des forces policières de la République française il ne serait absolument pas susceptible de recevoir ce document.

Ce n'est pas de gaîté de cœur qu'elle réserve un vol pour Bagotville et annonce à Martin qu'elle sera de retour dès le lendemain matin.

Elle prend garde de ne pas froisser Patrice quand elle lui explique les raisons de son déplacement en solo. Loin d'être vexé, il se dit plutôt bluffé par son coup d'éclat et propose de la véhiculer et même de venir la reprendre à l'aéroport le lendemain, à l'aurore ou presque. Ce qu'elle accepte avec reconnaissance.

***

L'enveloppe est là.

C'est dans la salle de conférences de la Sûreté que, comme convenu, ils l'ouvrent ensemble. Elle contient trois éléments distincts : une pile de feuilles comprenant une introduction et un long texte signé par Gontran Gagnon, un DVD et une enveloppe plus petite, scellée.

Vicky commence sa lecture et, à mesure, elle passe les feuilles à Patrice.

« Le 12 septembre 1984

« Ceci est ma confession. Je l'ai écrite et signée. Je l'ai ensuite enregistrée à la caméra pour faire une vidéo, pour que la preuve vivante soit admissible devant tout tribunal. Je joins à cette confession un ensemble de huit photos à ajouter à la preuve. Ces photos ne sont pas numériques et les négatifs sont dans l'enveloppe. Le tout a été déposé sous scellés au bureau du notaire Damphousse, qui a amicalement accepté cette mission. L'utilisation de ces documents est soumise à des conditions précises qui sont énumérées dans l'acte ci-joint. »

Ils sautent les conditions et ouvrent le texte rédigé par Gontran.

« Mon père, le notaire Gagnon, m'a agressé la première fois alors que j'avais cinq ans. S'il ne me l'avait pas raconté à plusieurs reprises en m'agressant encore, je ne l'aurais jamais su. J'étais trop petit. Et je crois que ma mémoire ne pouvait pas le supporter.

« Le premier souvenir que j'ai remonte à mes sept ans. Mon père était possédé d'une grande fièvre religieuse. J'écris "possédé" parce que la transe qu'il vivait en s'adonnant à ses exercices spirituels s'approchait énormément de la transe sexuelle. Mon père priait jusqu'à en trembler. Il ne s'arrêtait de prier qu'une fois le corps rompu intérieurement et les genoux brisés. Il avait pris l'habitude de faire ses dévotions en ma compagnie, parce qu'il désirait me former à mon avenir, qui était, bien évidemment, la prêtrise.

« C'est dans son bureau, sur le minuscule prie-Dieu qui faisait face au sien, devant un guéridon où le Christ en croix luisait des éclats de lumière projetée par les lampions qu'il allumait, dans une pénombre qui me semble encore rougeoyante, que ça a commencé. Mon père priait en fixant la croix et en me surveillant. Il y avait toujours un moment où il respirait mal, de façon saccadée. Il posait alors son chapelet et s'approchait de moi en m'accusant d'exciter l'interdit. Je n'ai jamais su ce qu'était cet interdit, en dehors du fait que c'était hautement répréhensible aux yeux de mon père. Et je ne savais pas ce qu'était exciter.

« Mon père m'a battu, caressé, torturé, touché les parties sexuelles de toutes les manières possibles. Sans être plus exhaustif, je crois que mon père souffrait d'une sorte de maladie mentale liée à son désir homosexuel refoulé. Cela, et son désir d'expier, d'atteindre une forme de sainteté irréprochable. Les deux aspects de sa personnalité se sont toujours manifestés ensemble : après ses agressions, il me traînait à l'église et me forçait à me confesser. Je n'ai jamais dit au confesseur ce qu'il m'ordonnait de dire, c'est-à-dire la vérité. J'avais trop honte et trop peur des punitions qui en découleraient. Et j'ose ici douter que mon père ait jamais fait l'aveu des supplices sexuels raffinés auxquels il me soumettait. Ma confession lui était sans doute essentielle parce qu'elle lui épargnait d'en faire une lui-même. À ses yeux, l'absolution comptait autant pour lui que pour moi. Après ma confession, mon père m'attendait dans son banc, celui qu'il avait acheté, le banc du notaire, et il faisait toute la pénitence que j'avais reçue avec moi. J'inventais ces pénitences et j'ai appris à les augmenter pour le soulager. Il récitait les chapelets et faisait les chemins de croix en pleurant à chaudes larmes. Et mon cœur se serrait. J'avais de la peine pour lui. Pour moi. Pour nous. La contrition de mon père était sincère. Même aujourd'hui, je dois le reconnaître. Il regrettait d'avoir dû aller jusque-là. Je n'ai jamais interrogé le devoir ou l'obligation de ces séances. Je les ai subies et j'étais convaincu que, sans comprendre en quoi, je les méritais.

« Pour mon père et pour ma famille, il n'y a jamais eu l'ombre d'un doute sur ma vocation : j'appartenais à Dieu, ma vie serait un sacerdoce. Sorti du Petit Séminaire à dix-huit ans, j'ai été ordonné prêtre à vingt-six ans, en 1966. Ces huit années ont été les pires de ma vie. J'ai cru que j'échappais enfin au côté sadique de mon père en consentant à devenir celui qu'il rêvait de me voir devenir. Pas pour échapper à ses agressions puisque, à partir du moment où j'ai consenti à la prêtrise, il ne m'a plus touché. Je suis devenu vénérable à ses yeux. Et lui est devenu comme un enfant suppliant avec moi, voulant me plaire à tout prix, obtenir mon approbation comme si elle était déjà ecclésiastique.

« Si j'ai tardé à devenir prêtre, si mon ordination est survenue avec un léger retard, c'est que j'avais exprimé des doutes quant à ma vocation. En fait, je n'avais aucun doute : Dieu, pour moi, était un tortionnaire vicieux. La vérité est plus simple : la personne qui était chargée de mon cheminement vers la prêtrise, mon directeur de conscience, mon "père" spirituel, était un double de mon père. Il s'appelait l'abbé Vanier Dumond. À côté de lui, mon père était un agneau innocent. Dumond aimait les enfants – mâles. Je n'étais plus un enfant, mais j'avais une constitution frêle, je ne faisais pas mon âge. Dumond était un pervers sadique, un malade violent. Il n'y avait rien qui le répugnait et, contrairement à mon père, la contrition ne faisait pas partie de ses comportements ou de son caractère. Dumond était un fou qui n'avait de pur que son sadisme. Il aimait le pouvoir, il aimait lutter pour l'obtenir, il aimait humilier et dégrader. Il me disait qu'il m'apprendrait tout. Il m'a tout appris de l'abjection. Il a trouvé en moi un pupille parfait, formé par un père aussi exigeant que lui, "quoique trop faible après la jouissance". C'était son avis. Il a voulu que je le lui présente, devenir son ami, son confesseur même. Je ne sais pas pour mon père, et je suis certain qu'il pouvait se défendre. Pas moi. Je n'ai jamais pu. Je n'ai même jamais voulu. Je n'ai rien fait pour me défendre. J'ai obéi, j'ai accepté toutes les humiliations, toutes les punitions, tous les sévices corporels et moraux : je n'existais plus depuis si longtemps. Et je buvais. J'ai bu très tôt. J'ai vidé le brandy de mon père après l'avoir vidé (je sais, c'est vulgaire, mais je n'ai jamais pu supporter ce terme qu'employait papa pour le faire éjaculer. "Vide-moi de mes péchés") et le brandy a été le seul réconfort que j'ai trouvé pendant toutes ces années d'enfance où mon père m'a agressé. C'était chaud et ça soûlait. C'était mon unique salut et ma seule obsession : mettre la main sur une bouteille et ne plus me sentir si sale. Dumond se réjouissait de ma tendance et m'invitait toujours à "prendre un coup". Je ne dis pas qu'ils sont responsables. C'est moi qui ai bu toute ma vie. Et moi seul. C'était une porte de sortie. Je veux seulement être honnête : je n'ai eu aucune force pour m'extirper du cercle vicieux des abus, je n'ai eu que la force de poursuivre ma destruction avec une habitude qui engourdissait mon mal et permettait à ma rage de s'exprimer. Soûl, je gueulais contre tout. Sauf contre ceux qui auraient mérité ma colère. À jeun, je me taisais et me soumettais. Parce que je suis lâche et peureux. Parce que j'ai peur d'eux. J'ai encore peur de mon père.

« Si mon ordination n'a eu lieu qu'en 1966, c'est aussi que Dumond voulait me garder sous son autorité. En son pouvoir. C'est lui qui m'a dénoncé, a émis de sérieux doutes quant à ma vocation, lui qui m'a traîné devant mes supérieurs pour "sonder ma vocation", en toute bonne foi. Lui qui a pensé à ce stage d'assistanat sous sa tutelle. Et le soir, il m'appelait son "petit loup" et il me violait pour m'accuser ensuite d'être sa grande faiblesse. Il remplissait mon verre en nommant ma faiblesse à moi et en me jurant que jamais il n'avait tant tenu à quelqu'un. Je crois même qu'il a dit amoureux. Tant que j'avais de quoi boire, je m'en fichais. Je n'avais plus de volonté, de pensée propre – dans les deux sens – j'étais vaincu, vide, inexistant.

« Je dois avouer ici que la fierté de mon père à mon ordination a été un coup épouvantable pour moi. Je crois que je n'ai jamais compris qu'on puisse faire si mal à quelqu'un et l'aimer quand même. Mon père m'aimait. Je l'ai sans doute aimé. Je ne le sais plus. Tout se mélange quand je pense à lui, quand je dis "papa".

« Une fois prêtre, vicaire dans une paroisse, j'ai retrouvé une certaine liberté. Dumond ne me suivait que de loin. Et je changeais : l'alcool m'a aussi fait du bien physiquement, j'ai eu les yeux bouffis, je tremblais facilement, j'avais un teint brouillé, rougeâtre. Je perdais enfin l'air d'innocence qui lui avait tant plu.

« En décembre 1966, je devais aller à Chicoutimi dans ma famille, après les célébrations de Noël. Je devais y aller avec Serge Rivest, un jeune vicaire qui était seul et qui faisait pitié à force de me demander ce que j'allais faire de mon temps libre.

« Dumond a appris mes projets, et il s'est imposé. Il voulait revoir mon père. Je n'avais plus rien à subir ni de l'un ni de l'autre, ils ne me touchaient plus. Je l'ai donc laissé nous accompagner sans me méfier. L'une des choses que Dumond adore, c'est déceler la faille dans l'être humain, la déceler, la dénoncer et s'en servir.

« Dans la nuit du 31 décembre au 1er janvier 1967, Dumond s'est comporté avec ma sœur Paulette, quinze ans, comme il s'était comporté avec moi. Parce qu'il n'a jamais aimé les femmes, je ne m'étais pas méfié. J'aurais dû. Accompagné de Serge Rivest qui s'excitait à la vue de n'importe quelle fille, il a emmené ma sœur dans la sacristie de l'église et il en a abusé de toutes les façons possibles, avec la complicité de Rivest. Soûl mort, je dormais. Je dormais pendant que ce monstre que les femmes n'intéressaient même pas se livrait à ses obscénités avec Rivest qui n'a jamais compris comment il a pu faire cela à une pauvre fille.

« Moi, je savais. Le besoin de contrôle de Dumond dépasse amplement sa sexualité. C'est le premier déclic de ses habitudes dégoûtantes : écraser l'autre, le révéler encore plus monstrueux qu'il ne s'est cru, le subjuguer, l'humilier, et le regarder ne plus pouvoir se relever. Il me l'avait fait. Il l'a fait à ma sœur et il me visait à travers elle, parce qu'il savait que je l'aimais et que cela, cela me ferait vraiment mal. Il l'a fait à Rivest en l'utilisant cette nuit-là.

« J'ai obtenu une confession écrite de Rivest le mois suivant l'agression. C'était facile, il était anéanti de contrition. Elle est annexée à cette lettre. Mais je voulais Dumond. C'est lui que je visais et que je voulais faire arrêter. Pas pour épargner les éventuelles autres victimes. Je n'ai pas cet altruisme. Je ne l'avais pas à ce moment-là, en tout cas. Pour me venger. Bassement. Je ne connais pas le pardon. Je ne sais que rager, hurler et me venger. Je poursuivais Dumond. Rivest n'est qu'un pauvre type comme moi qui se ronge de culpabilité. Et puis, en avril, la nouvelle de la grossesse de Paulette est arrivée. Un soir, alors que Rivest me braillait sur l'épaule, dégoulinant de repentir, je lui ai dit qu'il pouvait pleurer en masse, parce que ma sœur était enceinte. Il n'a jamais douté de sa paternité – je sais bien pourquoi – et il a voulu réparer, payer pour Paulette, pour l'enfant. Ému, l'imbécile était ému, comme si cet enfant venait d'une belle nuit d'amour ! L'enfant changeait tout, et cela, ma sœur aînée Corinne me l'a rentré dans la tête à coups de massue. Paulette ne pourra jamais témoigner contre qui que ce soit, et il fallait que je cesse de vouloir poursuivre les responsables, il fallait arrêter de les menacer. Corinne allait s'occuper de l'enfant et moi, je m'occupais de mes affaires, c'est-à-dire de me taire. Elle ne voulait plus de scandale, plus d'enquête, plus rien.

« En m'exposant sur la place publique, en dénonçant Dumond, je pouvais encore lui faire du mal, mais ma crédibilité était douteuse à cause de mon alcoolisme connu de tous. Je ne voulais pas faire plus de mal à Paulette. Elle a été brisée à vie par le viol. Yvan Gauthier, le curé de Sainte-Rose avec qui je l'ai trouvée au matin du 1er janvier, est venu m'implorer de ne plus faire de mal à Paulette. Dénoncer, c'était l'exposer. Dénoncer, même une seule turpitude que je lui avais confiée, c'était faire revivre le viol et les assauts à ma petite sœur.

“Je m'étais tu pour moi, pourquoi est-ce que je parlerais pour elle ?” C'est la phrase d'Yvan qui m'a arrêté. Jamais je ne pourrais faire cela à Paulette. Je me suis contenté de me soûler et de haïr Dumond. Et de dire du mal de lui en sous-entendant qu'il n'était pas le saint qu'il se prétendait. Assez inoffensif.

« Vanier Dumond a des antennes partout. Dès que j'ai commencé à parler de lui publiquement, il est venu me voir et il m'a menacé de me détruire. Je lui ai suggéré de me tuer, que c'est tout ce qui lui restait à faire. Dumond a seulement ri en disant qu'il me laissait débattre seul de ce dilemme : vivre ou me tuer. Il a toujours trouvé très amusant mon penchant au chantage. Il m'a ordonné de me taire et de me contenter de boire. Si je le remettais en cause, il frapperait là où ça fait mal, il frapperait les membres de ma famille qui risquaient d'être écoutés et respectés. Pas un chien fini comme moi.

« Pour la deuxième fois de ma vie, j'ai eu peur. Parce qu'il pouvait le faire. Je le savais. Sa cruauté n'avait plus à être prouvée. Il ne me restait plus qu'une carte dans mon jeu. Et ça faisait longtemps que je la gardais. Je l'ai jouée ce jour-là. J'en suis à la fois honteux et fier. Et ce sentiment mélangé est celui qui a hanté toute ma vie. J'ai fait la pute. Je savais une seule chose et c'était comment exciter et faire vaciller cet homme. J'ai fait ce jour-là une chose abominable : en signe de soumission, j'ai offert à Dumond un enfant de chœur. Dès que je l'avais vu, j'avais su que Dumond mourrait pour lui. Et ce jour-là, c'est lui que j'ai offert. Pour le tenter, pour lui prouver que j'étais aussi sale que lui, que je lui étais totalement soumis, j'ai évoqué la possibilité d'une fête à trois.

« Elle a eu lieu le 29 juin 1978, jour de la fête de saint Pierre, patron de la prêtrise et père de l'Église. La dernière fête intime de l'abbé Dumond, puisqu'il devenait évêque. Ce soir-là, j'ai bu très peu, juste assez pour ne pas trembler. J'ai pris des photos. Elles ne sont pas très bonnes, plusieurs sont floues et elles sont toutes mal cadrées. Elles ont l'avantage de montrer Dumond en action. Dès que j'ai eu les photos, j'ai caché l'appareil et je me suis battu pour faire libérer l'enfant qui s'appelle Jean-Marie Jolivet. Je ne peux même pas écrire qu'il n'a pas subi énormément de tort : un peu, c'est déjà trop. Mais la protection de ma famille était à ce prix.

« Nous pourrions avoir de longues discussions sur la moralité de mon initiative. Je suis coupable autant que Dumond de cet abus. Ne pas y avoir pris de plaisir est secondaire et ne change rien à ma responsabilité. Mais je devais être partie prenante pour convaincre Dumond et le tenir solidement. Moralement condamnable, c'était un argument de faible. Ce que je suis.

« Le lendemain matin, Dumond recevait une lettre dans laquelle j'expliquais ce qui était en ma possession. Je lui ai écrit que ma confession complète de ses crimes – avec photos à l'appui, des photos où on l'identifiait clairement – était dorénavant déposée dans un endroit sûr. Si quoi que ce soit d'accidentel ou de prémédité m'arrivait à moi, à Paulette, à Corinne, au petit Jean-Marie Jolivet ou à Yvan Gauthier, ma confession deviendrait publique et il paierait pour tous ses crimes. La réaction ne s'est pas fait attendre : il m'a rencontré, a essayé de me faire peur, de m'intimider, mais je le tenais avec ces photos parce que, même non crédible à cause de mon alcoolisme, les photos, elles, le seraient. Et cela, même si Jean-Marie Jolivet ou ma sœur ne témoignaient jamais. Le hasard ou la providence a fait qu'à ce moment-là Dumond était assuré de devenir évêque. Son ascension sacerdotale était une de ses obsessions. Je crois qu'il a dit mille fois qu'il me tuerait, me détruirait, que je n'aurais jamais une paroisse à moi, que je serais méprisé. Ce jour-là, un grand calme m'a habité : toutes ces menaces avaient déjà été exécutées, je ne pouvais plus les craindre. Je me méprisais à ce moment-là encore plus qu'il ne pourrait jamais l'imaginer ou le faire. Ensuite, Dumond a tenté d'incriminer Rivest. Mais j'avais un bon dossier : sa confession écrite, datée et signée. Il pouvait terrifier ce curé, mais pas moi. Jamais Rivest ne recommencerait. Et jamais il ne témoignerait contre ma dénonciation. Et même s'il le faisait, ce serait mince et peu crédible avec les aveux écrits du pauvre diable que je détenais.

« De ce jour, Dumond m'a talonné pour obtenir les photos. Plus il avançait dans la hiérarchie, plus il devenait pressant, menaçant. Même Rivest est venu m'implorer pour lui, donnant sa parole que Dumond ne ferait jamais de mal à mes sœurs ou à qui que ce soit.

Pourquoi je l'aurais cru ? Ce sont des témoins ! Dumond est d'une turpitude infinie. Et il est rusé. J'ai averti Rivest de se tenir sur ses gardes, que si jamais Dumond était accusé, ce serait lui qui paierait. Il n'a rien compris et il prie encore pour le pardon de ses péchés. Grand bien lui fasse !

« Il y a un mois, j'ai appris que j'ai un cancer terminal du pancréas. Devant ce diagnostic, j'ai décidé de prendre des mesures exceptionnelles pour protéger les miens. On me donne cinq mois, max. Je ne laisse rien au hasard et je fais cette confession, que j'enregistrerai ensuite. Et j'enverrai une copie du DVD à monseigneur Dumond en lui rappelant mes dispositions. Paulette aura son testament. Même chose pour Corinne et Yvan. Ils ne savent pas ce que je décris ici, ni même que cet acte déclaratoire unilatéral est voisin de leurs dernières volontés. Pour Jean-Marie, mon notaire aura des instructions similaires, même s'il n'a pas déposé de testament. C'est ce que je peux faire de mieux. Ce sera ma paix, et ma façon de les protéger. Je suis conscient qu'en cas de mort suspecte de l'un d'eux ma confession deviendra publique.

« Ma mort n'est pas suspecte. Elle sera un soulagement. Depuis longtemps, j'ai souhaité mettre fin à mes souvenirs en mettant fin à mes jours. Je n'ai jamais pu. Comme si la vie tenait à moi, finalement.

« Cette confession a été faite à jeun et sous l'effet d'aucun médicament ou tranquillisant. Deux analyses – d'urine et sanguine – que j'ai fait faire et dater par le laboratoire ce matin le confirment. Mon médecin et mon notaire ont assisté à la prise de sang et à la signature de ce document. Ils l'ont contresigné. La vidéo a été réalisée par mon ami le notaire Damphousse, qui se porte garant de l'intégrité de la captation.

« Ma vie a été un enfer. J'ai réussi à empoisonner celle de Paulette, de Corinne, d'Yvan et de Jean-Marie Jolivet. Je leur en demande pardon du plus profond de mon cœur. Pour ce qui est de mon âme, si elle existe, elle est damnée depuis longtemps.

« Pardon. Faites en sorte que la justice soit rendue sans salir aucune des personnes qui ont tant à me pardonner… et qui m'ont tant aidé à vivre.

« Fait à Chicoutimi,

« Gontran Gagnon. »

Le silence dans la pièce est accablant. Ni Patrice ni Vicky ne se regardent.

Vicky voit la main de Patrice qui pousse l'enveloppe des photos vers elle. Elle l'entend murmurer : « Si vous en êtes capable… moi, c'est impossible. »

Elle hoche la tête sans rien dire.

Au bout d'un long moment, Vicky essaie de parler, mais elle se rend compte qu'elle va éclater en sanglots. Elle réussit à dire : « C'est tellement… » et elle s'arrête.

Patrice a un réflexe nerveux : il taque les feuillets de la confession, en fait un paquet bien droit, bien propre et il pose l'enveloppe de photos et le DVD dessus.

Il fait de l'ordre, mais tout se bouscule encore. Vicky a un élan de compassion : « Vous voulez fumer ? »

Il la considère, abattu : « Même pas ! »

Il s'appuie contre le dossier de sa chaise, renverse la tête et dit au plafond : « Ça vous arrive, à vous, de vouloir tout plaquer ? D'en avoir marre de fouiller dans ce que l'humanité a de plus répugnant, de plus abject ? »

Vicky n'a pas besoin de répondre. Elle n'arrive qu'à lutter pour ne pas pleurer. Elle ne parvient même pas à penser à tout ce que ce témoignage change. Sa tête est une pulsation de peine qui se confond avec une migraine.

Elle pense à Corinne. Elle revoit son visage bouleversé quand elle avait évoqué ce que son père avait fait à Gontran. S'il fallait qu'elle sache l'ampleur des abus, elle ne s'en remettrait pas.

Patrice murmure : « Comment parvenir à coffrer ce salaud sans entacher la mémoire de ce témoin ? Parce qu'on peut faire plus de mal que de bien, non ?

— Oui. On est d'accord. Je pense à Corinne…

— Ho là ! Elle le buterait. Je vois d'ici le raffut qu'elle ferait à Saint-Pierre-de-Rome… »

Au moins, ça leur arrache un sourire.

Patrice pose la main sur le paquet de feuilles : « Combien de fois dit-il qu'il a tout prévu pour être crédible ? Ces analyses… pas une, mais deux. Fallait-il qu'il doute qu'on l'écoute jamais ?

— Taisez-vous, Patrice…

— C'est frappant, tout de même : on parle de la foi, avoir la foi, et lui qui ne se juge pas digne de foi. Ça me fait flipper. Putain !… et l'autre qui est cardinal. Vous vous rendez compte ?

— Oui, Patrice. Ça m'écœure autant que vous. »

Il arrête parce qu'il se mettrait à déconner et à lui servir de grandes théories inutiles, comme souvent quand il est ému.

Il l'observe : elle a cette immobilité un peu raide qui la fige. Ses yeux sont très mobiles, ils ne se posent sur rien de précis et il devine que ses pensées sont à l'avenant.

Elle hausse un sourcil : « Quoi ? Vous pensez que je peux vous sortir un plan ? Je ne suis même pas capable de penser à ce que ça change, Patrice, demandez-moi pas de théories.

— Mais non. Je ne vous demande rien. »

Il se lève et marche jusqu'à la fenêtre. Le pont Jacques-Cartier occupe la majeure partie du paysage : « Comment a-t-il fait pour survivre malgré tout ? J'ai la sale impression d'étouffer et je ne l'ai même pas vécu.

— En se soûlant à 8 heures du matin, Patrice.

— Et en ayant encore honte. Honte par-dessus honte… Je crois que je vais fumer, finalement.

— Venez, on n'a plus rien à faire ici, de toute façon. »

L'air frais ne les aide pas beaucoup. Ils sont appuyés contre la voiture de Patrice dans le stationnement désert, et ils n'arrivent pas davantage à se sortir de l'accablement dans lequel les aveux de Gontran les ont jetés.

Vicky doit rentrer : c'est samedi et Martin l'attend. Elle propose de laisser passer la fin de semaine. Elle veut relire toutes ses notes et le dossier à la lumière de ce qu'ils viennent d'apprendre. Après, elle aura peut-être une idée de la direction qu'ils doivent prendre.

Patrice est d'accord, même si son premier réflexe est celui de la vengeance immédiate… comme d'aller terrifier Rivest. Ce qui parvient à amuser Vicky.

Dans un élan, Patrice passe son bras autour du cou de Vicky et l'attire contre lui. Elle reste contre son épaule, la bouche tremblante, les yeux pleins d'eau. Elle a l'impression d'assister à des funérailles.

Patrice ne dit plus rien. Quand il la laisse, c'est pour lui proposer de la ramener. Vicky veut marcher. Il lui faut du temps. Elle ne veut pas arriver à la maison dans cet état.

Patrice ouvre la portière, prend la boîte de mouchoirs et la lui tend : « Allez-y, c'est ma tournée ! Et vous m'en laissez quelques-uns. »

***

Le dimanche, en fin de journée, en rentrant d'une longue excursion à vélo, le téléphone qui sonne pousse Martin à courir pour vérifier l'identité de l'appelant : « Patrice ! Non, Vicky, réponds pas, O.K. ? »

Elle a les joues rouges, les yeux brillants. Elle retire son casque : « J'avais pas mon cell, c'est peut-être urgent.

— Aye : on a dit demain ! Tu t'es pas vue, toi, hier… »

Vicky décroche et Martin s'éloigne en sacrant.

Patrice s'excuse vaguement, mais ils doivent se concerter avant qu'il ne bouge : « Nous devons parler à Yvan Gauthier, non ? Et en personne.

— Oui, on est d'accord. Mais faites-le venir à Montréal, je ne pourrai pas m'absenter du bureau cette semaine.

— Bien, c'est ce que je pensais…

— Demain midi, au bureau ? Je prendrai l'heure du lunch. »

Patrice est un peu mal à l'aise de lui dire qu'il a appelé Brisson et négocié ses services… qu'il a obtenus contre l'assurance que l'escouade serait créditée de tout résultat positif. Vicky retrouve là l'essence même de la politique d'intervention de son patron : si ça foire, ce ne sera pas eux, et si ça marche, ils deviennent les héros. « Ça s'appelle un *win-win* chez nous, Patrice.

— On s'en fout de Brisson !

— Ça va ? Vous tenez le coup ?

— Oh, vous savez, je ne m'y suis remis que ce matin… »

Elle se demande s'il se croit, ce fanfaron pas très persuasif.

Martin fait semblant de lire, assis sur le lit, et si son humeur est aussi vive que les gestes avec lesquels il tourne les pages, la discussion s'annonce longue ! Il grommelle son : « Il s'en vient ? » et, comme elle ne répond pas, il continue : « Quand est-ce qu'il reprend son avion pour Paris, lui ?

— Ça, c'est exactement ce que Brisson va me demander demain matin. Je le sais pas. Qu'est-ce que tu fais ? T'as pas pris ta douche ? J'y vais, alors. »

Elle en était sûre ! Il la rejoint dès que le jet d'eau chaude frappe son visage.

Elle stoppe son enthousiasme amoureux : « On va pas prendre l'apéro chez ta mère ? On n'est pas un peu pressés pour ça ?

— Tu viens ? J'étais certain que le Français t'en empêcherait.

— On a dit juste l'apéro, tu t'en souviens ? On reste pas pour le gros souper qu'elle va avoir mis au four ?

— On a vraiment d'autre chose à faire que de souper avec maman ! »

Il n'est que reconnaissance, alors que c'est un engagement qu'elle a pris depuis trois jours. Elle le connaît, son homme. Si seulement elle pouvait deviner aussi bien les pervers qu'elle piste !

C'est la mère de Martin qui est déçue de les voir partir « avant de manger un morceau ».

Elle jette un regard noir à Vicky, convaincue de sa responsabilité. Vicky sourit, très dégagée : les humeurs de sa belle-mère, voilà bien le dernier de ses soucis.

***

Yvan Gauthier a l'air différent. Est-ce l'environnement de la Sûreté et la froideur de la salle où ils le reçoivent, est-ce parce qu'il ne porte aucun vêtement sacerdotal ? Vicky le trouve plus sûr de lui, plus calme. Il n'est pas nerveux, et ça, les deux enquêteurs le sentent tout de suite.

Pour éviter les quiproquos et les malentendus, Vicky lui révèle ce qu'ils savent déjà : que Gontran a subi les assauts de son père et aussi de Dumond, qu'il s'en voulait atrocement de ce qui était arrivé à Paulette et du ratage qu'était devenue sa vie, qu'il avait monté un dossier incriminant Dumond et qu'il le lui avait probablement confié jusqu'à l'annonce de son cancer et de sa mort. Finalement, elle ajoute que les relations particulières qu'il entretient avec Corinne leur sont connues.

Un franc sourire illumine le visage d'Yvan qui pose ses deux mains ouvertes sur la table : « Qu'est-ce que je pourrais vous apprendre de plus ? Vous savez tout.

— Nous avons besoin de savoir quand et comment Gontran vous a mis au courant. »

En 1967, après la nuit de supplices de Paulette, Gontran est littéralement tombé dans un trou noir… et il ne dessoûlait pas. Corinne n'avait aucune disponibilité avec ses enfants et Paulette, qui, à l'époque, était paralysée de terreur. Yvan a aidé du mieux qu'il pouvait en s'occupant de Gontran avant qu'il ne reparte vers sa paroisse.

« Je l'ai entendu en confession et il ne m'a pas tout dit, mais c'était suffisant pour comprendre de quoi il souffrait tant. Je n'ai su que plus tard les détails… et encore, je ne sais pas s'il m'a tout avoué. Chose certaine, ce qu'il m'avait confié l'était dans le secret de la confession. C'était impossible d'en parler. Sous aucune considération. Et puis, pour Paulette, il était trop tard. Révéler ce que je savais ne lui aurait rien apporté de toute façon : Dumond ne reviendrait pas l'attaquer. Malgré cela, je savais qu'elle ne retrouverait jamais ses moyens. Quand elle a été enceinte, c'est Corinne qui a pris le contrôle des opérations. Et je dois dire qu'elle a fait au mieux. Quand elle a vu que Gontran ne lâcherait pas les deux abbés, elle m'a chargé d'aller le convaincre. Je m'occupais de Gontran, elle s'occupait du reste. Elle a été extraordinaire. »

Il se tait, croyant sans doute les avoir suffisamment renseignés. Patrice insiste sur les réactions de Gontran à cette intervention. Yvan pousse un gros soupir : « Ça a été toute une négociation ! Il était obsédé avec son envie de faire payer Dumond, de le détruire. Je vais vous dire une chose : même s'il se savait protégé par le secret de la confession, Gontran m'évitait. Il ne pouvait plus me voir après m'avoir dit ce qu'on lui avait fait. Ce sont des choses qui arrivent, vous savez. Des personnes qui se délestent d'un secret trop lourd ne peuvent plus regarder en face la seule personne qui le partage. Comme si la honte s'étendait à celui qui sait. C'est comme ça que certains paroissiens changent tout à coup de confesseur. Je ne me suis jamais offusqué de la distance que Gontran a prise avec moi après 1967. Je lui ai même promis que je respecterais ses désirs et que, même si je perdais un ami, je préférais cela plutôt que de perdre sa confiance. Il avait déjà tellement perdu jusque là, et je lui demandais d'abandonner le seul projet qui le tenait debout. J'ai aussi été obligé de lui révéler l'état de Paulette. Laissez-moi vous dire qu'en 1967 être enceinte à seize ans à Sainte-Rose ou Chicoutimi, c'était tout un scandale à supporter. Il fallait la protéger. Se taire et agir comme Corinne nous le demandait, c'était la protéger. Gontran aimait Paulette plus que sa vengeance. Il a accepté. Et ça lui coûtait très cher. Je me suis souvent demandé après coup si réussir à discréditer Dumond l'aurait gardé en vie… On ne le saura jamais. »

Il les regarde et constate qu'ils attendent la suite.

« C'est tout. À part qu'à l'été 67 il est venu me rencontrer avec son dossier complet, scellé. Et des instructions précises. Pour bien protéger Paulette, pour sa propre sauvegarde, je pense, il a fait une sorte de chantage auprès de Dumond : s'il se tenait tranquille, aucune révélation ne serait rendue publique. Gontran me confiait sa preuve, me demandant de la porter à la police si quelque chose lui arrivait, à lui ou à Paulette. Ça faisait très "James Bond" et je l'ai trouvé encore plus mal en point qu'avant. Paranoïaque, méfiant, suspicieux. Il m'a demandé mille fois de jurer que je ne lirais pas le dossier, que je ne dirais rien à ses sœurs, que je ferais tout ce qu'il demandait, bref, Gontran allait vraiment mal. J'ai juré. J'ai caché le document… et je l'ai oublié. En 1978, Gontran est arrivé avec un nouveau dossier. Onze ans qu'il avait passés à continuer d'enquêter, alors qu'il avait promis d'arrêter. Sans rien dire, je l'ai pris et lui ai remis l'ancien, toujours aussi scellé. Et je ne l'ai pas touché jusqu'à l'incendie de l'église. En 1982, l'église a brûlé. Perte totale. Des paroissiens ont sauvé le saint tabernacle et certains effets consacrés, je dirais au péril de leur vie. Ils ont même sorti le confessionnal ! Et le dossier était dans le meuble qui contenait les vases sacrés. Je sais : c'est presque blasphématoire d'avoir caché un dossier pareil avec ce qu'il y a de plus pur, mais je ne voulais pas que Paulette puisse le trouver. Ni personne. J'ai donc confié à Dieu ce qui dépassait l'homme que je suis. Et Dieu me l'a rendu intact. »

S'il savait comme ses scrupules ne les affectent pas !

Comme il se tait, Vicky réclame la suite des évènements. Yvan rapporte qu'à partir de l'incendie tout s'est mis à dérailler, ou enfin à se précipiter. La mort du notaire Gagnon, qui a suscité un autre drame, si ce n'est un schisme familial, l'abandon de la prêtrise de Gontran, sa désintoxication, son cancer et sa mort… suivie de la mort d'Émilienne. À partir du moment où Gontran a été sobre et sécularisé, le dossier qu'il avait repris est devenu un sujet de discussion : il voulait essayer de faire destituer Dumond. Il en faisait l'objectif central de son rétablissement. « S'il n'avait pas eu ce cancer, il aurait attaqué Dumond.

— Dumond le savait ?

— Non, je ne crois pas. Mais il s'en méfiait, ça c'est sûr. De toute façon, ce n'est pas le genre d'homme à baisser sa garde.

— Qu'est-ce que le cancer changeait pour Gontran ?

— Ben… à partir du moment où il ne serait plus là pour vivre avec les conséquences qu'une telle révélation aurait eues, ce sont ses sœurs qui auraient eu à les vivre. Et les funérailles du notaire avaient remué déjà pas mal de médisances.

— Vous avez parlé d'un schisme, c'était pour illustrer la susceptibilité de chacun ? Une figure de style ?

— Pas du tout ! Il y a eu un schisme, un vrai. Ils se sont pognés d'aplomb. Je veux dire, engueulés. Le notaire a fait une crise cardiaque. Malheureusement, il n'a eu aucun indice annonciateur, aucune alerte avant de tomber. La seule chose, c'est qu'il s'est fâché stupidement contre Paulette, la veille de sa mort. Madame Gagnon, sous le choc probablement, a crié au meurtre de son mari par Paulette. Imaginez ! Si quelqu'un était en mesure d'attaquer entre ces deux-là, ce n'était pas Paulette. Et tout s'est mal passé, tout a dérapé : madame Gagnon a appelé Corinne pour lui crier que sa sœur était responsable d'un assassinat, sans même annoncer que leur père était mort ! Corinne l'a déduit de la crise que sa mère a faite. Et après, Gontran a refusé de venir aux funérailles. Commotion : personne ne savait ce que moi, je savais. Là-dessus, Corinne et Paulette menacent de ne pas se montrer non plus, à cause des accusations de leur mère… et Monique, leur sœur de Joliette, qui se range du côté de la mère. Ça s'est tassé parce que Gontran a finalement célébré les funérailles de son père. Mais ça a fait des vagues. J'ai pas voulu entrer là-dedans quand vous m'avez demandé pourquoi Monique et madame Gagnon n'avaient pas soigné Gontran. Mais elles ne sont pas venues à ses funérailles non plus. Et Corinne n'est pas allée à celles de sa mère, quelques années plus tard. Ne me demandez pas pourquoi, elle avait pourtant fini par se montrer à celles de son père… »

De toute évidence, malgré leur liaison, ces deux-là ont gardé leurs secrets respectifs sans jamais trahir Gontran. Vicky se dit qu'il est dommage qu'il n'en ait jamais rien su.

« On commençait à se remettre quand Émilienne a été tuée. »

Il se tait, déçu de ne pouvoir les aider davantage. Il répète qu'il connaît leur idée concernant un lien entre la mort d'Émilienne et Rivest, mais il a réfléchi à cette possibilité et, même en supposant qu'une fois arrivé à l'aéroport, Rivest ait loué une voiture pour retourner chez Émilienne, c'était impossible. Physiquement impossible. Sauf si l'heure de la mort avait été mal estimée par le médecin légiste.

Les enquêteurs savent très bien que s'il y a eu erreur, elle ne dépasse pas soixante minutes, et que l'heure à laquelle Paul a trouvé sa mère assassinée circonscrit une borne précise.

« J'ai beaucoup réfléchi, vous savez, et Corinne a posé toutes les questions imaginables depuis qu'elle sait que le prédicateur de la retraite était Rivest. Ce n'est pas possible. Même si on tord un peu les données. Et puis, ça prend une maudite bonne raison pour prendre une hache. Sa lettre, à Rivest, elle n'accusait probablement personne si Émilienne voulait la montrer à Paul ? Elle devait même être belle.

— Dumond aurait pu en prendre ombrage, non ?

— Dumond ? Y a rien à faire là-dedans ! C'est pas son fils, et il le sait. Rivest a pas écrit une lettre pareille au hasard.

— En supposant que Dumond ne sache pas du tout ce que la lettre contient ?

— Excusez-moi, mais si Rivest lui a dit qu'il l'avait écrite, il a dû lui dire ce qu'il avait écrit, non ?

— Et pourquoi on n'a jamais retrouvé cette lettre chez Émilienne ? »

Le prêtre les regarde, étonné : « Parce que le meurtrier est venu tuer pour la prendre, non ? Je veux dire, si jamais la mort d'Émi a à voir avec la lettre… Moi, je n'en suis pas sûr.

— Pourquoi l'avoir tuée, alors ?

— Pour rien. Par peur. Pour éliminer le témoin. Par mauvaise volonté. Pour faire du mal, quoi !

— Par sadisme ? »

Yvan hausse les épaules. Il ne sait pas et il trouve qu'ils perdent leur temps avec ces théories. Il demande si Rivest a pu les aider dans leurs recherches et se montre désolé d'apprendre son état de santé. Patrice s'en étonne, estimant l'individu plus condamnable que pitoyable. Yvan comprend son point de vue, sans rien ajouter. Agacé, Patrice l'invite à vider son sac. Yvan le considère, les yeux remplis de bienveillance : « Votre métier est de soupçonner, de douter, de tout remettre en question et d'accuser. Mon métier est d'écouter et de pardonner. Je pense qu'on ne s'est pas trompés de métier, ni l'un ni l'autre.

— Et Dumond ?

— Dumond a utilisé un sacerdoce pour le dévier et le soumettre à des fins personnelles. Mais s'il a tué Émilienne, vous aurez besoin de preuves. Savoir que c'était un pervers qui a abusé de Gontran et de sa sœur, ce ne sera pas assez. Je vous l'ai dit : il ne baissera jamais la garde. Et pourquoi aurait-il pris un tel risque ? Pour Rivest ? Dumond n'est pas généreux. Il fallait que ça lui rapporte, à lui.

— Et c'est un euphémisme de le dire ainsi !

— Je voudrais tellement pouvoir vous aider davantage. »

Yvan se lève et leur demande s'il peut partir. Il voudrait visiter Paul à la prison avant de rentrer. « Je ne peux pas lui apporter le moindre espoir, n'est-ce pas ? On n'y arrivera pas ? »

Vicky est sensible à ce « on », comme si l'échec de l'entreprise relevait aussi d'Yvan.

« On essaie encore, vous savez. Juste une autre question : à quel sujet le notaire Gagnon avait-il rencontré Paulette, la veille de sa mort ? »

Il a beau chercher, Yvan ne le sait pas. Il doute même de l'avoir jamais su. La mort du notaire a été si subite et traumatisante pour Paulette qu'il n'a pas pensé à la questionner sur sa dernière rencontre avec son père. Il s'est contenté de lui jurer qu'elle ne l'avait pas tué.

Vicky voudrait bien qu'il tente de le savoir. Il promet, mais si Paulette s'en souvient, ce n'est pas certain qu'elle le dise. « Paulette est plus secrète qu'un confesseur. C'est vous dire comment c'est difficile de la faire parler. Je vais essayer quand même. »

***

Quand il revient après avoir conduit le curé à la sortie, Patrice fait une drôle de tête : « Vous croyez qu'il nous faisait la leçon avec le coup de l'espoir pour Paul Provost ? L'air de ne pas y toucher...

— Non. Je pense seulement qu'il n'a jamais perdu de vue notre mandat. Je propose un dernier effort, Patrice. On relit tout chacun de notre côté, et on espère que les lumières du Saint-Esprit vont descendre sur nous. »

Il la trouve bien optimiste. Il aimerait tellement mieux aller asticoter monseigneur Rivest.

« Cherchez, Patrice. Si vous trouvez une seule bonne raison de le faire, j'irai assister à votre vengeance. »

***

Rien ! Ils n'ont rien de solide. Rien pour ébranler la machine judiciaire.

Patrice le reconnaît : « L'ennui, c'est qu'on a tout ce qu'il faut pour faire excommunier le cardinal, mais qu'on n'a rien pour faire sortir notre client de prison. Que du circonstanciel. Parce qu'il s'agit de notre client, Vicky. Ce serait quand même géant de parvenir à faire accuser Dumond de tout, sauf du meurtre ! »

Vicky soupire : ça risque bien d'être géant, comme il le dit. Ils ont tout revu, colligé les témoignages, les preuves, les lettres de tout un chacun… rien qui condamne ou innocente Paul Provost. Rien contre Dumond pour ce qui est du meurtre.

Vicky reprend le dossier du meurtre d'Émilienne, le feuillette. Comme toujours devant l'échec, Patrice s'impatiente : « Vous n'allez pas remettre ça ?

— Allez fumer, Patrice. Allez manger, marcher, allez voir Brisson, tiens ! Mais lâchez-moi !

— Bon, ça va, pas la peine de se montrer désagréable ! Je suis toujours joignable, vous vous rappelez ? »

Il exhibe son cellulaire… comme si elle ne le savait pas ! Il est tellement enfantin, des fois. Il sort en lui faisant un petit signe du pouce. Il devrait aller allumer un lampion, voilà ce qui leur reste comme ressources.

Elle reprend ce qu'elle connaît maintenant presque par cœur, en essayant de ne pas confondre les crimes. Même si les mobiles résident dans la maltraitance de Gontran et le viol de Paulette, les actions sont détachées, elles.

Elle relit l'entrevue que Rivest avait accordée aux policiers à l'époque – il ne devait pas être à l'aise, le monseigneur ! Il devait même se douter de l'identité de l'assaillant : il l'avait probablement lui-même appelé ! Peut-il avoir vraiment cru que Dumond n'y était pour rien ? Même sans y prêter foi, il n'aurait rien deviné parce que Dumond n'avait aucune raison apparente de récupérer la lettre.

Vicky lève la tête, soudain frappée par une évidence qui lui avait échappé jusque-là : cette lettre d'aveu de paternité, c'est précisément ce qui pouvait innocenter Dumond puisqu'elle prouvait la filiation de Rivest et Paul. Voilà donc pourquoi il voulait tant mettre la main dessus : Rivest se dénonçait lui-même dans cette lettre. Il ne dénonçait personne d'autre ! J'ai péché, j'ai enfanté, alléluia, Dieu est bon et Il doit me pardonner mon erreur ! Mon enfant, je te laisse entre bonnes mains et je me contenterai de prier.

Dumond étant coincé par Gontran et ses preuves accablantes, c'est vers Rivest que son attention s'est tournée. Il le surveille, surtout après la mort de Gontran. Alors, quand l'imbécile appelle au secours pour l'informer qu'une lettre compromettante est chez une paroissienne et qu'il veut avoir son avis sur l'intérêt de la récupérer, Dumond dit non… et il organise son excursion. Cette lettre, Dumond est convaincu qu'elle pourra faire le poids contre les aveux que Gontran s'est vanté d'avoir en sa possession et qu'il redoute de voir surgir depuis sa mort. Cette lettre, s'il la présente comme preuve de sa position de confesseur de Rivest, d'homme saint qu'un lâche veut incriminer, ça pourrait marcher… Gontran ne l'avait pas, et il en est certain parce qu'il ne l'en a pas menacé. Et il est aussi certain qu'en cas de pépin il pourra la sortir et prouver son innocence. Clamer qu'il n'avait, lui, aucune raison de tuer cette pauvre femme. Il ne sait même pas qui elle est ! Avec cette lettre, il possède les aveux du violeur de Paulette, contre lequel il peut prétendre s'être battu pour empêcher l'ignominie de survenir.

Il se refait une pureté et il se fout du pourquoi ou du comment la lettre a abouti chez Émilienne. Tout ce qu'il sait, c'est que Gontran n'a jamais prononcé le nom de cette femme dans sa liste de personnes intouchables.

Depuis la mort de Gontran en janvier 1985, Vicky est persuadée que Dumond tremble. Il craint que Gontran ait donné suite à ses menaces et l'ait dénoncé. Il s'attend constamment à ce que les autorités (épiscopales ou laïques) débarquent à l'archevêché et ruinent sa carrière. Quand la nouvelle de la lettre incriminant Rivest lui arrive, la pression doit même être à son comble : ça fait huit ou neuf mois que Gontran est mort. Même si elle n'annulait pas les preuves photos de Gontran, cette lettre semait un doute raisonnable pour le viol de Paulette.

Tuer pour si peu ? Pour rendre le levier de Gontran inefficace, oui. Pour inciter les autorités à chercher quelqu'un d'autre que lui, oui. Il devait se trouver très fort, ce Dumond. Il a bien commis une erreur, non ?

Vicky reprend ses notes et revoit tous les témoignages. En mettant chaque personne rencontrée en parallèle avec ses déclarations de l'époque contenues dans le dossier de la police, elle ne trouve que très peu de discordances. Les policiers n'ont pas interrogé les nouveaux venus, évidemment. Ni Jasmin Tremblay, ni Sylvie Saint-Hilaire, la première directrice du musée qui était une enfant à l'époque. En ce qui concerne Paulette, le compte rendu des inspecteurs de 1985 est extrêmement décevant : étant absente de la région au moment du meurtre, ils ne l'ont pas vue. Dommage, se dit Vicky, qui aurait bien aimé savoir ce qu'elle aurait dit. Le curé Gauthier est tout à fait cohérent dans les circonstances : honnête et préservant son « secret professionnel ». Corinne est franche et directe. Aimé Dion, l'homme à tout faire qui réparait la cloche de l'église, n'a rien apporté d'autre que sa profonde désolation. Les parents d'Émilienne, Paul Provost, rien à tirer de neuf à la lecture de leurs témoignages de l'époque.

Dumond n'a évidemment jamais été rencontré par les enquêteurs. Et Rivest… n'a rien apporté, puisqu'il était reparti.

Vicky reprend ses notes et, après un bon moment de réflexion, ajoute ses dernières questions :

Paulette en sait-elle plus qu'elle ne le montre ? Sait-elle que Paul Provost est son fils, qu'Émilienne est celle qui en a pris soin ? Que voulait son père la veille de sa mort ? Comment la lettre s'est-elle retrouvée à Joliette ?

Elle décide d'envoyer un courriel à Corinne pour connaître la réaction de Paulette quand, en revenant de Joliette, elle a appris le meurtre d'Émilienne et la mise en accusation de Paul. Si c'est possible, Vicky voudrait obtenir les mots précis.

Elle passe ensuite aux évêques. En 1983, Rivest devient évêque et cela a possiblement rapport avec le rendez-vous que le notaire a eu avec Paulette.

Dumond est l'objet des pressions de Gontran. Pas Rivest.

Rivest a signé ses aveux complets recueillis par Gontran peu de temps après le viol, pas la lettre du père exalté qu'il a même peut-être oubliée : quand on signe « Ton papa », ce n'est pas trop compromettant. Mais dans ses conversations de repentir avec Gontran, il sait qu'il a nommé son complice Dumond, qu'il a relaté les faits et signé. Gontran a toujours conservé les aveux et les a annexés au dossier. Vicky a tout lu et, effectivement, si on croit tout ce qui y est dit – et quand on connaît la personnalité tordue de Dumond – la dénonciation est une accusation lourde pour le complice initiateur, tout en contenant des aveux indiscutables de Rivest.

Ces aveux, Paulette ne les a jamais lus, Gontran les a gardés précieusement.

La lettre du père extatique a été envoyée… soit à Chicoutimi, chez le notaire, soit à Sainte-Rose, chez Corinne. *À vérifier*, inscrit Vicky.

Chose certaine, quand le notaire Gagnon a convoqué Paulette, la veille de sa mort, c'était possiblement pour récupérer « la lettre ». Pour Paulette, celle du père arrivée il y a des années, alors qu'elle est enceinte et sous le choc du viol.

Dumond maintenant. Connaît-il l'existence de cette lettre ? Si c'est non, il n'a plus de raison de tuer Émilienne. Ni de se rendre dans ce coin de pays. Si c'est oui, poussé par l'urgence de la mort de Gontran et l'imminence d'une vengeance « post-mortem » qu'il redoute, alerté par un Rivest encore impuissant et aussi coupable qu'au moment du viol, il peut avoir saisi ce qu'il croyait être sa planche de salut et avoir tué sans récolter ce qu'il cherchait.

La question de Patrice demeure alors excellente : pourquoi avoir cessé de chercher la lettre ? Si elle méritait qu'on tue pour l'obtenir, pourquoi y avoir renoncé après l'assassinat ?

Vicky note : *Paul coupable = Dumond libre ?*

Ce qui la ramène à Rivest : puisqu'il sait que cet enfant est son fils, puisqu'il est si repentant, pourquoi ne pas avoir bougé pour l'innocenter ?

Quand elle fait part de ses réflexions à Patrice, il indique la dernière concernant Rivest : « Si vous voulez, nous allons le lui demander immédiatement. Mais, selon moi, il n'a jamais envisagé que Dumond puisse avoir commis un tel méfait. Ce type, il est tellement égocentrique qu'il a fort bien pu croire qu'à la place de Paul, en apprenant qu'il était adopté, il aurait sauté sur sa mère et l'aurait bousillée. Ce genre d'hommes ne dépasse jamais sa courte vue ou son nombril. »

Il dit « nombrile », et ça fait sourire Vicky. « Quoi ? Ça vous fait marrer ? C'est pourtant lourd… J'ai vérifié auprès de la compagnie de location de voitures à l'aéroport de Bagotville, et là, vraiment, ils ont rigolé pour la peine. Cinq ans. C'est le max pour l'archivage des transactions. Alors, 1985, imaginez ! Je crois que la nana à qui j'ai parlé n'était même pas née… »

Il voit Vicky se pencher vers l'écran de son ordinateur parce qu'un courriel vient d'arriver. « Dites donc, ça vous ennuie ce que je raconte ?

— C'est Corinne ! La réponse à ma question : *Ma pauvre Vicky, j'étais tellement à l'envers que ma sœur aurait pu m'avouer qu'elle l'avait tuée et je ne l'aurais pas entendue. Je me souviens d'une seule chose, parce que c'était idiot. Elle a dit : "Gontran le sait pas." Évidemment ! Il était mort ! Je lui ai dit que les morts ne savent rien, effectivement. Et je pleurais comme une Madeleine parce qu'Émi ne savait plus rien. Aujourd'hui, vingt-deux ans après, je devrais dire le contraire : Émi sait tout et elle ne pourra jamais nous le dire. Désolée.*

— C'est qu'elle a raison...

— Ça nous avance tellement ! Si on pouvait faire parler les morts, notre métier serait franchement trop facile.

— Bon ! Que fait-on, maintenant ? »

Le téléphone de Vicky sonne, ce qui indispose beaucoup Patrice : « Vous le dites si je dérange. À ce rythme, nous n'avancerons jamais... »

Quand elle raccroche et lui dit que monseigneur Rivest voudrait beaucoup les revoir, son humeur change du tout au tout : « Ah ! Le brave homme ! Voilà qui est bien : apportez votre question, nous allons le confesser. »

La religieuse qui s'occupe de Rivest leur tend cérémonieusement une enveloppe que Patrice ouvre sur-le-champ.

Sur le papier blanc, trois mots sont écrits gauchement. Ils sont presque illisibles et la signature l'est tout autant. La ligne est descendante, le premier mot se situant trois centimètres plus haut que le suivant.

J'ai pas tué.

La religieuse explique que cette petite ligne a exigé de nombreux efforts à la main gauche de monseigneur, mais qu'il tenait absolument à l'écrire lui-même. Patrice se retient de lui répondre qu'elle n'aurait pas pu l'entendre s'il s'était avisé de la lui confier de vive voix, son discours étant toujours un magma de salive et de langue épaissie. Il s'approche du lit : « Voilà qui nous rassure beaucoup, monseigneur. Je me charge d'en convaincre ma collègue qui, soit dit en passant, n'est pas croyante. Elle a cette manie d'exiger des preuves. Vous disposez de quelque chose d'approchant ?

— Hon... »

Il a l'air à la fois désolé, implorant et apeuré. Patrice soupire et lui tapote la main : « Essayons tout de même d'éclaircir un point ou deux. Je vous demanderais de répondre par oui ou par non pour simplifier ma compréhension.

— Hi !

— Et pour que tout soit bien ficelé dans les règles de l'appareil judiciaire canadien, je vais enregistrer cet échange, cela vous convient-il ?

— Hi.

— Voilà qui est parfait ! Maintenant, reportez-vous à votre séjour à Sainte-Rose en 1985, pour prêcher la retraite spirituelle…

— Hi…

— Monseigneur Dumond savait-il que vous y alliez ?

— Mmm… »

Le son n'est plus clair du tout. Patrice en conclut que la réponse doit être du même acabit : « Ne vous en faites pas avec ce détail. Revenons à la retraite. Devant le… cas de conscience de cette paroissienne, Émilienne, lui avez-vous conseillé de tout révéler à son fils ?

— Hon.

— De vous remettre cette lettre du papa qui l'inspirait tant ?

— Hon ! – le ton, cette fois, est insulté.

— Avez-vous pris conseil auprès de monseigneur Dumond ?

— Hi…

— Vous l'avez rencontré, alors ? Je précise : à Sainte-Rose ?

— Hon !

— Vous l'avez appelé, tout simplement.

— Hi.

— Et il a été de bon conseil, comme toujours ?

— Mmm… hon…

— Vous aimeriez m'en dire davantage, je le sens.

— Hi.

— Monseigneur Dumond n'a pas dit ce que vous souhaitiez entendre ?

— Hon.

— Il vous a peut-être bousculé. Il n'a pas ce qu'on pourrait appeler une patience absolue.

— Hi… Hé !

— Revenons à nos questions sans développement. Vous a-t-il reproché quelque chose ?

— Hi !
— De le déranger pour si peu ?
— Hon.
— De lui avoir caché que cette lettre existait ?
— Hi !
— Il connaissait l'existence de l'autre document, celui que Gontran Gagnon avait gardé en preuve ? »

L'œil de Rivest est rempli de surprise. Lui, en tout cas, ne savait pas Patrice si renseigné. Il émet un timide : « Hi…
— Mais il ignorait tout de cette lettre, que je qualifierais de privée ?
— Hiii…
— Il n'était pas content, Dumond ?
— Hon…
— Il vous a parlé durement ? Malmené ?
— Hi !
— Lui aviez-vous caché autre chose ?
— Hon !
— A-t-il promis de vous aider ?
— Hi.
— Pensez-vous qu'il a tué Émilienne Provost ?
— Hon !!
— Très bien, je vous crois, ne vous énervez pas. Et après la mort d'Émilienne, vous l'avez revu ?
— Hon.
— Mais vous lui avez parlé ?
— Han ?…
— C'est tout simple, pourtant : lui avez-vous parlé ?
— Hi.
— Ça s'est mal passé ?
— Hi.
— Vous n'étiez pas d'accord ?
— Hon !
— Sur l'issue de cette histoire ?

— Han ?

— Sur le verdict de culpabilité de Paul Provost.

— Hon. Hon !

— Je sens que la question vous intéresse… Paul ? Vous voulez parler de Paul ?

— Pa… pa !

— Papa ? Ou pas ? Nous savons que vous êtes son père, ne vous fatiguez pas. Dumond vous a peut-être menacé avec cette histoire ?

— Hi !

— Suffisamment pour vous empêcher d'agir ? Je veux dire pour votre fils ? En sa faveur ? »

Rivest lui serre la main violemment. « Ça va, j'ai compris : vous vouliez vraiment faire quelque chose… et vous n'avez pas pu.

— Hon…

Le ton est tellement désolé, tellement apitoyé que Vicky s'avance et prend le relais avec fermeté : « Vous avez laissé votre propre fils en prison en le sachant innocent ?

— Hon !

— Vous le croyez coupable ?

— Hi…

— Ça repose sur une impression, cette belle certitude ?

— Hon.

— Une preuve ? Laquelle ? Vous êtes certain ?

— Han ?

— Attendez, Vicky, ne le bousculez pas. Vous détenez une preuve de la culpabilité de Paul Provost ?

— Hi… »

Le ton est nettement pleurnichard. Patrice se méprend : « Quoi ? Vous l'avez remise aux policiers ?

— Hon !

— Vous l'avez trouvée tout seul, cette preuve ?

— Hon…

— J'y suis : quelqu'un vous l'a fournie… Dumond. Pour vous forcer à la boucler.

— Hi.

— Et où est-elle, cette preuve ? »

Monseigneur est pas mal épuisé. Il lève son doigt gauche et montre les photos de Dumond qui ornent le mur lui faisant face. Patrice fouille dans le tiroir de la table de nuit et lui répète qu'il a compris que Dumond lui avait fourni une preuve irréfutable de la culpabilité de Paul Provost.

Mais Rivest s'agite toujours, avec le doigt tendu. Vicky feuillette le missel usé et n'y trouve que des images pieuses sans intérêt. Elle explore la commode et rien ne ressemblant à une preuve ne s'y trouve. Rivest a toujours le doigt tendu vers le mur. Elle s'approche, regarde les photos. Hystérique, Rivest aboie ses « Hi ! Hi ! » si fort que Patrice la rejoint, décroche une photo, celle de Dumond en compagnie du pape. « Hi ! Hi ! » fait l'énorme masse dans le lit.

Patrice pose le cadre près de la main gauche de Rivest, qui le repousse. Patrice n'a pas le temps d'empêcher le cadre de se fracasser sur le sol. Rivest n'a pas du tout l'air désolé, il pointe victorieusement l'index vers le plancher : « Hi !… Ha ! »

Hésitant, Patrice se penche et écarte les débris de verre. Sous la photo qu'il soulève délicatement, contre le carton du passe-partout, une feuille qu'il déplie. Vicky et Patrice lisent les mots écrits dans une graphie torturée, inégale :

Je ne vous crois pas !
Je ne vous croirai jamais.
Si ce que vous dites est vrai,
je tuerai cette mère à coups de hache
je n'ai plus rien à perdre
j'ai déjà tout perdu
Si ce que vous dites est vrai
Paul

« Han ? » demande Rivest, le visage ruisselant de larmes.

Effectivement, pour une preuve, c'en est une, ils ne contestent pas.

Assommé, Patrice murmure : « Et voilà pourquoi vous n'avez rien dit pour défendre Paul…

— Hi.

— Et cette preuve… nous provient directement de Dumond, qui l'a sans doute obtenue en révélant je ne sais quoi à cet enfant. Comme c'est délicat de sa part !

— Han !

— Et quand vous l'a-t-il remise ? »

Le doigt boudiné montre la feuille. Écrit au plomb de la main de Rivest, à l'époque où son corps répondait encore à ses désirs : 4 mars 1986.

***

« Et comment voulez-vous ne pas croire un enfoiré de son espèce ? Il est nul à chier, il ne pourrait rien inventer de tel, ce con ! Si ça se trouve, le mot est aussi authentique que la bonne conscience de cet hippopotame. Ça, pour des aveux, ce sont des aveux ! Qu'est-ce qu'il est con ! Une vraie quiche ! Alors là, si nous avions besoin d'une preuve de filiation, nous sommes servis : le père et le fils sont aussi crétins l'un que l'autre. Malléables, sans discernement aucun, ils ont tout pour s'apprécier. Du gâteau pour Dumond ! Il n'a qu'à demander, les voilà qui accourent. Au moins, avec Gontran, nous étions en bonne intelligence. Mais ces deux-là… je ne vous dis pas ! »

Vicky considère qu'il dit pas mal, au contraire, mais ça lui permet de réfléchir, elle n'arrête pas son flot de bile, surtout que cela n'influence pas sa façon de conduire.

« Voilà qui s'appelle mettre fin à un mandat. Ah ! Il ne sera pas déçu, notre délicat directeur ! Et hop ! On vous revient avec une preuve supplémentaire, c'est pas beau, ça ? Écrite de la main du condamné, que demander de plus ? Il est comme papa, le petit, il aime bien l'épistolaire. La vache ! Je n'arrive pas à y croire ! Et le cardinal peut officier en paix, nous l'avons enfin dégotée, sa lettre. C'est qu'il devait quand même s'énerver un peu, le mec. Déjà que personne n'était fichu de l'interroger, il devait se demander s'il n'aurait pas dû nous fournir un parcours fléché !

— Arrêtez un peu, Patrice.

— Je vous dérange, peut-être ? Vous désirez ruminer en paix ? Vous croyez qu'il nous manque un élément ? Une photo, peut-être ? Avec la hache ?

— Je comprends que ça vous dérange. Mais vous le croyez, vous ?

— Pourquoi pas ? C'est le style de combines à la mords-moi le nœud du cardinal, non ? »

Vicky éclate de rire. C'est la première fois qu'elle entend cette expression qu'elle trouve… passablement imagée. « Vous n'avez rien noté de dérangeant dans ces aveux ?

— Dérangeant ? Je suis hors de moi ! Ça ne peut être plus dérangeant, croyez-moi !

— Non : le temps du verbe : *je tuerai cette mère*. Futur simple… et le meurtre avait déjà eu lieu, bien sûr.

— Qu'est-ce que ça prouve, outre qu'il est dérangé ? Ce que nous savions déjà, au demeurant.

— Pas sûre… "*cette mère*"… ça ne vous dit rien, ça ? Et le "*à coups de hache*", c'est spécial aussi, non ? Précisément à coups de hache… ça fait bien des détails pour une expression de rage, non ?

— Et où allez-vous, comme ça ?

— "*À coups de hache*" fait référence à ce qui est déjà arrivé. "*Cette mère*", c'est l'autre, la fausse aux yeux de Paul, l'usurpatrice. Lisez-le en vous mettant dans la peau de Paul après le meurtre de sa mère. Ce n'est pas daté par lui, ce n'est pas un mot pour Émilienne, mais pour Paulette. Le cardinal l'a envoyé à Rivest parce que cet imbécile est pétri de culpabilité et qu'il croit tout ce qu'on lui dit. Avec cette note, il se fermait la gueule et se tenait tranquille, la conscience lavée parce qu'il avait la générosité de la garder pour lui, de ne pas ajouter au fardeau de la preuve contre Paul.

— Mais si Dumond… Il a rencontré Paul ? Ou il a forgé la note ?

— Moi, j'ai décidé de croire trois personnes dans cette histoire : Paul Provost, Paulette Gagnon et son frère Gontran. Les trois personnes les plus indignes de foi aux yeux de tous, justement. En mars 86, le procès de Paul n'avait pas encore eu lieu, il était à l'hôpital psychiatrique, suicidaire et délirant. Combien vous gagez qu'il a reçu la visite de son confesseur ? Comment il disait ça, Gontran ? Dumond a toujours su voir la faille et l'exploiter. D'après moi, il n'a pas dû trouver très difficile d'emmener Paul à rédiger ce mot "pour le soulager de ses rages et de sa colère contre lui-même" ou quelque chose d'approchant.

— Les visites sont dûment enregistrées, de toute façon. On n'a qu'à effectuer la recherche.

— Oui, et on va chercher deux noms : Dumond et Rivest. Parce que je suis presque certaine que c'est sous le nom de Rivest que l'autre s'est présenté.

— Voilà pourquoi vous avez emprunté la photo !

— Du tout. Je voulais étudier le visage de Dumond. Je ne l'avais jamais vu, moi, ce noble cardinal attiré par les enfants de chœur…

— Et il vous dit quoi, ce visage ?

— Vous n'avez pas eu d'éducation religieuse, vous, ça paraît. Savez-vous ce qu'on disait de Lucifer ? Qu'il était le plus beau des anges. Qu'il a mené la guerre à Dieu par orgueil et par appétit de pouvoir. Lucifer se croyait l'égal de Dieu parce qu'il était doué, et non pas par frustration parce qu'il voulait ce qui lui était inaccessible. »

Patrice lance un long sifflement : « Qu'est-ce que j'aime bosser avec vous ! Vous êtes top, y a pas ! »

***

Docile, Paul Provost lit les quelques phrases et les regarde, attendant leurs questions. Il n'y a jamais de précipitation chez cet homme de quarante ans qui a encore l'air d'un jeune homme. Il est dénué d'attente ou d'espoir. Il n'est animé par aucun sentiment risquant de colorer ses joues. C'est même assez troublant de le voir lire des mots violents avec tant de placidité.

Patrice lui demande de confirmer qu'il est bien l'auteur de ces lignes.

« Ça doit… mais j'ai écrit ça dans le temps où j'allais pas bien. C'est mon écriture, mais je sais pas trop pourquoi j'aurais écrit ça. C'était un exercice, probablement… »

À force de douceur, en y allant sans précipitation, Vicky réussit à faire parler Paul de cette période cauchemardesque de sa vie. Dès son hospitalisation, il a subi plusieurs tests et examens et il a rencontré toutes sortes de gens : des médecins, des policiers, des conseillers juridiques, spirituels… et tout le monde lui fournissait des mobiles, des explications pour avoir tué sa mère. Il allait tellement mal… Il se souvient d'avoir eu des sensations d'accablement telles qu'il finissait par leur dire ce qu'ils voulaient pour être enfin seul et pouvoir penser à elle, à sa mère. « J'attendais qu'ils partent et je m'imaginais qu'elle me prenait dans ses bras et me berçait. Comme elle l'a toujours fait. Comme je l'ai fait quand je l'ai trouvée. J'ai pu signer mille papiers comme celui-là, vous comprenez ? Rien ne m'intéressait plus dans ce temps-là. »

Vicky se demande si quelque chose ne l'intéressera jamais plus. De tout ce que les spécialistes ont écrit le concernant, elle n'a trouvé qu'un seul psychiatre, une femme, qui a témoigné en sa faveur et d'une manière déterminée : selon elle, jamais Paul Provost n'aurait été capable d'une telle violence. Ce n'était pas dans ses gènes, point. Il s'abîmait avant d'abîmer autrui, il s'enfonçait dans sa propre spirale, mais il n'aurait jamais actualisé ou extériorisé sa violence ou la destruction qu'il ressentait en attaquant autrui.

En lisant ces lignes, Vicky avait eu l'impression de lire sur Paulette, la mère naturelle de Paul.

Elle pose la photo du cardinal sur la table : elle a pris soin de la faire recadrer afin d'en exclure le pape qui risquait d'influencer favorablement son témoin. Paul sourit : « Le bon père Rivest… Il est devenu monseigneur ? Non, cardinal, c'est ça ? Il est cardinal ? Il a été très patient avec moi. Il comprenait tellement... C'est celui qui n'a jamais douté de moi. »

Et pour cause ! pense Vicky. Si quelqu'un pouvait croire à l'innocence de Paul, c'était bien ce « bon père Rivest ».

Patrice demande des détails, des anecdotes. Les exemples, quoique peu nombreux, sont éloquents et illustrent la technique impeccable de Dumond.

Aux yeux de Paul, cet abbé était aumônier auprès des jeunes prisonniers. Il avait quelque chose de bon, de paternel. Ils parlaient d'Émilienne ensemble. De son enfance, des poupées, des jeux de cartes et des jeux de piste qu'ils faisaient, sa mère et lui. Avec l'abbé Rivest, il ne parlait jamais du meurtre ou de colère ou d'adoption. Il parlait de la tristesse de l'avoir perdue. Les visites de l'abbé, c'était comme être seul avec sa mère. C'était enfin laisser vivre le beau, le bonheur de sa vie passée.

Vicky regarde Paul s'animer enfin en évoquant Dumond. Pour la première fois, elle sent chez lui de la tendresse envers quelqu'un d'autre qu'Émilienne. Une certaine chaleur. « C'est possible que vous ayez écrit ces mots à sa demande ?

— Non. Je vous l'ai dit : avec lui, on parlait jamais de meurtre, on parlait de la vie d'avant.

— Comment aurait-il pu avoir ce mot ?

— Je le sais pas. »

Et ça n'a pas l'air de l'intéresser. Il les laisse réfléchir en silence.

Patrice s'essaie à son tour : « Dites donc, Paul, il est venu vous voir souvent, cet abbé sympa ?

— Trois, quatre fois... peut-être plus. Je n'ai pas beaucoup de mémoire de ce temps-là. Je pense qu'on me donnait des médicaments très forts.

— Au procès, l'avez-vous vu ? A-t-il pris votre défense ?

— Il m'a dit qu'il écrirait au juge pour moi. Mais on parlait jamais du procès non plus. Je m'en fichais.

— Et lors de votre dernière rencontre, comment l'avez-vous trouvé ? Vous avez un souvenir ?

— Non. Rien… Je pleurais, alors j'ai pas fait attention… »

Il réfléchit, essaie de retrouver le moment avec sincérité. Ils se taisent patiemment.

« Il m'a dit que je devrais être brave, courageux… qu'il était appelé ailleurs pour son ministère. Il a été très patient, parce que je me suis effondré. J'ai pleuré, pleuré… Il savait comment j'étais, vous comprenez ? Il savait comment c'était avec les autres. Il n'y avait que lui qui me ramenait à maman. Et là, il partait…

— Ça a été dur…

— Il ne supportait pas que je pleure. Il aurait tout donné pour pouvoir me consoler, ne pas me faire subir ça en plus de tout le reste. Il était tellement compréhensif, tellement humain que j'ai pas voulu empirer la situation, rendre cette visite trop lourde pour lui. J'ai pris sur moi… Après, c'est drôle, on a ri en se moquant des "je-sais-tout", des psy, des spécialistes qui viendraient encore m'énerver quand il ne serait plus là. Ça aussi, il comprenait que ça m'énervait. Toutes les questions, les suppositions… »

Il change d'attitude soudain, il se rappelle quelque chose, ses yeux deviennent rieurs : « Montrez-moi le papier. »

Il sourit, passe sa main sur la feuille : « Je le sais, maintenant : on avait l'habitude de rire des longues séances avec les "questionneurs", comme on les appelait. L'abbé avait inventé un jeu… comme le jeu de piste que je faisais avec maman. C'était donner des pistes aux chiens renifleurs comme les psy, et les envoyer se perdre dans leurs recherches. C'était niaiseux, mais ça faisait du bien. Ça, c'était un exemple de ce que le chien voulait entendre. L'abbé trouvait même pas ça exagéré. Moi, je faisais des phrases polies, un peu nounounes. Lui, pour m'aider, il en faisait des capables. Après, on écrivait celles de l'autre : moi, pour apprendre à mordre, lui pour apprendre la douceur. C'est comme ça qu'il disait: "Apprendre la mansuétude". »

Il lève des yeux attendris: « Je peux le garder ? »

***

Deux réponses attendent Vicky et Patrice au bureau.

La première est de Corinne, qui est certaine de n'avoir jamais reçu de courrier pour Paulette en 1967. Elle écrit: *Paulette était chez moi. Ou au presbytère avec Yvan. Prostrée. Et en mai, je l'ai éloignée avant que sa grossesse ne paraisse. Si une lettre lui a été envoyée, ce serait probablement chez nos parents, à Chicoutimi. Et si quelque chose est arrivé là-bas pour elle, notre père l'aurait lu avant de lui remettre.*

Pour ce qui est de votre deuxième question, j'ai fait ce que j'ai pu, mais Paulette ne sait pas de quoi je parle ou ne se souvient pas de sa rencontre avec papa la veille de sa mort. Zéro ! Est-ce qu'Yvan ferait mieux que moi ? Voulez-vous qu'il essaie ?

L'autre réponse vient d'une collègue de Vicky qui a étudié les minutes du procès de Paul pour elle. Rien n'a été déposé en preuve de la défense en provenance d'un quelconque membre du clergé.

Ce qui ne les étonne pas. Mais ils veulent tout vérifier deux fois plutôt qu'une, c'est la devise de Vicky. Patrice est très hésitant quant aux derniers résultats obtenus. Ils ont acquis de nouvelles preuves de culpabilité qui reposent sur la mise au jour de la trahison de Paul par Dumond. Qu'est-ce qui fera le plus de tort à Paul ? Purger les dernières années de sa peine ou apprendre qu'il a été trahi jusqu'à la moelle et qu'il a fait confiance au meurtrier de sa mère ? En plus, s'ils lui donnent un tel coup, sera-t-il en mesure de témoigner solidement contre Dumond ? Assez pour que le meurtre lui soit attribué sans autre preuve ? Patrice en doute.

« Voyez-vous, Vicky, Gontran était un adversaire de taille parce qu'il connaissait la turpitude de Dumond. Il l'a déjoué et, croyez-moi, il a su empêcher ce monstre d'attaquer davantage Paulette.

Mais les autres ? Yvan Gauthier qui gobe tout dans sa grandeur d'âme, Corinne qui n'a rien su, rien vu, Paul qui marche à fond dans la combine de Dumond et Rivest, ce père inepte qui se confond en excuses et croit le premier billet venu. Ah ! On est bien arrangés ! Qu'est-ce qu'il dira, notre cher directeur avisé et compatissant ? Vous pouvez y aller, la vérité vaut le coup ? On écrase Paul pour le libérer ? Aussi bien forcer Paulette à raconter sa nuit de la Saint-Sylvestre : on tue le témoin pour arrêter le coupable.

— On va appeler Jasmin et on va lui expliquer. Le problème n'est pas là, Patrice.

— Le problème, c'est que la totalité de la preuve repose sur des gens diminués. Et je suis poli en le présentant de cette façon. Rivest, Paulette et Paul : des paumés incapables de se tenir droits devant Dumond. Et n'oubliez pas que ce salaud est sous la très haute protection de Rome ! Ce n'est pas joué, c'est le moins que l'on puisse dire. Si au moins nous avions Corinne ou Yvan comme témoin à charge.

— Arrêtez, Patrice, ça sert à rien de vouloir échanger les témoins. On a ce qu'on a. C'est déjà beaucoup et c'est tout. Maintenant, il s'agit de frapper sans que les faiblesses des témoins nous fassent du tort.

— Mais enfin, ça ne va pas être possible, Vicky !

— Dumond est vraiment rusé, il a peut-être même d'autres cartes dans son jeu. C'est pas le genre à s'en remettre au hasard ou à la chance.

— Ni même à Dieu, si vous voulez mon avis. Il ne s'en remet à personne d'autre qu'à lui-même. Ce pourri en connaît un bout sur les êtres humains. L'arnaque du billet signé, bravo !

— Alors, s'il est si habile, si rusé, pourquoi revenir à la course pour tuer Émilienne si c'est pas pour se donner une porte de sortie avec la lettre de Rivest ?

— Je vais plonger et y aller d'une hypothèse, et vous m'accuserez du pire : par goût du sang. Ça faisait dix-huit ans qu'il se tenait peinard, Gontran vient de crever, mais il continue peut-être de lui bloquer une issue en le menaçant au-delà de la mort. Il attend presque un an que l'épée de Damoclès finisse par tomber, et rien. Et voilà qu'il entend encore Rivest s'énerver au bout du fil pour une boulette qui remonte à cet accroc insignifiant à ses yeux, mais certainement pas à ceux de l'Église. Il en a marre, ça lui fout les boules et il décide de trancher dans le vif, c'est le cas de le dire. Il est comme ça, le mec, un peu d'action ne lui déplaît pas au milieu de toute cette sainteté. Les sentiments, il s'en sert, mais il est sec. Il n'a qu'un maître, et c'est de devenir le maître absolu. Machiavel, comme vous le dites si bien.

— Il ne pouvait pas viser Paul, mais c'est Paul qui écope. S'il n'a pas la lettre, il a autre chose... D'après moi, puisqu'il ne peut pas toucher à Paulette, Corinne ou Yvan, il a tenté de les terrifier, de leur montrer ce qu'ils risquaient s'ils parlaient.

— Attention, ne forcez pas la dose: quand on utilise la menace, Vicky, on fait au mieux pour la rendre efficace. Or, aucun des trois ne s'est senti menacé par la mort d'Émilienne. Aucun! Peiné, appauvri, d'accord, mais menacé, jamais!

— Vous avez raison. Tout repose sur Paulette, finalement.

— Dumond n'avait rien à craindre d'elle.

— Il le savait, vous pensez?

— Vous voulez une preuve solide? Laissez-lui voir cette photo de Dumond et observez son visage, avant qu'elle ne s'évanouisse.

— C'est pas une si mauvaise idée, Patrice.

— Je ne vous savais pas sadique à ce point.

— J'aime bien le "à ce point"! De toute façon, trop de choses reposent sur Paulette, je ne peux pas refermer le dossier sans essayer encore une fois de la faire parler.

— On la fait venir ici, vous croyez?

— Vous avez pas le tour comme Dumond, vous! Je vais encore prendre un avion que je déteste. Je vais aller m'asseoir avec elle au presbytère en gardant Yvan tout près pour la rassurer. Je vais m'armer de patience et je vais supporter beaucoup de silence... pendant que vous allez fumer dehors.

— Bon plan. Extrêmement bien vu. Je croyais pourtant qu'il vous était impossible de quitter Montréal cette semaine.

— Ça, c'est l'autre partie du plan : vous invitez Brisson à souper et vous lui expliquez ce qu'il doit comprendre et permettre. Le budget de déplacement n'étant pas le sien, ça devrait bien passer.

— Enquiquineuse !

— Qui va se taper Paulette, la polytraumatisée ?

— Ma supercollègue qui connaît l'âme humaine comme sa poche ! »

***

C'est Yvan Gauthier qui a trouvé l'approche : il lui a tendu une paire de gants, un chiffon de flanelle et un pot de cire artisanale, et il l'a emmenée à l'église. « C'est ce que préfère Paulette : cirer les bancs. Faites-le sans l'appeler et sans vous occuper d'elle. Elle va vous entendre et elle devrait venir vous aider. Je pense que c'est la meilleure façon de la mettre en confiance. »

Jamais elle n'a tant frotté. C'est sa mère qui applaudirait ! Vicky s'applique d'autant que ce n'est pas un talent naturel. Elle termine son premier banc quand elle entend Paulette approcher. Dans l'église déserte, son pas claudicant est répercuté. Vicky ne lève pas la tête et elle astique avec application. Paulette passe une main experte sur le bois fraîchement poli : « C'est beau. »

Vicky remarque avec mortification qu'elle repasse tout de même un linge sur la surface déjà travaillée. Elle continue de s'affairer et Paulette pose une main calme sur son bras pour l'arrêter.

Elle fixe Paulette dans les yeux, attendant son verdict. Celle-ci s'assoit et tapote la place libre près d'elle.

Vicky prend place en silence. Paulette contemple l'église et chuchote : « C'est beau. C'est neuf. » Elle plante ses yeux tristes dans les siens : « C'est propre. »

Vicky sait très bien de quelle propreté elle parle. L'église qui a entendu ses prières d'agonisante a brûlé, et il n'y a plus de témoins. Vicky s'est promis d'avancer au radar, comme la dernière fois, et elle dit très bas ce qui lui vient : « C'est ce que Gontran voulait.

— Oui. »

Les deux mains croisées sur le torchon posé sur ses cuisses, Paulette n'a aucune crainte, c'est évident. Vicky s'enhardit : « Et Gontran le sait pas.

— Non. »

Toujours cette assurance complice : elles se comprennent bien. Paulette ajoute même un : « T'es revenue, finalement.

— On s'est laissées un peu vite, la dernière fois, je trouve.

— Ben sûr.

— J'ai des questions… mais tu ne les aimeras pas.

— Ben sûr.

— C'est pour Paul. – Elle laisse planer le silence. – Tu sais c'est qui, Paul ? »

À son grand étonnement, aucun « ben sûr » n'est exprimé. Paulette replie proprement son chiffon et en fait un minuscule rectangle. « Gontran est mort. »

Vicky doit faire un effort pour ne pas dire ce qui lui vient, c'est-à-dire les noms de tous ceux qui sont morts et que Paulette va réciter comme un chapelet. Elle entend le « papa est mort » qui suit effectivement, et elle ajoute : « Ça veut dire qu'il ne se fâchera plus. Ni contre toi, ni contre Gontran.

— Ouais ! Ça c'est sûr. »

Jamais Vicky n'a vu un tel contentement sur le visage angélique. Si elle pouvait conserver ce climat de bonne entente ! Elle avance encore un pion : « J'ai trouvé ta poupée. »

Oups ! Erreur ! Mauvais coup. Paulette la fixe, comme si elle était devenue idiote : « T'as rien trouvé.

— Ben sûr, Paulette. T'es pas fâchée ? »

Paulette a l'air de la juger bien extravagante avec son commentaire. Elle hausse les épaules, fixe le banc. Tout à coup, elle se penche et se met en devoir d'astiquer une tache… imaginaire, aux yeux de Vicky. Elle se demande comment arriver à poser ses questions. Elle reprend : « Il s'est fâché pas mal avant de mourir, ton père…

— Pas mal. »

Elle frotte et, tout à coup, elle s'arrête et se tourne vers Vicky: « C'est pour mon bien ?

— T'es pas sûre, han ?

— Personne le sait. Yvan le sait pas.

— Penses-tu que ça le fâcherait ? »

Paulette a une grimace incertaine. Elle se mord les lèvres : « Je sais pas…

— C'est embêtant quand on peut en parler à personne.

— Ouais ! »

C'est un son étrangement affirmatif, ce « ouais », comme si Paulette ne confirmait rien avec « ben sûr » et tout avec « ouais ». Vicky attend la suite… qui se résume à un énergique secouage de chiffon et à un regard dubitatif: « Ça me regarde pas.

— Ah non ?

— Ben… personne le sait.

— Mais ça te regarde un peu, quand même ?

— Ouais ! »

Que ce son est joli aux oreilles de Vicky. « Ça a dû être difficile de ne pas en parler à Yvan.

— C'est mieux pas.

— Mais ça fait pas de bien. »

Le regard de Paulette est hésitant. Elle a l'air de se demander si Vicky se moque d'elle. Vicky s'épuise à ce jeu. Très honnêtement, elle décide de parler comme elle le sent, comme si Paulette était en mesure de comprendre : « J'ai besoin de savoir, Paulette. Et il n'y a que toi qui le sais. Je ne peux pas le deviner parce que tu t'es arrangée pour que personne le sache. Mais les secrets, il faut les dire, un moment donné.

— Ça nous regarde pas.

— Ce que ton père voulait, tu ne lui as pas donné, je me trompe pas ?

— Y est mort.

— Parce qu'il est mort, tu ne lui as pas donné ?

— Ouais. Il s'est fâché.

— Il voulait la lettre... Qui te l'avait donnée à toi? T'en souviens-tu? Pas Gontran?»

Paulette fait non.

«Pas Corinne non plus. Ton père ou ta mère?»

Paulette fait non.

«Ton autre sœur, Monique? Pas Yvan?

— Yvan le sait pas.

— Tu veux dire qu'il t'a remis une lettre reçue au presbytère pour toi sans savoir de qui elle venait?

— Y est mort!»

Vicky sait bien qu'elle s'impatiente et que ce n'est pas bon, mais la charade est ardue: «Qui? Qui est mort, Paulette?

— Le curé!»

Elle le dit comme une évidence, comme si c'était limpide. Le curé... celui qui était mourant, bien sûr! Celui que Corinne veillait. Et qu'Yvan a finalement remplacé. Ce curé aurait remis la lettre à Paulette? Dans son état? Douteux. Mais Paulette a peut-être aidé au presbytère, trié le courrier, vu la lettre adressée à son nom... Mais non, elle était prostrée chez Corinne!

«Il est mort quand, déjà?

— En avril. Y a pas eu de miracle, finalement.»

Elle a bien pris la chose, Paulette. Vicky en déduit qu'il y a eu une remontée après le jour de l'An, suivie d'une lente agonie à laquelle Corinne, Paul-Émile et Yvan ont dû assister. Et Paulette a pu être appelée au secours pour des tâches ménagères simples... en attendant de trouver une solution pour cette grossesse embarrassante. Bon, un point de réglé, estime Vicky.

Elle s'essaie au résumé: «La lettre était pour toi. Tu l'as prise sans le dire à personne. Et t'avais bien raison: ton nom était sur l'enveloppe.

— Ouais!

— Mais ça ne te regardait pas, cette lettre-là… tu l'as envoyée à Émilienne ?

— Émilienne pleure… Son père est mort. »

Bon ! Encore un non-sens ! Vicky essaie de se persuader que la crédibilité du témoin n'est pas ce qui devrait la préoccuper, mais le découragement l'envahit quand elle imagine l'impossibilité d'utiliser ce qu'elle apprend. Le père d'Émilienne est mort douze ans après le meurtre de sa fille : doit-elle expliquer cela à cette pauvre fille ?

Paulette la regarde, l'air apitoyé, cette fois. Vicky fait une tentative : « Le père de qui ?

— Personne le sait. »

Oui, bon, elle ne le saura pas non plus, on dirait bien ! « Émilienne pleure à cause de la lettre ? »

La distance s'établit aussi vite que quand elle a prétendu avoir trouvé la poupée. Vicky se reprend en espérant y voir clair : « Émilienne pleure parce que son père est mort ?

— Ouais ! »

Si peu de compréhension et tant de satisfaction achèvent Vicky : « Et la lettre se retrouve chez Émilienne sans que personne le sache… et plus tard, ton père la veut. Et il se fâche.

— Y est mort.

— Avant que tu puisses la lui donner… parce que tu es allée la chercher chez Émilienne, non ?

— Personne sait rien.

— As-tu repris la lettre chez Émilienne, Paulette ?

— Elle sait pas.

— Émilienne ?

— Non, elle sait pas.

— Elle s'en est jamais aperçue ? T'es sûre ? Elle voulait pourtant la montrer à Paul.

— Personne le sait. »

Vicky va exploser : elle le sait que personne le sait ! Sentant sans doute l'impatience gagner sa confidente, Paulette lui tapote la main gentiment : « Y a pas de danger.

— Parce que tu as fait très attention… Tu as été rusée et prudente. Émilienne l'a pas su. Personne l'a su.

— Fallait y penser ! »

Vicky revoit la lettre dans la poupée. Émilienne ne peut pas avoir parlé de la lettre à la veille de sa mort si Paulette l'a prise en janvier de la même année, après la mort de son frère ! À moins qu'Émilienne n'ait pas vérifié si elle l'avait toujours ou qu'elle ne l'ait pas relue avant de l'offrir… C'est presque impossible.

Paulette lui touche délicatement le bras : « Tu veux voir ? »

Si elle veut voir ! Elle ne demande que ça !

Paulette l'emmène au confessionnal, ouvre la porte centrale, celle du confesseur, et elle montre à Vicky le velours bleu riveté au banc : « J'ai tout fait toute seule. C'est beau. C'est propre.

— Ben oui, c'est magnifique, Paulette. Tu l'aimes, ta nouvelle église ?

— Ouais ! »

Elle lui fait signe de se taire en posant le doigt sur sa bouche et elle referme la porte doucement, très satisfaite d'elle-même. Elle plonge ses doigts dans le bénitier et tend la main vers Vicky qui l'effleure avant de l'imiter et de se signer. Elle a l'impression de signer un pacte à l'aveugle. Paulette, par contre, est ravie. « Toi, tu sais. C'est mieux pour Yvan, pour Corinne. »

Vicky attend avec impatience la révélation. Elle confirme : « C'est mieux pour tout le monde. »

Rassurée, Paulette va récupérer la cire et les chiffons. Elle se dirige vers la sacristie. Son pas si particulier a influencé toute sa position corporelle et, de loin, son dos semble s'affaisser d'un côté.

Éberluée, Vicky se demande si elle est folle. Quoi ? Paulette vient de lui confier son secret ? Tout est dit ? Elle est supposée avoir compris quoi ?

Elle ouvre doucement la porte du confessionnal, considère le coussin du siège… Paulette aurait mis la lettre là ? Mais alors… la lettre dans la poupée n'est pas la bonne ? Et celle que détenait Émilienne, c'était quoi ? Celle-là ?

Vicky essaie de comprendre la ruse de Paulette. Celle-ci est seule à détenir la lettre du père. Elle sait tout ce qui concerne son fils et Émilienne. Et elle ne dit rien à Gontran, malgré son insistance et malgré l'affection qui les lie. « Parce que ça fait pas de bien. » Qu'a-t-elle fait ? Elle a caché l'original et ne s'en est jamais départie.

Quand Paul-Émile est mort, cinq ans plus tard, elle a bien senti la détresse d'Émilienne qui avait désormais un fils orphelin et elle lui a fait parvenir une copie de la lettre du père « qui ne la regardait pas ». Émilienne a dû croire que le père biologique de Paul lui envoyait une consolation. De peur de choquer Corinne qui avait si bien orchestré le secret de l'adoption, elle n'avait rien dit… jusqu'à la veille de sa mort.

Et quand le notaire a exigé la lettre, Paulette a encore une fois recopié les mots, mais son père est mort avant d'obtenir ce pour quoi il s'était tant fâché. Paulette a toujours laissé l'original dans le confessionnal.

Alors, le jour où Émilienne est tuée, elle prend la copie faite pour son père, et la fourre dans une poupée qu'elle va porter chez sa sœur de peur que la lettre ne provoque un autre cataclysme en demeurant chez Corinne.

Elle a donc toujours su que cette lettre devait rester secrète… et qu'elle serait convoitée par beaucoup de gens.

Le père dont elle parlait, c'était lequel, alors ?

« Émilienne pleure… Son père est mort. »

Si Paulette dit la vérité de façon syncopée, ça signifie qu'Émilienne pleure son mari… qui est aussi le père de l'enfant. Père d'adoption, mais aussi celui qui l'a accouchée et qui est devenu le père de son enfant. C'est sensé. C'est même limpide.

Et Gontran n'a rien su, rien vu… parce que Paulette savait que la dureté du notaire affecterait Gontran. Elle ne voulait pas qu'il ait mal. Elle l'a mis à l'abri de cette lettre. Paulette, la protégée, la couvée par tout le monde, avait toujours veillé sur les siens. Elle a veillé sur son frère, sur les amours de sa sœur Corinne, et il n'y a que cet enfant, ce Paul, qu'elle n'a pas protégé. Il est probable que l'enfant issu d'une telle violence était bien difficile à aimer ou à considérer comme fragile et vulnérable.

Protéger Paul, c'était trop demander à Paulette Gagnon.

***

Yvan Gauthier a bien du mal à la croire. Selon lui, c'est impossible, Paulette ne pouvait pas savoir pour Émilienne et Paul. Même Gontran ne savait pas.

« Peu importe, Yvan, que vous le croyiez ou non, c'est la vérité. L'original de la lettre était bel et bien sous le coussin du confessionnal. Et cette lettre était accompagnée du seul document que nous n'espérions pas : un mot signé de Rivest qui s'excuse encore pour tout le mal qu'il a "involontairement" pu faire.

— C'est quand même étrange : j'étais assis dessus ! Et moi, quand j'ai caché ce que Gontran m'avait confié, je l'ai mis à l'église, sous la haute surveillance de Dieu.

— Même ça, je pense que Paulette le savait. Elle est comme les enfants : elle sait tout parce qu'elle se fie entièrement à ce qu'elle sent. C'est sa meilleure défense.

— Mais elle est en danger, alors, si elle sait tout.

— Plus maintenant… parce que Gontran l'a protégée en priorité.

— Qu'est-ce que vous allez faire ? Le scandale va être épouvantable… Et Paul qui va sortir de prison. Paulette ne voudra pas le voir, et lui, le pauvre, il ne pourra pas être heureux de la nouvelle mère qu'on va lui présenter. »

Patrice le rassure : pour ce qui est du scandale, celui que l'Église devra camoufler sera plus grand que celui de la filiation de Paul Provost. Ils n'ont pas encore de preuves suffisantes pour entreprendre des démarches officielles : connaître l'identité du meurtrier ne suffit pas pour le faire arrêter.

« Il faudrait des preuves. Et nous n'en avons aucune. L'intime conviction, c'est bon pour les pénitents, comme vous savez, pas pour la justice. »

***

C'est Jasmin Tremblay qui doit les ramener à Bagotville pour prendre l'avion.

Ils marchent jusqu'au quai pour se dégourdir les jambes avant le départ. La perspective de révéler l'arnaque de Dumond auprès de Paul Provost ne les réjouit pas. Ce n'est certainement pas pour accabler Paul davantage que Jasmin a appelé Patrice à la rescousse. Et tout ce qui résulte de leurs efforts, c'est l'assurance que cet enfant sacrifié l'a été par la seule personne qui a obtenu sa confiance : le meurtrier de sa mère adoptive.

Vicky est d'avis qu'il faut informer Jasmin de tous les détails et décider ensuite avec lui de la marche à suivre en ce qui concerne Paul.

« Attendez, attendez ! Si monsieur préfère qu'on fasse l'impasse, on la boucle et tout est dit ? Vous rigolez ?

— Non, mais on attendra…

— Vous savez que Brisson nous croit tout près du bouclage ? Qu'il s'excite déjà à l'idée de la conférence de presse ?

— Vous savez ce que j'en pense de l'appétit de publicité de mon boss ? Avez-vous une idée que je l'ai loin quand j'imagine ce que Paul Provost va encore subir ? Il a perdu vingt-deux ans en prison et en institution ! Il a perdu les plus belles années de sa vie à venir fou avec les images épouvantables de sa mère assassinée. Une mère qui n'est plus censée être la sienne et qu'il est censé avoir tuée pour cette raison ! Quand on y pense, c'est une maudite bonne façon d'apprendre qu'on est adopté. Si Corinne a trouvé son amie folle de vouloir le dire à son fils, imaginez ce que ça a dû être de l'apprendre d'un policier qui en profite pour obtenir des aveux ! Ben, pour une fois, vu qu'on lui a volé sa vie par manque de professionnalisme, on va attendre et on va faire les choses avec délicatesse. On va essayer, je dis bien essayer, de ne pas l'assommer ou le tuer avec notre ambition et nos conférences de presse. Alors, oui, Patrice, on va attendre. On va consulter des spécialistes et on va y aller doucement. Et Brisson va comprendre parce que ça fait des années qu'il me connaît et qu'il travaille avec moi. Vous voulez discuter cette décision ? Allez-y, mais ça me surprendrait que vous me fassiez changer d'idée. J'en ai jusque-là de l'incompétence et de l'ambition !

— Bon ! Bon ! Je ne discute plus… calmez-vous ! De toute manière, ça ne risque rien. Dumond ne remettra pas ça depuis Rome… il a sa lettre, il est peinard.

— Sa copie de lettre ! Écrite par Paulette.

— Le style de Rivest ne semble pas l'avoir émue aux larmes, la boiteuse.

— Rien n'émeut Paulette Gagnon, à part son petit cercle et la propreté des bancs d'église.

— Vous la voyez avec ce Paul, vous ?

— Vous voulez dire réunis ? Pantoute ! Ils ont quelque chose de semblable, mais ils ne s'aimeront jamais, ces deux-là. Chacun est lié au calvaire de l'autre.

— En quoi Paulette est-elle un calvaire pour Paul ?

— Vingt-deux ans de sa vie pour que Paulette ne soit plus inquiétée par Dumond… c'est quand même le prix que Gontran a fait payer à Paul. Sans le savoir, bien sûr, mais quand même : s'il avait mis le nom d'Émilienne sur sa liste, Dumond y aurait pensé à deux fois avant de venir la tuer. Vous l'avez dit, Gontran était le cerveau de l'affaire… il a juste oublié un nom sur sa liste.

— Encore un foutu secret… Si on l'en avait informé, il aurait protégé cette femme.

— Mais lui aussi a gardé ses secrets… tout le monde l'a fait.

— Et chacun se croyait bien malin.

— Je ne peux pas vous dire combien de fois Paulette a répété "personne le sait" ! J'ai failli la frapper à un moment donné.

— Voilà pourquoi vous me rentrez dans le lard à propos de Paul ! Vous vous lâchez avec moi ! »

Elle lui lance un regard noir, et il rit, le monstre. Il lève son bras pour se protéger le visage, comme si elle allait le frapper.

***

Le silence dans la voiture est impeccable. Jasmin Tremblay essaie d'absorber la nouvelle.

Ils ont tenté de résumer l'histoire sans pour autant révéler les secrets de Gontran. Paul n'a pas tué. C'est un enfant issu d'un viol collectif perpétré par des prêtres. Un de ces prêtres a envoyé une lettre à la victime du viol, une lettre écrite dans un intense moment de repentir. Cette lettre a abouti chez la mère adoptive, Émilienne. Comme la lettre pouvait dénoncer les auteurs du viol et menacer leur carrière ecclésiastique, l'un d'entre eux est allé la réclamer à Émilienne. Il l'a tuée, probablement parce qu'elle refusait de la rendre. Ce prêtre s'est ensuite présenté comme un conseiller spirituel auprès de Paul quand il était en institution psychiatrique, il l'a mis en confiance jusqu'à lui extorquer, par le subterfuge d'un jeu, des aveux écrits. Paul a été dupe. Totalement. Parce que la confiance qu'il avait en cet homme était sans faille.

Après un bon moment, Jasmin leur dit que les grands-parents Villeneuve admiraient beaucoup un aumônier qui avait fait « débloquer » Paul, l'avait sorti du mutisme dans lequel il s'enfermait depuis le meurtre. Cet homme, c'était le seul avec qui Paul avait parlé, selon eux.

« Vous croyez que c'est le même ? Je veux dire… que c'est le meurtrier ? »

Vicky et Patrice n'en doutent pas une seconde. Jasmin essaie de se rappeler autre chose que les Villeneuve lui avaient confié au sujet de cet homme, mais il n'y parvient pas. Ils restent en silence jusqu'à l'aéroport.

Une fois sur le point de partir, Jasmin leur demande comment procéder, comment apprendre cette nouvelle trahison à Paul. C'est Patrice qui se montre soudain d'une extraordinaire souplesse : « Vous savez, rien ne presse. Prenez le temps d'absorber le choc. Demain, vous y verrez plus clair. Nous vous attendrons. Ce n'est pas comme si le procès était imminent.

— Le procès ! C'est ça que les Villeneuve m'ont dit : quand la police a su que Paul parlait avec l'aumônier, ils ont voulu commencer les procédures. Les grands-parents étaient désespérés parce que Paul était trop fragile encore. Il aurait avoué n'importe quoi. L'aumônier n'a jamais voulu confirmer que Paul lui parlait. Secret de confesseur. Il a juré que tout ce que Paul lui avait dit l'avait été sous le sceau de la confession. Pourquoi il aurait dit ça, s'il était le coupable ?

— Pour s'assurer que Paul ne serait pas aussi vulnérable, le jour où on le jugerait. Un coupable vulnérable, c'est difficile à condamner à vie. »

Juste avant de les laisser, Jasmin demande à Vicky s'il peut lui parler seul à seule.

Patrice est plus que curieux d'apprendre la teneur de cet aparté : « Alors, quoi ? Vous avez des secrets, le directeur et vous ? Ne me dites pas que vous êtes tentée ?

— Payez, Patrice Durand ! Vous avez terrorisé Jasmin avec votre belle ouverture d'esprit sur l'homosexualité, ben c'est ça, le résultat !

— Quoi ? Il voulait vous confier un pépin sexuel ? Son peintre le trompe ?

— Arrêtez !... ou vous ne saurez rien ! »

Patrice capitule.

Jasmin a finalement obtenu une confirmation auprès de Paul : le jour de ses dix-huit ans, le jour du meurtre, Paul avait décidé de révéler à Émilienne qu'il était homosexuel. Il s'était promis de le faire avant sa majorité... et il craignait beaucoup de la décevoir.

« Bon, d'accord. Ça vous est venu comment, cette vérification ? Et ça prouve quoi, exactement ?

— Je me suis dit que si Paul était déjà anxieux, s'il avait ce jour-là une sorte de nervosité en arrivant sur les lieux, il a pu commettre des bévues, paniquer encore plus.

— Disjoncter, quoi ! Mais enfin, il avait déjà tout ce qu'il fallait pour péter les plombs. Pourquoi en rajouter ? Pourquoi cet élément ? Pour l'accabler davantage ? Je ne pige pas.

— Six mois, Patrice. Six mois sans parler, sans s'ouvrir, à se bercer avec des poupées et à appeler sa mère ! Il n'est pas comme Paulette, il n'a pas un fonctionnement mental hachuré ou interrompu, ou, je ne sais pas comment dire, à géométrie variable. Il a fait des études en prison, il continue de diriger le musée… sa rupture mentale devait être causée par le choc du meurtre, mais ça me semblait étrangement long. Ajoutez à cela que le seul qui l'a fait parler est beau, qu'il a du charisme et qu'il est capable d'exercer une certaine fascination… Pour un enfant comme Paul, s'il était rendu à sortir du garde-robe – malgré le risque qu'il y voyait de perdre l'amour de sa mère – la pression conjuguée des deux chocs pouvait le rendre muet pendant très longtemps. Pour la vie, même.

— Ça nous avance beaucoup, tout ça ! Pas la peine d'en faire un cirque, Vicky !

— Comprendre les mécanismes des gens concernés, moi ça m'aide, Patrice. Et ça vous aide aussi, parce que vous n'auriez jamais pu décrypter et supporter le langage pété de Paulette. Sans mon aide, vous n'auriez jamais compris pourquoi Dumond s'est tenu tranquille tout ce temps-là !

— Oh ! Mais j'ai aussi ce talent ! Je vais vous épater, tiens : vous allez la boucler très bientôt, parce que vous avez la trouille des petits avions. Qu'est-ce que je les décode, vos fonctionnements à géométrie constante ! »

***

Patrice stationne la voiture devant l'immeuble de Vicky quand son téléphone sonne.

« Voilà Martin qui s'impatiente. Vous êtes attendue, ma chère !

— Non, c'est Jasmin Tremblay. »

Il en a long à dire, le directeur ! Patrice s'étonne de voir Vicky sortir son calepin et en feuilleter les pages.

« Non, il n'a pas eu à répondre parce que la police ne lui a rien demandé à l'enquête. Il n'était pas là... Nous avons cherché, et il était en mission ou en voyage quelque part au Québec... Effectivement, rien pour l'empêcher de venir à Sainte-Rose en vitesse et de commettre le meurtre... Je sais, Jasmin... »

Elle tourne les pages de son carnet en écoutant les explications qu'elle ponctue de « oui » et de « je sais bien ».

Patrice la regarde, interrogatif. Elle lui fait signe de couper le moteur.

« O.K., d'accord... Jasmin ? Est-ce que monsieur Veilleux est là ? »

La tête de Patrice ! Il fait un signe, les deux mains ouvertes : qu'est-ce qu'elle fout là ?

« Bonsoir, monsieur Veilleux... Gervais, oui. Je me demandais : personne ne vous a interrogé quand l'enquête a eu lieu en 1985 ? J'ai rien dans le dossier... Mais parce que vous la connaissiez et que vous alliez souvent dans son coin. Vous m'avez dit que vous étiez sorti peindre, ce jour-là... Je sais, je sais, mais les policiers, eux, ne le savaient pas. Vous étiez où, exactement ?... Combien de kilomètres ?... Oui, mais essayez de vous souvenir... Même si ça n'a aucun rapport, avez-vous vu quelqu'un dans les bois ?... oui... oui... Attendez ! Comment vous le savez, ça ? »

Il y a quelque chose dans la posture de Vicky qui change, quelque chose dans son ton qui se tend. Elle fixe le tableau de bord, très concentrée. Elle écoute de tout son corps. « O.K. Et là ?... Ah bon !... Gervais, je vais vous demander de faire un effort et d'essayer de tout revoir. Il y a quelque chose qui vous a peut-être frappé, sans même que vous vous en aperceviez... Rappelez-moi, voulez-vous ?... Si quoi que ce soit vous revient... O.K., merci. »

Elle se tourne vers Patrice, qui brûle de savoir.

« J'avais pris une note concernant ceux que la police n'avait pas questionnés. Gervais Veilleux était de ceux-là. Quand nous sommes allés chez lui, il nous a dit qu'il connaissait Émilienne et qu'il peignait dans le coin de sa maison. Il a même dit qu'il n'était plus jamais retourné par là après le meurtre. Je ne sais plus si vous étiez encore avec nous quand il a dit ça ? »

Patrice a un geste impatient, il attend la suite.

« Je voulais juste vérifier l'endroit où il était le 9 octobre. Il peint des paysages, il circule dans la région, il aurait pu voir quelque chose. La police ne lui a rien demandé parce qu'il habitait à Chicoutimi, à l'époque. Mais, ce jour-là, il était à Sainte-Rose. Il est allé au nord de la maison d'Émilienne. À cinq kilomètres, à peu près. Plus haut. Il circulait à vélo de montagne. Il faisait chaud. Très chaud. À quatre heures, quand la lumière a baissé, il a décidé de redescendre et de faire un détour pour se baigner dans la rivière, là où elle fait un coude, à un endroit où il n'y a jamais personne. En faisant ça, il contournait la maison d'Émilienne, il s'en éloignait de deux bons kilomètres. Rendu à la rivière, il a vu une voiture sur le chemin. Une voiture louée et personne dedans. Seulement une carte routière sur le siège du passager. Il a compris que son *spot* était probablement occupé et il est rentré chez lui. Comme c'était très loin de chez Émilienne, il n'a jamais pensé rapporter la chose.

— Quel con ! Qu'est-ce que ça lui coûtait de l'ouvrir ?

— Justement : rien ! Pour lui, un meurtrier sacre son camp au plus vite. Et quand il est en voiture, il s'éloigne le plus possible du lieu du crime.

— Je veux bien, mais quand un mec est aussi imbu de lui-même que Dumond...

— Non Patrice, vous n'y êtes pas ! Quand on est couvert de sang et qu'on a prévu le coup, on laisse sa voiture en aval, on monte à pied pour ne pas laisser de traces de pneus et on redescend en courant pour aller se laver et enlever ses vêtements couverts de sang. On ne touche pas à sa voiture tant qu'on n'est pas parfaitement propre. Vous voyez de quoi aurait eu l'air le siège du conducteur s'il avait sauté dans son auto ?

— Putain ! Ça ne s'arrange pas : Veilleux était à deux pas, il l'avait sous la main.

— Vous savez ce que ça signifie ? Que le meurtre était prémédité. Que Dumond avait déjà inspecté les lieux. Qu'il était même peut-être là, la veille du meurtre.

— Il ne pouvait quand même pas savoir qu'il la tuerait à la hache ?

— Non, il a dû penser l'étrangler avec ses beaux gants s'il n'obtenait pas ce qu'il voulait. Toujours sans laisser de traces. L'auto plus bas, c'était pour éviter d'être vu dans les parages, d'attirer l'attention. Il a pu y aller très tôt le matin et attendre son heure. Et ça a très bien marché. Même Veilleux n'a pas fait le lien, à cause de la distance.

— Admettez que se taper une balade de, quoi ? quelques kilomètres… donc sûrement plus de deux après avoir tué, c'est costaud !

— Athlétique, dans la cinquantaine fringante… C'est pas notre gros Rivest qui aurait pu faire ça, c'est sûr.

— Et comment peut-il affirmer que la voiture était louée ? Même les gens du coin peuvent utiliser une carte routière.

— Un "F" sur la plaque. Au Québec, toutes les voitures louées ont cette lettre.

— Si seulement les policiers de l'époque avaient obtenu cette info ! Paul n'aurait jamais été condamné.

— Et c'est ce qui nous permettra de le sortir de prison sans le traumatiser encore.

— Vous croyez ?

— Une voiture louée dans un périmètre aussi rapproché, le jour du meurtre ? Avec un témoin du calibre de Veilleux, c'est gagné. Oubliez pas que l'absence de traces d'un autre véhicule que celui de Paul avait compté pour beaucoup dans l'accusation.

— Pourvu que ça ne dispense pas Dumond de payer pour tous ses abus… Ah la vache ! L'Église va le lâcher dans ces conditions. Et durement avec ça. »

Un coup frappé contre la vitre de Vicky les fait sursauter : Martin, les bras chargés de sacs à provisions, leur demande s'ils attendent que le souper soit prêt avant de sortir.

Patrice fait des manières, hésite et il est évident qu'il a envie de se joindre à eux.

Vicky est si excitée, si contente qu'elle lui dit qu'il lui devra beaucoup, effectivement, et beaucoup plus que le repas. « Surtout que Jasmin arrive demain et qu'il m'a demandé de l'assister dans sa difficile mission. Parce que moi, je ne crache pas sur la tartine psychologique ! »

***

Brisson peine à comprendre tous les détails du dossier quand le portable de Vicky sonne. Trop contente de voir que l'appel vient de chez Jasmin, elle sort du bureau en laissant Patrice se débrouiller avec son patron.

« Jasmin ?

— Non, c'est Gervais Veilleux. Jasmin vient de partir pour Montréal.

— Vous vous êtes souvenu d'autre chose ?

— Avez-vous dix minutes ?

— Trente, si vous voulez.

— Jasmin vous apporte deux choses et je veux vous expliquer.

— O.K. Je vous écoute.

— En 1985, j'avais trente ans, j'étais marié et ma première fille était née. J'ai l'air de faire un détour, mais…

— Faites les détours que vous voulez, Gervais, je vous écoute.

— J'avais toujours pensé que mon attirance pour la beauté formelle faisait partie de mon métier. Que la beauté soit mâle ou femelle, je m'en sacrais. J'admirais, point. Ça fait que ça m'a pris du temps à comprendre que je voulais plus qu'admirer… et ça change rien à mon passé hétéro. Suivez-vous ?

— On va dire que vous êtes bi, c'est ça ? Avec un peu de retard pour la conscience du bi.

— Bon ! Là, tu parles ! Ça fait que le 9 octobre 1985, j'ai vu plus que j'ai dit, hier. Mais comme Jasmin ne perdait pas un mot de ce que je disais et que je voulais lui en parler avant, je ne vous l'ai pas dit.

— Vu plus ?

— J'ai vu le propriétaire, ou plutôt celui qui a loué l'auto.

— Où ?

— Dans l'eau. Dans la rivière. Il se baignait, flambant nu, dans le gros du courant, et je l'ai regardé. Longtemps. Je l'avais jamais vu dans le coin. Hier soir, j'ai compris que c'était probablement le meurtrier. Sur le coup, tout ce que j'ai vu, c'est que j'avais envie de m'approcher de lui…

— L'avez-vous vu de face ?

— Oh oui… »

Vicky a envie de lui demander s'il a regardé autre chose que son sexe, mais elle cherche comment tourner sa phrase poliment. Veilleux ne la laisse pas formuler sa question : « Avez-vous un ordinateur près de vous ?

— Bien sûr.

— Allez sur mon site : veilleux.com, et prenez la série 1990-2000… les cinq premiers tableaux. »

Comme c'est étrange… la pulsion du corps dans l'eau est presque uniquement un éclair lumineux argenté. Rien de figuratif, rien qui permette d'identifier un meurtrier. Mais quand on connaît le modèle, quand elle regarde la photo de Dumond, Vicky peut confirmer que c'est le même genre d'homme. Évidemment, ce ne serait pas suffisant pour un juge.

Une puissance féroce se dégage du personnage. Une puissance et plus encore : cet homme domine la nature, on dirait qu'il soumet le courant à sa force, comme s'il baisait la rivière. Sans rien afficher d'explicite, ce sont des tableaux qui possèdent une telle connotation sexuelle que Vicky se demande si Veilleux l'a perçue du sujet ou s'il l'en a investi.

« Les trouvez-vous ?

— Oui. C'est… magnifique et malheureusement insuffisant pour la justice. Je veux dire que moi, je le reconnais, mais…

— C'est ce que Jasmin vous apporte : le carnet de *sketchs* que j'ai faits sur place, ce jour-là. Ils sont plus précis, plus proches du modèle que sur les tableaux. Les tableaux, je les ai faits beaucoup plus tard… parce que j'ai haï cette journée-là, quand j'ai appris la mort d'Émilienne. Une chance que j'ai jamais été capable de jeter mes esquisses, parce que celles-là auraient été les premières à prendre le bord de la poubelle.

— Ça vous a pris, quoi ? six ans avant de peindre le premier ?

— Sept. Et oui, j'avais croisé Jasmin et il me fatiguait pas mal. Il me dérangeait pour la peine, en fait. Le premier tableau, je l'ai fait sans regarder les esquisses, de mémoire.

— Vous avez une vraie bonne mémoire. Avez-vous vu autre chose, ce jour-là ? Êtes-vous resté assez longtemps pour qu'il sorte de la rivière ? Est-ce qu'il vous a vu ?

— Doucement : oui, je suis resté longtemps. Non, il n'est pas sorti de la rivière, et non, il ne m'a pas vu. Je ne sais pas pourquoi j'ai pensé que c'était un peintre, lui aussi. Je l'ai laissé tranquille. J'aime pas qu'on me dérange quand je suis dans le bois.

— On aura donc votre témoignage et vos croquis. Il aurait pu vous tuer, s'il vous avait vu.

— Peut-être qu'il aurait voulu me tuer, mais il y serait jamais arrivé. Je ne suis pas Émilienne, moi !

— C'est drôle que vous ayez pensé qu'il était peintre.

— Vous trouvez ? Vous ne me connaissez pas. Je peux être assez égocentrique à mes heures. Dans ce temps-là, c'était encore pire.

— En tout cas, merci. Vous venez de sortir Paul de prison.

— J'aurais pu me réveiller avant qu'il fasse tout son temps.

— Les policiers auraient pu vous poser la question que je vous ai posée, aussi.

— Ils n'avaient aucun moyen de faire le recoupement : c'était à moi d'allumer. »

Vicky n'argumente pas davantage sur le passé. Elle le remercie encore. Juste avant de raccrocher, elle demande : « Et la deuxième chose ? Vous avez dit que Jasmin m'apportait deux choses ? »

Le rire de Veilleux est extraordinaire de vitalité : « Bon ! Me semblait bien que vous étiez pas du genre à en laisser passer une ! C'est une surprise. Ça n'a rien à voir avec votre affaire. Vous verrez. »

Il raccroche sans lui laisser une chance d'insister.

Elle court chez Brisson.

***

Veilleux avait raison : les croquis sont vite faits, mais contrairement aux tableaux, c'est le sujet vivant et non la nature l'entourant qui est le plus détaillé. Sur le troisième, le visage de Dumond est si ressemblant que Patrice s'exclame : « Putain ! On le tient ! »

L'arcade sourcilière, le dessin de la mâchoire, le nez comme un trait, et cette bouche : tout le dédain et la soif de plaisirs sont là. C'est magistral. Et c'est daté. Il n'y a pas un seul dessin non daté dans ce calepin qui s'ouvre le 5 mai 1985 pour s'achever sur une série de bébés adorables, en décembre de la même année.

Ils photocopient chaque page du carnet et remplissent les papiers nécessaires pour garder les originaux jusqu'à ce que la justice n'en ait plus besoin.

Vicky laisse Brisson discuter avec Patrice de la stratégie pour faire revenir Dumond de Rome et pour obtenir en urgence que le procureur fasse une demande de remise en liberté. Ce genre de détails l'ennuie et elle a promis à Jasmin de l'accompagner à la prison.

Ils prennent la voiture louée par Jasmin à l'aéroport. Sur le siège arrière se trouve un long paquet qu'il lui tend : « C'est Gervais qui vous l'offre. »

Il s'agit du tableau qu'elle avait admiré dans le hall d'entrée de leur maison.

Elle le contemple, interdite, muette d'admiration.

Jasmin jure qu'il n'a rien dit d'autre que sa réaction en le voyant : « Je suis resté aussi surpris que vous quand il m'a dit qu'il vous le donnait. Il n'a jamais accepté de s'en séparer. Son galeriste de New York a tout fait pour l'avoir… il vous a dit pourquoi ? »

Non. Mais Vicky n'a pas besoin d'explications pour ce genre de délit. Ça a à voir avec tant de choses, avec ce mystère de la férocité sexuelle qui peut sublimer ou anéantir l'être humain, permettre de vivre à plein ou de détruire à jamais, cet appétit premier qui prend ensuite tant de formes ou qui s'éteint mystérieusement. Il n'y a pas un appétit de pouvoir qui ne repose sur la sexualité. Et peut-être que l'Église l'a mieux compris, elle qui retire aux prêtres l'expression sexuelle afin de la transformer en pouvoir sur soi… qui s'étend immanquablement sur l'autre. Et qui, trop souvent, le contrôle et l'asservit. Le prix à payer pour cette apparente pureté est si souvent réglé par les pauvres agenouillés qui confient des péchés infiniment anodins à un homme affamé de pouvoir et rendu violent par la violence de sa lutte contre ses propres excès. Tout comme il n'y a jamais aucun sexe, aucune bouche dans les tableaux de Veilleux, il n'y a pas de sexualité active dans les lois de l'Église pour ses prêtres. Mais la sexualité les hante et les soumet, comme elle le fait pour tout être humain, comme elle exsude de chaque tableau de Veilleux.

Ils sont en route vers la prison quand Vicky sort de son mutisme: « Quand vous aviez critiqué le travail de Veilleux, quand vous lui aviez dit qu'il piétinait… ses tableaux étaient comment ?

— Corrects. Mais retenus, pas du tout libres. Contraints. Dans la ligne, dans la construction et même dans la couleur. Je sais pas comment dire… Ça faisait pas de bien à regarder. Je sais que ses tableaux de maintenant dérangent, mais au moins ils explosent. Avant, ils…

— … implosaient ?

— Non. C'est celui qui regardait qui implosait. Comme si le coup de poing ne se rendait pas, mais qu'on se le donnait parce que la pulsion, elle, se rendait.

— Et vous avez contribué à libérer la pulsion ? »

Jasmin se range dans le stationnement de la prison.

« Non. On se libère tout seul. Des fois, c'est avec l'aide des autres. Des fois, c'est malgré les autres. Mais ça se fait tout seul. Ça prend du courage. On s'est fait beaucoup de bien, Gervais et moi, mais on aurait pu se faire beaucoup de mal. Des fois, c'est une question de timing. Voyez-vous, je ne sais pas ce que je serais devenu sans monsieur et madame Villeneuve, sans leur confiance… Et là, je ne sais pas comment faire pour aider Paul à devenir un homme libre.

— En lui faisant confiance comme ses grands-parents vous ont fait confiance, peut-être ?

— Je ne suis pas certain que ça va suffire.

— Venez. On va commencer par lui apprendre qu'il sortira de prison. »

***

Paul reste impassible un long moment. Il ne demande ni quand exactement, ni les détails des causes de son changement de statut. Il regarde les murs, reste immobile, les yeux au plafond. Après un silence presque inquiétant, il demande : « Est-ce que je vais avoir le droit d'aller sur la tombe de maman ? Est-ce qu'il est trop tard dans la saison pour les bulbes de narcisses ? Elle a toujours tellement aimé ces fleurs-là. »

Vicky trouve cette réaction très encourageante, alors que Jasmin remue sur sa chaise et s'en inquiète.

Paul regarde Vicky : « Où est votre partenaire ?

— Il s'occupe de régler les procédures pour votre sortie.

— Un jour, je vais aller en France. »

Ce qui rassure enfin Jasmin.

***

L'archevêché se montre très humble, empressé de rencontrer les autorités compétentes afin de « régler au mieux les suites du préoccupant dossier qui leur est présenté ».

Brisson commence à s'exciter et Patrice exige d'être présent à la première rencontre avec les gens d'Église. Il n'est pas question de leur permettre de magouiller et de dissimuler le coupable ou de le soustraire aux conséquences de ses actes. Patrice réclame que le meurtrier soit épinglé, sanctionné et « non pas sanctifié ». Il jubile, comme si le clergé l'avait opprimé, alors qu'il n'a jamais pratiqué de religion.

Vicky le laisse se faire plaisir : elle n'aime pas cette partie du travail. Elle fignole le rapport et y ajoute sa dernière trouvaille. En appelant Veilleux pour le remercier, il lui apprend pourquoi il a cru que Dumond était peintre.

Il a aperçu des verres fumés sur la carte routière posée sur le siège de l'auto. Les lunettes étaient maculées de peinture, exactement comme les siennes, quand il peint.

« Il n'y avait qu'une seule couleur : rouge. Comme c'était l'automne, j'ai trouvé ça normal. Ce n'est qu'aujourd'hui que je me rends compte que c'était du sang. Le sang d'Émilienne. »

Les représentants de l'archevêché ne discutent pas : devant le rapport, ils s'inclinent et commencent les démarches de destitution et d'extradition de Dumond. Le seul problème qui est débattu est celui de l'état de santé de Rivest. On ne demande pas la clémence, mais des précautions élémentaires pour lui éviter la crise cardiaque. Vicky s'étonne de la docilité de l'Église et Patrice maintient que les règles ont changé depuis la multiplication des scandales sexuels mis au jour un peu partout dans le monde. Et surtout, depuis la dissimulation dont l'Église s'est rendue coupable. « S'ils veulent conserver le peu de crédibilité qui leur reste, ils ont intérêt à collaborer, Vicky. Je vous avais prévenue qu'ils lâcheraient Dumond dès qu'ils apercevraient la moindre fissure sur le navire, comme les rats, quoi ! »

Elle lui fait remarquer que sa métaphore boite : c'est Dumond, le rat. Pas l'Église.

« Vous êtes vachement indulgente avec eux ! C'est votre enfance catho qui nous vaut cela ? »

Elle déteste quand il réduit le débat à la religion ou à son passé catholique. Et elle le lui dit : « Rien dans cette affaire n'est une condamnation de la foi. Il y a des hommes, et c'est tout. Des hommes et leur appétit de pouvoir. Des hommes et leur perversité envers des enfants confiants. Il y a la religion qui sert de cachette à ceux qui ont l'esprit tordu et qui s'inventent un dieu vengeur pour assouvir leurs instincts tortionnaires. La manipulation n'est pas un fait religieux, c'est une tendance humaine qui n'épargne pas les religieux. Le notaire était un homme honorable, respectable et réputé pieux : ça ne l'a pas empêché de détruire son fils et d'en faire un prêtre malgré lui. Être asservi à des désirs pervers n'est pas une conséquence directe de la foi, mais des règles que des hommes ont édictées au nom de la foi.

Et c'est pareil partout, quelle que soit la religion : on prêche l'amour, la charité, la tolérance, et on écrase le plus petit dans l'espoir d'être quelqu'un. Et de se croire sauvé. Et on envoie des enfants de dix-sept ans bardés de bombes se faire exploser au milieu d'une foule. Que ce soit la mosquée, l'église ou la synagogue, il y a toujours eu des outrages et des martyrs, et ce sont des hommes qui les ont fait subir à d'autres hommes en proclamant que l'ordre venait de dieu, leur dieu, peu importe son nom. Mais le seul dieu de ces personnes, c'est le pouvoir. L'envie, l'appétit de pouvoir et l'orgueil. Et je vous préviens tout de suite : Dumond ne fera pas exception, il va se présenter en victime consentante qui nous pardonne nos erreurs et qui implore dieu de nous pardonner à son tour, « car nous ne savons pas ce que nous faisons » !

Patrice ne discute plus. Il est soufflé.

« Vous avez probablement raison, c'est ce qu'il fera. Mais vous n'êtes pas susceptible de vous faire avoir par ce fumier.

— Je ne le verrai même pas, Patrice. Ce n'est pas moi qui poursuis, c'est notre système judiciaire… laïc !

— Ça va ! Ça va ! J'ai pigé. »

***

Martin dépose quatre fiches sur la table.

« Il y a quatre destinations, et c'est toi qui choisis. Je voulais le faire sans te consulter, mais c'est ton anniversaire, c'est pour te faire plaisir, alors tu décides. »

Il est tellement content qu'elle ait arraché ce congé à Brisson qu'il irait à « Saint-en-Arrière » si elle le souhaitait.

Vicky retourne les cartons un à un : Paris, Londres, Barcelone, Venise.

« N'importe laquelle ?

— De ces quatre-là, oui. »

Sans hésiter, elle pose le doigt sur Venise. Martin pousse un cri de Sioux : c'est celle qu'il préférait. Il s'arrête tout à coup : « Tu l'as deviné ? Tu l'as pas choisie pour me faire plaisir ?

— Non. La seule que j'ai devinée, c'est Paris. J'étais certaine que tu ne m'aurais pas invitée là, avec Patrice qui trouverait le tour de nous déranger. »

Il avoue qu'il a même hésité à placer le nom de cette ville dans ses choix.

« C'est pas que je l'aime pas, mais... je veux être tout seul avec toi, loin du bureau, loin des crimes non résolus, loin du musée des horreurs. Tu comprends ? »

Si elle comprend !

Il lui fait jurer de ne pas apporter son ordinateur ou son cellulaire. Elle consent à tout et lui promet même un droit de regard sur sa valise avant de partir.

« Excellent ! Je vais pouvoir choisir tes sous-vêtements.

— Tu serais pas contrôlant sur les bords, Martin ?

— Apporte ce que tu veux : c'est ta fête, c'est ton voyage. Jure-moi que le bureau reste à Montréal, c'est tout.

— Un petit tour au Vatican pour admirer les œuvres de Michel-Ange, ça te dit rien ?

— Non ! On a tout ce qu'il nous faut ici, avec ton Veilleux. »

Vicky est presque mal à l'aise d'avoir été rétribuée pour cette enquête. Mais Jasmin et Paul Provost ont insisté : il n'était pas question de ne pas payer Vicky. Le contrat a été entièrement rempli et l'assassin d'Émilienne a été arrêté. La Sûreté n'aurait jamais rouvert le dossier sans Patrice et sans elle. Même Brisson l'a confirmé.

Dès sa sortie de prison, Paul a emménagé chez Jasmin et Gervais. Dans cette immense maison, il peut avoir un espace bien à lui et la distance de quelques kilomètres qui le sépare de Sainte-Rose permet une acclimatation progressive.

Étrangement, la révélation des ruses de Dumond et de ses crimes a laissé Paul assez impassible. Il a refusé de consulter un psy ou d'être suivi d'une quelconque façon. Il a demandé à Jasmin d'écarter tous ceux qui voudraient lui reparler de cette affaire, que ce soient des journalistes, des juristes ou des gens bien intentionnés. Et il a voulu quitter Montréal au plus tôt.

Quand Jasmin lui a appris que ses parents naturels vivaient toujours, Paul a décrété que ses parents étaient morts, tous les deux.

Vicky a reçu une très belle lettre de Paul Provost dans laquelle il la remerciait de ce qu'elle avait fait pour lui et pour la mémoire de sa mère.

Parce qu'être tuée par celui qu'on a élevé avec amour et qu'on a mis à l'abri de tous les dangers, c'était comme lui retirer ce qui avait inspiré toute sa vie: l'amour et la générosité. Vous savez, ma mère m'a tellement aimé que je dois maintenant me montrer digne d'elle et m'accrocher à ces années passées près d'elle et non pas aux quelques heures qui m'ont hanté pendant tout mon temps de prison.

Vicky a répondu à cette lettre par un mot très court et bien senti.

Un peu jaloux quand même, Patrice a repris son avion en l'assurant que le rôle de l'enquiquineur irascible commençait à lui peser. Vicky a beaucoup ri et l'a encouragé à développer son ouverture d'esprit.

Il n'était pas content de repartir, le Patrice, il râlait et prétendait vouloir former « une *dream team* » avec elle et proposer leurs services au privé ou même à Brisson. Vicky, pour lui permettre de réfléchir sérieusement à l'affaire, lui a donné le montant exact de son salaire... avec l'équivalence en euros.

Il n'en revenait pas: « Je veux bien que la vie soit moins chère ici qu'à Paris, mais tout de même... Vous leur faites un sacré cadeau, à ce prix. Mes honoraires seraient plus salés. »

Elle le laisse s'envoler vers sa vie qu'elle devine insatisfaisante. Il va revenir, elle n'en doute pas une seconde. Et elle s'en réjouit parce qu'il a raison: ensemble, ils sont *top* !

***

Le 31 octobre 2007, le cardinal Vanier Dumond, redevenu simple prêtre par démission volontaire de ses hautes fonctions, s'est prosterné devant le juge et a signalé qu'il boirait le calice jusqu'à la lie.

Il était victime d'une conspiration qui le dépassait, n'ayant jamais levé la main sur quiconque dans un autre dessein que de le bénir. Ses actes sont exempts de malice, d'impureté ou de méchanceté. Dieu conduit sa vie, comme Il l'a toujours fait. Il s'inclinera et suivra la voie que Dieu lui indique. Si Dieu veut l'éprouver, c'est qu'Il croit en lui. Béni soit Dieu !

L'arrangement à l'amiable est signé par un Dumond hautain et méprisant. Tout juste s'il ne se prétend pas une réplique du Fils de Dieu mené au Golgotha. L'archevêché a réussi à négocier en coulisses afin que l'identité du prêtre et ses crimes soient tenus à la plus grande confidentialité. Et ce, même si les fouilles exécutées en bordure de la rivière ont permis de déterrer des lambeaux de vêtements où le sang d'Émilienne Provost a été identifié. La méticulosité du cardinal lui a joué un tour : en plaçant ses effets dans un sac de cuir avant de l'enterrer, il a permis une meilleure conservation de ceux-ci.

Des excuses en bonne et due forme, signées par les représentants de la justice et du gouvernement, sont parvenues à Paul Provost, qui les a montrées à Jasmin en déplorant que ses grands-parents ne puissent pas les lire. Les discussions sur les dédommagements d'ordre pécuniaire sont en cours et n'intéressent absolument pas Paul.

Épilogue

Le 3 novembre 2007, dans l'église de Sainte-Rose-du-Nord pleine à craquer, Vicky assiste à une cérémonie funèbre à la mémoire d'Émilienne Provost.

C'est Paul qui l'a organisée. Et c'est lui qui l'a invitée. Le curé Yvan Gauthier officie avec sobriété et émotion.

Il prononce une très courte homélie à la mémoire d'une femme qui « ne tirait pas du grand » et qui prenait sa force dans son cœur. Éprouvée par la vie de bien des manières, cette femme a toujours su réagir avec courage et continuer, sans se plaindre ou s'apitoyer.

« C'est la leçon qu'elle nous enseigne : quels que soient les coups, il faut regarder vers le beau qui reste, et le bon qu'on peut toujours faire. Parce que ça dépend de nous, pas du voisin. Parce que tout est peut-être dans les mains de Dieu… mais pour le moment, pour notre passage sur terre, tout passe aussi par nos mains, et c'est à nous de les rendre humaines en les ouvrant. Merci, Émilienne. Paul ? »

Paul se lève et se rend au milieu du chœur. Il tient son message d'une main tremblante, mais il le lit avec assurance.

« Il y a quarante ans, le curé Gauthier m'a baptisé ici même. Mon père et ma mère étaient aux anges, c'est maman qui me l'a dit. Aujourd'hui, je sais pourquoi leur joie était si particulière et je la crois toujours. Ma venue dans leur vie a été une bénédiction.

« Pendant vingt-deux ans, j'ai été en prison. Aujourd'hui, je suis blanchi de toute accusation. Je ne suis pas soulagé, parce que j'ai toujours su que je n'avais pas tué ma mère. Je suis heureux pour elle, parce qu'elle n'aurait pas supporté que je sois seulement soupçonné d'un meurtre aussi horrible.

« Jasmin Tremblay ne l'a pas supporté non plus. Ni le curé Gauthier, ni tant de gens qui m'ont cru innocent. Aujourd'hui, je veux rendre hommage à ma mère et lui dire adieu, accepter de me séparer d'elle. Quand ses funérailles ont eu lieu, j'étais enfermé dans une prison pire que la vraie prison. C'était comme si le livre d'images colorées qu'était ma vie jusque-là m'avait explosé en pleine face. Pendant dix-huit ans, ma mère m'a appris à lire, à écrire, à prier, à aimer et à devenir un homme. Pendant vingt-deux ans, la société m'a emprisonné et obligé à penser à sa mort tous les jours.

« Aujourd'hui, je veux fermer la porte de toutes les prisons. Les vraies et celles qui nous enferment dans notre tête et qui ne sont pas moins dures. Je ne crois plus aux livres d'images, je ne veux plus bercer des poupées pour retrouver une enfance perdue. Je veux enterrer maman et enterrer son meurtre. Je veux qu'on se souvienne d'elle quand elle riait, quand elle jardinait, quand elle jouait aux dominos et qu'elle détestait perdre. Je veux qu'on se souvienne qu'elle était une femme avec des défauts – oui, oui : elle avait un romantisme presque exagéré – et des qualités. Un être humain, et non pas une martyre. Une mère dévouée et une amie fidèle.

« Aujourd'hui, je dis adieu à ma mère bien-aimée, et je vais reprendre ma vie là où je l'ai laissée il y a vingt-deux ans. Ce jour-là, tout s'est arrêté, mais il y a toujours quelqu'un au fond de moi qui veut vivre et non pas être "le pauvre qui a fait de la prison pour rien".

« On ne fait rien pour rien, si on le fait bien. C'est maman qui disait ça. Ces vingt-deux ans là, il faut qu'ils me servent à quelque chose. Que ce ne soit pas perdu. Que ce ne soit pas qu'une erreur. Si j'ai fait confiance à quelqu'un qui ne le méritait pas, ce n'est pas à moi de m'en vouloir de ma confiance, mais à lui de s'inquiéter de ce qu'il en a fait. La pensée et le souvenir de ma mère vont rester dans mes pensées, mais l'obsession de sa mort va cesser.

« Le musée de ma mère va continuer à exister, mais je n'en serai plus le directeur. Jasmin Tremblay a fait ses preuves depuis longtemps. Et s'il veut le transformer en un autre musée un jour, il pourra le faire. Je ne bercerai plus de poupées, je n'ouvrirai plus de livres d'images colorées, mais je resterai un enfant abandonné qui a été choisi et adoré par sa mère adoptive. En mémoire d'elle, je ne sacrifierai pas ma vie à un musée. Je vais partir et vivre selon ce que je suis. Et je ne suis pas celui qui a fait de la prison pour rien. Je suis le fils de Paul-Émile et Émilienne Provost, mes parents généreux qui m'ont élevé pour devenir un homme responsable et brave.

« Je les remercie de m'avoir choisi et de m'avoir tant donné. Maman, repose en paix : je vais bien et je t'aime. »

Vicky n'a pas senti que Paulette se faufilait près d'elle : elle est tout à côté sur le banc. Elle lui prend la main et y glisse un petit carton. C'est la carte funéraire de Gontran Gagnon sur laquelle une photo et une prière ont été imprimées. La photo est d'une grande netteté. Elle ne l'avait jamais vu : il ressemble étonnamment à sa sœur, et un peu à cet homme qui regagne son banc, son neveu Paul Provost.

Il n'y a pas que sa famille adoptive qui a œuvré pour que Paul soit l'homme qu'il est devenu. Sa famille d'origine aussi l'a soutenu, même inconsciemment. Cet oncle mort trop tôt, abîmé dans un cauchemar, brisé par des mains sans bonté, avait désespérément voulu que justice soit faite.

Vicky glisse la photo dans son sac et, sans regarder Paulette, elle prend sa main et chuchote : « On ne l'oublie pas, Paulette. On l'oubliera pas. »

Elle s'attendait à entendre un « Ouais » ou un « Ben sûr ». Une Paulette satisfaite murmure : « Moi aussi, j'y en ai planté des bulbes. Y va en avoir plus qu'Émilienne. Plein sa tombe. Plein partout. »

Fin

Vous retrouverez les personnages de Patrice et Vicky
dans *Sans rien ni personne*, paru en 2007.

Québec, Canada